LES DERNIE[...] DE CHARLES BAUDELAIRE

Bernard-Henri Lévy est né en 1949. Il est agrégé de philosophie. De 1971 à 1972, il effectue un long séjour dans le sous-continent indien, et notamment au Bangla Desh pendant la guerre de libération contre le Pakistan comme reporter de guerre pour le quotidien parisien Combat. *En 1973, il enseigne l'épistémologie à l'université de Strasbourg, la philosophie à l'Ecole normale supérieure de la rue d'Ulm et publie son premier livre :* Bangla Desh, Nationalisme dans la révolution, *chez Maspero (publié sous le titre* Les Indes rouges *dans Le Livre de Poche « Biblio/essais »). Il est membre du groupe des experts de François Mitterrand jusqu'en 1976 et, parallèlement, il entre aux Editions Grasset comme directeur d'une série de collections dont « Figures », où s'exprimera très vite le courant dit de la « nouvelle philosophie ». En 1974, il dirige la section « Idées » du* Quotidien de Paris *et collabore épisodiquement au* Nouvel Observateur, *aux* Temps modernes. *C'est avec Jacques Attali, Françoise Giroud, Marek Halter et quelques autres qu'il fonde en 1980 « Action internationale contre la faim » et c'est aussi avec Marek Halter qu'il crée le « Comité Droits de l'Homme » qui milite pour le boycottage des Jeux olympiques de Moscou et qui mettra sur pied l'année suivante Radio Kaboul Libre. En 1981 il tient un « bloc-notes » hebdomadaire dans* Le Matin *et en 1983 dirige la collection « Biblio/essais » au Livre de Poche.*
Bernard-Henri Lévy est l'auteur d'essais qui ont eu un grand retentissement en France et dans le monde : Les Indes rouges, La Barbarie à visage humain, Le Testament de Dieu, L'Idéologie française, Questions de principe, Eloge des Intellectuels. *Son premier roman,* Le Diable en tête, *a obtenu le Prix Médicis 1984 et* Les Derniers Jours de Charles Baudelaire, *son second roman, le Prix Interallié 1988.*

Ici, Charles Baudelaire sera le héros bien réel d'un roman aussi fidèle aux exigences de la vérité qu'à celles de l'imagination. Il sera, surtout, cet homme misérable surpris à la fin de sa vie, dans une chambre de l'hôtel du Grand-Miroir, à Bruxelles, pendant les quelques jours où, usé par la syphilis, il va perdre une partie de sa raison et l'usage de sa parole...
Pour le romancier, il y avait là un pari et un mystère : que s'est-il vraiment passé pendant ces jours qui virent, pour la dernière fois, le poète des *Fleurs du Mal* confronté à sa

(Suite au verso.)

mémoire ? Pourquoi a-t-il choisi de s'égarer ainsi, corps puis âme, en maudissant le monde et le ciel ? C'est autour de ce Baudelaire exilé, convaincu de son échec, bientôt aphasique, que Bernard-Henri Lévy a bâti son roman. Sur un mode presque policier, qui conduira le lecteur d'un bordel belge aux cénacles post-romantiques, d'un dîner chez les Hugo aux tourments d'un prêtre défroqué, on suit une enquête dont les témoins sont méthodiquement convoqués : de Jeanne Duval à un disciple ambigu, de Sainte-Beuve à Madame Aupick, d'une logeuse à l'éditeur Poulet-Malassis, ils vont, chacun à son tour, dans sa langue, et selon la composition à plusieurs voix qui avait déjà fait le style du *Diable en tête,* nous raconter cette lente agonie.

Par-delà leurs récits et leurs mensonges, par-delà les péripéties d'une intrigue pathétique ou cocasse, l'auteur retrouve des thèmes qui lui sont chers : le goût du malentendu et de la gloire, l'éloge de l'artifice, l'art comme vengeance, la tragédie propre aux œuvres inachevées, les ruses de la sainteté et de la chute. Tels sont les enjeux d'un roman qui revendique toutes les libertés – et où il s'agit aussi, dans l'ombre immense de Baudelaire, d'interroger la littérature et son destin.

Paru dans Le Livre de Poche :

LES INDES ROUGES.
LA BARBARIE À VISAGE HUMAIN.
LE DIABLE EN TÊTE.
QUESTIONS DE PRINCIPE DEUX.
ÉLOGE DES INTELLECTUELS.

BERNARD-HENRI LÉVY

Les Derniers Jours de Charles Baudelaire

ROMAN

GRASSET

DU MÊME AUTEUR

BANGLA DESH : NATIONALISME DANS LA RÉVOLUTION, Maspero, 1973. Réédité au Livre de Poche sous le titre : LES INDES ROUGES, 1985.

LA BARBARIE À VISAGE HUMAIN, Grasset, 1977.

LE TESTAMENT DE DIEU, Grasset, 1979.

L'IDÉOLOGIE FRANÇAISE, Grasset, 1981.

QUESTIONS DE PRINCIPE I, Denoël, 1983.

LE DIABLE EN TÊTE, Grasset, 1984.

IMPRESSIONS D'ASIE, Le Chêne-Grasset, 1985.

QUESTIONS DE PRINCIPE II, Le Livre de Poche, 1986.

ELOGE DES INTELLECTUELS, Grasset, 1987.

QUESTIONS DE PRINCIPE III, Le Livre de Poche, 1990.

« ... fuyant mais cherchant la mort,
cherchant mais fuyant l'œuvre... »

HERMANN BROCH, *La Mort de Virgile.*

PREMIÈRE PARTIE

1

L'HÔTEL du Grand-Miroir est l'une de ces pensions bruxelloises, modestes et faussement cossues, qui jouissent d'une certaine réputation chez les négociants français de passage. La chambre est petite. Elle est meublée, comme toutes les chambres à cet étage, d'une table, d'un lit, d'une chaise au vernis fatigué, d'un coffre de bois, d'une carpette, d'une cuvette en émail où trempe un peu de linge. L'air y est lourd, écœurant. Un mélange, indéfinissable, d'absinthe, de tabac froid, de laudanum, de maladie. Une lumière pauvre filtre à travers le drap du rideau et vient éclairer, sur le mur, le portrait d'un homme d'âge, à la délicate figure d'aristocrate d'ancien régime dont l'artiste semble avoir pris plaisir à souligner le contraste entre les pommettes, la fière hauteur du front, la perruque sévère et noire, le nez dur, en bec d'aigle – et puis, inattendue sous la barre des sourcils en broussaille, la singulière douceur d'un regard de compassion. Sur le lit, près du coffre, il y a un homme enfin, vivant celui-là, un peu plus jeune, mais que la pâleur de son teint, ses yeux creux, la longueur de ses cheveux font ressembler au visage du tableau face à lui.

Ce que fait cet homme? Rien. Enfin rien de notable. Il est là, simplement. Immobile. Sous ses draps. Depuis deux jours qu'il repose ainsi, les yeux clos, cloué sur sa paillasse par un engourdissement tenace, il n'a pas parlé; n'a vu personne; il ne répond plus à Madame Lepage, sa logeuse, quand elle vient, dans le couloir, s'inquiéter de sa santé, épier le bruit qu'il ne fait pas ou lui déposer en maugréant sa gamelle de la journée. Il ne la prend pas toujours, cette gamelle. Il ne déplie pas davantage les numéros de *L'Indépendance belge* qu'elle lui glisse sous la porte, le matin. Lui qui, toute sa vie, aux temps de grande misère comme aux autres, s'est flatté de consacrer au moins deux heures à sa toilette, ne se lève plus que pour aller, d'un pas traînant, rafraîchir le linge humide, imbibé de térébenthine, qu'il s'est noué autour du crâne. Il ne remue pas. Tressaille à peine quand vient une odeur de friture qui, autrefois, l'eût révulsé. Il n'a même pas de ces menues impatiences qui gagnent le bout des doigts quand on reste trop longtemps sans bouger. Et le fait est que sans la crise qui l'a secoué tout à l'heure et qui l'a tiré – mais à quel prix! – de sa torpeur, il aurait pu passer toute la journée ainsi, un bras le long du corps, l'autre pendant hors du lit, son visage cireux légèrement surélevé par l'oreiller.

On pourrait penser qu'il dort. En fait, il ne dort pas. Il n'est même pas certain qu'il sommeille. Il est dans cet état second où le moindre mouvement coûte et où l'on a juste assez de force pour penser à soi, à son corps, à cette tête lourde, cotonneuse ou, quand on ouvre les yeux, aux défauts du plafond, aux ombres du rideau, aux jeux de la lumière avec les couleurs du tableau. Voilà. Mettons qu'il compte les fentes du plafond. Qu'il joue avec les larges pans de nuit que laisse le jour autour du portrait. Mettons qu'il se laisse porter par les images vagues, sans suite, qui le traversent : le souvenir d'une photo de Nadar; un départ manqué en ballon; le parfum fort de la petite Berthe la dernière fois qu'il l'a prise; ou bien ce dîner chez les Hugo où l'on eut l'impudence de lui faire rédiger, à lui, la réponse à un journaliste belge, que le Maître allait signer. Et puis, mettons que dans ses meilleurs moments, quand se desserre l'étau et qu'il sent se dissiper la brume autour de son cerveau, il essaie de réfléchir à ce mal nouveau qui lui est tombé dessus.

Car il a connu des torpeurs. Il a connu des léthargies. Il a connu – et même chanté – ces interminables langueurs de l'âme que son ami Flaubert appelait l'embêtement de l'existence. Mais jamais ça n'avait été cela. Jamais, même les jours les plus noirs, traqué par ses créanciers, poursuivi par ses logeuses, accablé par les criailleries de Jeanne ou les mesquineries d'Ancelle, il ne s'était senti si mal. Et il y a dans son état, dans cet ahurissement sans cause et cette stupidité sans recours, quelque chose qui ne ressemble plus à ce qu'il connaissait jusqu'ici. Ce n'est plus du spleen. Ce n'est plus de l'ennui. Ce n'est plus cette impossibilité d'écrire qu'il appelait sa maladie « à la Gérard » mais qui supposait encore, jusque dans l'extrême détresse, un reste de désir et de concentration. Ce qui le surprend là, c'est qu'il n'y a plus de désir du tout. Plus de concentration. Ce qui le stupéfie et qui, à mesure que les heures passent, commence à lui faire peur, c'est le temps mort, pétrifié, qu'il sent maintenant couler en lui. Un peu, c'est le seul précédent qui lui vienne, comme ce jour, il y a quatre ans, où il s'est effondré en pleine rue, la bave aux lèvres et où, sentant passer tout près de lui le vent de l'aile de l'imbécillité, il a juste eu le temps de donner à un fiacre l'adresse de la bonne femme qui allait pouvoir le guérir.

Au début, il a cru que c'était le laudanum. Il a pensé que, comme à Honfleur, quand il se jetait sur la fiole qu'il avait eu tant de mal à obtenir du pharmacien de sa mère, il avait forcé sur la dose. Puis, il a pensé que c'était Bruxelles. Il s'est dit : je le savais, c'est ce climat, cette terre spongieuse; c'est cette eau nauséabonde dont ils lavent à grands seaux leurs trottoirs; c'est ce pain, cette viande mal cuite; ce sont ces Belges qui me haïssent et qui finissent, malgré mes prudences, par avoir raison de moi. Puis encore, comme l'explication lui semblait courte et que le mal, lui, empirait, il a incriminé l'autre maladie, la vraie, celle qui le poursuit depuis trente ans. Il a songé qu'après l'avoir miné, vérolé, après lui avoir gâté les os, mangé la peau, rongé le sexe et les nerfs, après l'avoir usé organe après organe, elle était peut-être en train de lui exploser dans la cervelle. Et puis, comme ça n'allait toujours pas, comme jamais, à sa connaissance, affection vérolique n'avait ainsi porté sur le cerveau, il a fini par admettre ce que sa raison, depuis huit jours, s'entêtait à refuser : que c'est à Namur, l'autre jour, dans l'église, face à l'affreuse gargouille entrevue au dernier instant, que les choses se sont jouées.

Namur... Dans la demi-conscience où il est, il ne cesse de revoir les images de Saint-Loup de Namur. Il revoit ses ors, ses pompes, sa débauche de luxe et de formes. Il revoit ses confessionnaux, ses marbres de couleur, ses boudoirs, ses catafalques brodés de rouge. Il revoit Poulet-Malassis près de lui. Rops, ce cher Rops, le seul véritable artiste qu'il ait rencontré en Belgique, s'extasiant avec eux de ce sommet de l'art jésuite. Il se revoit, lui, si calme tout à coup, la tête légère, au moment où, penché sur le confessionnal, il s'imprègne une dernière fois de son style terrible et délicieux. Et puis il se revoit chancelant, sentant le sol qui se dérobe; il entend le bruit de sa canne tombant sur le marbre du parterre; il s'entend, lui, couinant comme un oiseau à l'instant où il chute et s'affaisse; et puis – c'est la dernière image : mais elle est si claire dans son souvenir ! – il se revoit convulsé, les membres tétanisés, tandis que, là-haut, dans un coin de la voûte qu'il croyait pourtant bien connaître, il découvre la gargouille dont le regard a croisé le sien. Là, donc, que tout s'est joué ? Dans ce face à face avec la gargouille ? Dans cet échange de regards avec un monstre qui l'aurait possédé ? L'idée ne lui plaît pas. Elle lui semble absurde, infantile. Il a, pendant ces jours, tout fait pour la repousser. Jusqu'à la crise de ce matin – et à ces autres convulsions qui l'ont à nouveau tant troublé.

C'était au réveil. Bien avant que Madame Lepage n'ait commencé son manège dans le couloir. La chambre baignait dans une lumière grise, plus triste qu'à l'accoutumée, qui accusait déjà les ombres du plafond. Ça a commencé par un vertige, une stupeur. Ça a continué par un drôle de tintouin dans les oreilles, d'abord sourd, étouffé, à la façon d'un râle ou d'un bourdon, mais qui, très vite, s'est amplifié, est devenu tonitruant et, couvrant petit à petit les premières clameurs de la rue, a fini par le submerger. Il a vu sa tête grossir, se dilater sous la poussée du tintouin. Le front moite, la bouche ouverte, les yeux exorbités comme s'ils fixaient un spectacle d'épouvante, il a senti qu'une amertume l'emportait. Et, comme à Namur alors, revenu pour ainsi dire devant le catafalque de

Saint-Loup et retrouvant là, en haut, dans l'une des fissures du plafond qu'il croyait également bien connaître, le visage de la gargouille en train de le narguer, il a senti ses membres se raidir, ses muscles se déchirer; et puis une douleur atroce, qu'il étouffa dans un sanglot.

Il s'est levé. Couché. Relevé. Recouché. Ivre de souffrance, suffoquant sous le choc, il s'est mis à tourner autour de la petite chambre. Il s'est mis à aller, venir, courir en tous sens – se cognant aux meubles, les renversant, roulant lui-même, boulant, entraînant sa table, entraîné par la table, essayant cette position-ci, celle-là, essayant debout, couché, sur le dos, à quatre pattes, à croupetons, essayant sans respirer, en respirant, sans crier, en hurlant, cherchant d'instinct les coins de la pièce, ses angles les moins éclairés, courant vers l'un, sautant vers l'autre, comme si cela pouvait suffire à tromper la vigilance du démon. Hélas, le démon était là. Toujours là. Tantôt là-haut, dans le plafond, courant lui aussi d'une fissure à l'autre, d'une tache de lumière à la voisine, et moquant les pauvres efforts qu'il faisait pour lui échapper. Tantôt ici, en lui, entré Dieu sait comment au cœur même de son être et occupé à le tarauder, le torturer, le faire danser comme un pantin – quel raffinement dans la cruauté (et quelle preuve, s'il en était besoin, que c'est bien elle, la gargouille, qui tient le fil!) que cette force qu'elle lui donne, alors qu'il n'en peut plus, que ses jambes sont prêtes à lâcher, ses muscles tendus à se rompre, de sauter comme un pitre d'un angle à l'autre de la chambre.

Le manège a duré une heure. Oui, une grande heure d'horreur où il a cru cent fois mourir. Et puis cela s'est arrêté, aussi vite que c'était venu, toute la crise ne lui laissant que la stupeur soporeuse où il est maintenant. A ce moment-là, il s'est mis debout. Oh! prudemment. D'un pas encore hésitant. Évitant un meuble ici, une flaque de bile là. Prenant au passage, dans le flacon neuf caché sous son lit, une rasade de laudanum. Mais enfin il s'est levé. Il est allé, à petits pas, jusqu'au miroir tacheté au-dessus de la table de toilette. Et ce qu'il a vu là, dans la lumière plus vive de midi, l'a effaré. C'était lui. C'était bien son visage glabre, aux longs cheveux blanchissants ramenés sur les épaules. C'étaient ce port farouche, ces narines retenues, ce menton véhément qui le rendaient si semblable à l'homme du tableau. Mais il y avait cet œil fixe, quoique incertain. Il y avait ce teint défait, semé de taches brunes. Il y avait cette bouche navrée, cette peau usée, tous ces traits chavirés, à la fois durcis et curieusement rompus, qu'on eût dit que la douleur avait déplacés. Devant cette face en déroute qui n'était plus, soudain, qu'un monstrueux abrégé de souffrance et où la vie et la mort semblaient s'être mêlées, il a pris peur et murmuré : « dix ans en deux heures. »

A présent, c'est fini. Dire qu'il va bien serait mentir. Mais enfin, il va moins mal. Il n'a plus souffert depuis ce matin. Il est dans un état d'accablement certes pénible mais qui, comparé à l'ébranlement qu'il a subi, lui semble miraculeux. Et s'il se tient immobile, les yeux clos, dans la léthargie presque complète où on vient de le trouver, c'est sans doute aussi pour cela : comme si, du fond de sa nuit, dans la confuse conscience de soi que donnent la fièvre et la fatigue, il devinait que le moindre mouvement, le plus infime tressaillement du corps ou de l'âme pouvaient lui être fatals et précipiter le retour de la Chose. Tantôt il grelotte entre ses draps. Tantôt, au contraire, il suffoque.

Tantôt cette immobilité calculée lui engourdit une jambe ou un bras. Mais il n'en a cure. Pour rien au monde il ne bougerait. Pour rien au monde il ne prendrait une initiative – se tourner, remuer un orteil, changer de posture dans son lit – susceptible de lui attirer à nouveau les foudres de la Bête. Et quant à dormir, vraiment dormir, de ce bon sommeil qui vous désarme, met bas vos vigilances, et suppose une telle foi dans la persévérance des choses autour de soi, il se damnerait plutôt que d'y consentir. N'est-ce pas l'occasion qu'Elle attend pour bondir et l'investir à nouveau?

A midi, la logeuse est montée. Il a reconnu son sale pas traînant dans le couloir. Il l'a entendue crier – un peu tard, la bougresse! elle se serait bien gardée de monter pendant la crise! – « monsieur, monsieur, est-ce que vous allez bien? »; il a préféré ne pas répondre. Plus tard, Coco est monté; Coco, le vieil ami, Malassis pour les intimes, Malperché pour les méchantes langues, qui venait aux nouvelles; il l'a entendu frapper lui aussi; cogner; parlementer à voix basse avec la femme; appeler; il l'a écouté dire, très éditeur : « ouvrez, cher ami, j'ai les placards, vous verrez, c'est tout à fait bien »; à lui non plus il n'a pas répondu; et, terré dans son lit, risquant un faible « allez-vous-en », histoire de montrer qu'il n'était pas mort, il a jugé plus prudent de ne pas se lever pour ouvrir. Voilà. Il en est là. Aujourd'hui, à Bruxelles, dans cette toute petite chambre de l'hôtel du Grand-Miroir, il en est à refuser de se lever de peur de réveiller une gargouille. Hébété, pantelant, respirant à petits coups comme si son souffle même pouvait le trahir et donner l'éveil, le poète n'a plus qu'un souci : ne plus vomir, ne plus faire de culbute. « La mort doit être ainsi », a-t-il encore le temps de se dire avant de plonger enfin, tout de même, dans la nuit.

2

Le monologue de Madame Lepage

JE m'en souviens comme si c'était hier. C'était le lendemain matin de cette fameuse crise de folie où il a rameuté tout le quartier. Ah! pour un chambard, c'était un chambard. Au début, avec Monsieur Lepage, on a cru qu'il y avait quelqu'un. Enfin, quelqu'un, on se comprend. Quelqu'une, je devrais dire. Une espèce de fille qu'il aurait fait monter dans mon dos, pour faire la noce avec elle. Il avait l'habitude, le vaurien. C'est pas le respect qui l'étouffait... Ensuite, on s'est dit : « mais c'est pas possible, ça peut pas être avec une fille qu'il fait ça, il doit y avoir une bête cachée dans la chambre. Un chien, mettons. Ou un coyote. Ou une sorte de fauve, je connais pas forcément tous les noms, qu'il est allé pêcher Dieu sait où. » Monsieur Lepage, faut dire les choses, y a pas cru, vu que l'établissement était interdit aux chiens, alors aux fauves et aux coyotes, vous pensez. Mais moi, parole, c'est l'effet que ça me faisait. Vous aviez de tout là-dedans. Des braiments. Des aboiements. Des miaulements de chat qui se fait couper. Vous aviez des bruits de vache, des cris de bourrique. Vous aviez des drôles de pépiements, que j'aurais juré que c'était un moineau écorché. En un mot comme en cent, c'était toute la ménagerie passable et imaginable et ça m'a pris une bonne heure, je vous jure, à réaliser qu'il avait besoin de personne pour faire tout ce bataclan. Pourquoi je suis pas montée, à ce moment-là ? Parce que j'avais pas que ça à faire ! J'avais mon ménage, moi, dans ce temps-là. J'avais mes cuivres à astiquer. Mon escalier, que c'était jour de grand nettoyage. J'avais mes départs, mes arrivées, tout mon petit monde qui était pas plus sourd qu'un autre et qu'il fallait bien rassurer, rapport à ce qui se passait là-haut. Et puis bon, tant pis, on en pensera ce qu'on en pensera, il y a pas de mal à ça, après tout : j'avais beau en avoir vu de toutes les couleurs, moi, dans ma vie, c'est vrai que j'étais pas bien tranquille non plus...

Parce qu'il me fichait une peur bleue, moi, ce cochon. C'est pas qu'il était méchant, comprenez bien. C'est même pas que je l'aie jamais pris à faire quelque chose de mal contre quelqu'un. Mais il y avait un côté chez lui, même quand il avait pas de mauvaises pensées, qui vous mettait fatalement mal à l'aise. C'était peut-être ses yeux, noirs comme des boutons de bottine, qui voyaient toujours où il fallait pas. C'était peut-être sa voix, pas catholique non plus, qui faisait jamais un effort pour être aimable, mais qui vous détachait chaque mot – ah ! ça, pour les détacher, il les détachait, on aurait dit qu'il les mastiquait – comme si c'était des menaces qu'il vous tambourinait. Peut-être même que c'était cette façon de changer tout le temps de tête – un jour une bobine de gandin, le lendemain de guillotiné, le surlendemain une binette de curé qui se serait converti dans les messes noires : impossible de le remettre d'une fois sur l'autre, il y avait qu'un évadé du bagne pour se faire une figure différente, comme ça, tous les matins que le bon Dieu fait. Il y avait aussi ses mains. Ah oui! des mains comme ça, on avait encore jamais vu ça ici : toutes lisses, toutes récurées, qu'on aurait dit des coquillages; des mains de femme, moi je vous dis; pas franchement franches du collier, que rien qu'à les regarder ça suffisait à vous faire des frémissements. Et puis ce tableau au mur, pas rassurant non plus, qu'il paraît qu'il représentait son père. Ce que j'exprime là c'est en général, dans la vie normale comme qui dirait. Alors dans l'occurrence, vous pensez! avec cette bête furieuse qui lui faisait la compagnie!

Bon. Tout ça pour dire que ce matin-là, le lendemain de la crise de pilepsie, je l'ai suivi toute la matinée. J'avais pas que ça à faire là non plus. J'étais logeuse, moi, pas concierge. Faudrait surtout pas croire que j'espionnais les clients pour le plaisir. Mais c'est Monsieur Malassis qui m'en avait fait la prière. Il avait dit : « Madame Lepage, c'est une mission de confiance que je vous demande, il est faible, il pourrait prendre froid, faut pas le lâcher d'une semelle, vous comprenez? » Et moi, qu'est-ce que vous voulez, quand Monsieur Malassis me demandait une chose, c'était pas des demandes, c'était des ordres. Il était si bien, Monsieur Malassis! Si bon genre! Si distingué! Si gentil avec ça! Si poli! Madame Lepage par-ci... Madame Lepage par-là... Est-ce que ça va comme vous voulez, Madame Lepage... Est-ce qu'on peut faire quelque chose pour vous, Monsieur Lepage... Ah ça, côté politesse, c'était le contraire de notre zigoto. Lui, faut pas chercher, c'était tout l'un, tout l'autre. Un jour, il vous saluait bien bas, vous faisait des salamalecs comme si vous étiez la reine des Belges en personne. Un autre, c'est à peine s'il vous reconnaissait et il vous bousculait dans l'escalier sans même enlever son chapeau. Si Monsieur Malassis a eu sa maille à partir avec la police française, rapport aux livres qu'il imprimait? Ça, c'est pas mes oignons. Ils auraient pas été là, n'importe comment, tous ces Français, s'ils avaient pas eu chacun sa maille à partir. Et moi, je vais vous dire : du moment qu'on présentait bien, qu'on me payait rubis sur l'ongle, j'allais pas rechercher midi à quatorze heures. Je préfère encore ça, allez, à ces façons qu'avait l'autre de jamais dire bonjour bonsoir, proprement, comme il fallait...

Où est-ce que j'en étais? Oui, que je l'ai suivi. Ce matin-là, remarquez, c'était plutôt un matin avec. Il est descendu vers neuf heures, neuf heures moins le quart, le teint pas frais, d'accord, un peu couleur de navet ou de ventre de poisson bouilli, mais l'air bravache quand même, le pas plutôt vaillant. Il a mis ses gants beurre frais, ses guêtres, son pantalon que je suis bien placée pour savoir qu'il est troué là où je pense, mais il a pas son pareil, ça je reconnais, pour vous accommoder un trou de pantalon dans la redingote et le gilet. Et le voilà qui arrive à ma hauteur, l'air pas du tout, mais alors pas du tout gêné d'avoir failli me mettre ma boutique en l'air la veille au soir. « Bonjour madame, il me dit, tout plein de cérémonie, en retirant bas son chapeau. Belle journée, n'est-ce pas, pour une petite promenade matinale. – Oui, je lui réponds, belle journée. Mais où est-ce que vous allez donc, avec cette fière et bonne mine? – Chère madame, il me répond de cette voix coupante que je vous ai dit qu'elle me donnait la chair de poule, mon médecin me recommande de me remettre aux armes. Alors je m'en vais, de ce pas, me quérir d'un maître d'escrime. » Bonne mère! Un maître d'escrime! Moi, entendant ça et me ressouvenant des recommandations de Monsieur Malassis, je fais ni une ni deux. Service, service, je me dis : je mets ma cape, mon bibi, mes bottes des fois qu'il y ait de l'eau dehors, et hop! j'y emboîte vite fait le pas.

Pauvre Monsieur! Ah ça pour ça oui, pauvre Monsieur! Autant là-haut, dans l'escalier, il avait encore une allure, autant là, dans la rue, avec sa cravate, ses grands airs, sa redingote cache-misère et son chapeau de cérémonie, il fait plutôt pitié qu'autre chose. Pensez : un haut-de-forme! En pleine journée! Et en soie s'il vous plaît! Avec ces bords larges qu'il commande dans une maison de Paris mais qui, ici, à Bruxelles, font tout ce qu'il y a de déplacé. Ajoutez à ça qu'il arrive pas à marcher droit. Il hésite, se ramasse, s'accroche aux murs, repart. Il a un drôle de pas saccadé, avec des à-coups, que j'ai dit à Monsieur Lepage en rentrant – je suis pas mécontente de la comparaison – qu'il avait l'air de quelqu'un qui aurait perdu sa trace et qui accourait après. Tenez, c'est bien simple : il a l'air d'un polisson, retour d'une nuit à nocer, qui aurait pas encore dessoulé. Je le sais, moi, que c'est pas ça qu'il a fait de sa nuit. Mais les gens, comment voulez-vous qu'ils sachent? Comment est-ce qu'ils se seraient pas dit : « qu'est-ce que c'est que cet oiseau qui peut même pas tenir sur ses pattes? » Les gens, encore, c'est pas le plus grave. Le pire, c'est les enfants. Car eux, ils font pas de cadeaux. Et devant ce bonhomme qui les bousculait en demandant pardon et qui avait même l'air, des fois, de se parler tout seul à lui-même, ils se sont mis à rigoler, à le bousculer à leur tour exprès et puis, à un moment, qu'est-ce que je peux y faire, c'est la mentalité! à lui faire fuittttt aux oreilles et à lui jeter des cailloux pour lui faire tomber exprès son gibus.

Au bout d'un certain temps, une heure, une heure et demie, et comme il avait à ses trousses toute une armée de garnements, il s'est arrêté dans une académie de billard. Le billard, en principe, c'est son affaire. Il y joue. Il aime ça. Et rien qu'à le voir entrer, saluer, serrer les mains de celui-ci ou de celui-là, rien qu'à sa manière crâne, comme quand il cherche à me scandaliser, d'apostropher le gars en buse noire qui peut être que le maître de l'endroit, on devine qu'il est un habitué. Or, encore un coup, quelle pitié ! Il a ôté son chapeau, retiré sa redingote. Il a remonté ses manchettes de dentelle sur les coudes comme un qui se prépare à vous en mettre plein la vue. Mais quand il prend sa queue, qu'il commence à l'enduire de bleu et qu'il se met bien penché devant le tapis comme c'est censément la position, voilà-t-y pas qu'on dirait qu'il a jamais touché une boule de sa vie ! J'y suis pas, moi, vous me direz. N'empêche. Même de dehors, par la fenêtre, je vois bien son malaise, ses jambes qui flageolent – le pire c'est ses gestes dans tous les sens, cavalant après la bille et lui cognant dessus comme un sourd. « Hé là, qu'a dû lui crier le patron, qui voit déjà son tapis déchiré : c'est comme ça que t'as appris à jouer ? » Si, si, il a dû dire ça. Ou, sinon, quelque chose d'approchant. Il y avait qu'à voir la compagnie qui s'esclaffait et lui, le malheureux Monsieur, qui reposait son engin d'un air puni...

Sortant alors de là, et me repérant toujours pas, vu que je prends les précautions qu'il faut, il me mène jusqu'au Café de l'Amitié qui est, si je m'en abuse, son estaminet qu'il préfère. Il commande un faro, boit, titube un peu, en commande un deuxième, tourne autour des tables comme un rôdeur, en avise une, de table, qui a l'air plutôt à son goût, et d'autorité, sans demander la permission de personne, s'assied et commence à jacter. De quoi? Je suis dans un petit coin de la pièce, près des cuisines, alors forcément j'entends pas tout. Mais pour jacter, il jacte. Il soûle son monde de théories. Et ça fait peine de voir ces beaux messieurs, non pas rire, non, mais tirer sur leur pipe en l'écoutant – comme s'il était une curiosité et qu'ils se demandaient qui c'est cet illuminé qui passe pour un poète et qui s'arrête comme ça, pour catéchiser le premier venu. J'arrive pas à leur donner tort, notez bien. Car qu'est-ce que c'est que ces façons, aussi? Est-ce que c'est les manières d'un écrivain? Est-ce qu'il a perdu toute dignité, après ce qu'il nous a cent fois dit de ces sociétés belges, pour venir se traîner à leurs pieds et leur réciter la bonne parole? Il est pas dans son état normal, ça c'est clair. Pour faire peine, c'est sûr que ça fait peine.

J'arrive au pire. C'est-à-dire quand, dans la foulée, et l'air toujours pas gêné de la mauvaise impression qu'il vient de faire, il me mène jusqu'au quartier de la Putterie. Est-ce qu'il faut vraiment que j'en parle, de la Putterie? Je sais pas. Non, sans blague, je sais pas. Car rien que d'y être allée, moi, Germaine Lepage, qui étais pas un prix de vertu, d'accord, mais quand même, il y a des limites, ça me donne déjà le scrupule. Alors d'en parler maintenant! D'en faire des gorgées chaudes! Est-ce que vous me voyez, avec la tête et les manières que j'ai, musarder dans ces rues que même à cette heure de la matinée une honnête femme devait pas s'y aventurer? Je suis pas bégueule, notez bien. Je suis comme tout le monde, rapport à ça. Je sais que ça existe. Peut-être même que c'est comme les égouts : pas propre mais indispensable. Et du moment qu'on me ramenait pas les filles au Grand-Miroir (encore que j'en aie installé une, moi, dans le temps, mais attention ! c'était une convertie ! et c'était, comme qui dirait, dans le conteste de mes œuvres !), je voyais pas d'inconvénient à ce que les maris aillent s'y soulager. Mais là, c'était pas pareil. C'était, comme dit Monsieur Malassis, du sur le vif. Et ça fait de l'effet, croyez-moi, de voir, de ses yeux voir, cet étalage d'infection, que je pensais que je mourrais sans être obligée d'y regarder. Enfin, on y est. Lui devant, moi derrière, qui prends toujours bien mes précautions. Et nous voilà en train de clopiner dans ces ruelles pas propres, qu'on risque d'y attraper le gros mal rien qu'en prenant son inspiration.

Vous avez le lupanar, passez-moi l'expression, banal, avec ses grillages aux fenêtres et son gros numéro qu'on voit de loin. Vous avez les lingeries marron que je mettrais pas ma main au feu qu'on y fait que du linge. Vous avez les magasins de cols et chemises, les bureaux de tabac, les maisons censément de bains, que c'est pareil au même. Vous avez déjà des filles, malgré qu'il soit encore tôt, avec leurs jupettes, leurs corsets, leur vilain teint de Pierrot où elles se marquent les veines au crayon. Vous avez les filles d'amour, toutes jeunettes. Les filles de barrière, juste le contraire, avec leur bouche édentée, leur perruque de traviole, leur petite gueule flétrie, vergetée jusqu'au blanc des yeux, leur voix esquintée du fait de l'absinthe et des pratiques contre nature. Vous avez les clandestines, qui profitent que c'est encore le matin pour ramasser les premiers clients. Les filles à soldats, rapport à la caserne qui est pas loin. Vous avez là, Dieu me pardonne, tout l'échantillonnage du vice dans notre bonne ville. Avec, au milieu de tout ça, hélé par l'une, tiré par l'autre, moqué par une troisième, bousculé par une espèce de macaque à la chevelure huileuse et à la chevalière avantageuse, un pauvre diable en haut-de-forme qui peut qu'attirer la risée. Bon Dieu, qu'est-ce qu'il fiche, je me dis! Qu'il se décide à la fin! S'il continue à traîner comme ça, sans faire son choix, c'est l'émeute qu'il va nous amener! J'ai pas fini de dire ça qu'on croirait qu'il m'a entendue : le voilà qui avise une maison, plutôt distinguée, haut sur pavé, et qui y entre pour de bon.

Ce qu'il y fabrique? Alors là, si on vous le demande, vous direz que vous en savez rien. Car je suis restée à la porte, moi, bien sûr. Même qu'un de ces gommeux ou autres marchands de chair fraîche, à force de me voir faire les cent pas, comme ça, devant l'hôtel, aurait pu me prendre pour ce que je suis pas. Ç'aurait pas été la première fois, remarquez. Mais il aurait trouvé à qui parler, le fripon! Vous savez combien ça allait chercher, à l'époque, de racoler une honnête femme qu'on prend pour une tapineuse? Enfin bon, j'ai rien vu. Rien entendu. Mystère et boule des gommes, conséquemment, sur les cochonneries qu'il a pu faire. Si vous voulez mon avis, toutefois, il était pas dans un état où il pouvait faire grand mal à ces mignonnes. On sait jamais, vous me direz. Et puis là, pour le coup, c'est quand même pas mon rayon. Tout ce que je peux dire c'est qu'au bout d'une petite heure il est redescendu. Il était tout tendu, tout mécanique. Il avait une tristesse dans les épaules qui était pas celle d'un miché qui a fait son affaire. Et il a repris le chemin du Miroir avec le pas chaloupé du type qui aurait une drôlerie dans les jambes. Alléluia, je me suis dit, vu qu'il commençait de pleuvoir et que c'était quand même trop me demander de prendre une saucée sans broncher.

3

Ce qu'ignore apparemment Germaine Lepage c'est que l'homme aux pas duquel elle s'est attachée depuis le début de la matinée n'est pas entré par hasard à l'« Hostellerie de la Reine Mère ». Il connaît l'endroit en effet. Il y a ses habitudes. C'est peut-être même, à Bruxelles, parmi tous les lieux de plaisir où il lui est arrivé de s'encanailler, le moins indigne, à ses yeux, des maisons de grande tolérance parisiennes. Ce n'est pas la maison T***. Ce n'est pas ces maisons de la rue Chabanais au goût toujours si sûr, au décor si raffiné. Ce n'est même pas le Casino C*** avec ses décors de théâtre, son atmosphère de foire et de gaieté. Mais enfin l'endroit est plaisant. Il aime ses chambres capitonnées. Son luxe de dorures, lambris, bronze et tapisseries. Il aime son silence. Sa paix. Il goûte ses odeurs si peu belges – où se mêlent musc, poudre riz, onguents. Et aujourd'hui encore, malgré ses malaises divers, malgré sa crise de la veille et la lassitude qu'elle lui a laissée, il lui a suffi de pousser la porte pour se sentir aussitôt gagné par cette impression de bien-être qui s'est toujours attachée, pour lui, à l'entrée dans un bordel. Il avait le pas sûr, tout à coup. La tête presque légère. Il avait l'impression délicieuse d'une sorte d'éclaircie dans le malheur. Et il n'est pas jusqu'à son visage, surpris au détour du couloir dans le biseau d'un petit miroir, qui, pour la première fois depuis des semaines, ne lui ait semblé presque flatteur.

Il est allé d'abord au fumoir, cette pièce plus bourgeoise qui est un peu l'antichambre de la maison et où on introduit les bons clients avant de les mener aux filles. Il se sent bien dans ce fumoir. Il apprécie son décor faux anglais, ses fauteuils amples, ses longues banquettes de cuir disposées le long des murs, ses boiseries de chêne clair incrustées de médaillons naïvement allégoriques façon Boucher ou Fragonard. Et il prend toujours beaucoup de plaisir à ces intermèdes bénis où il est là sans y être, où il attend sans vraiment attendre et dont il sait, surtout, qu'il peut les prolonger tant qu'il veut : la mystérieuse économie du lieu faisant qu'on est assuré, si longtemps qu'on s'y attarde, de ne jamais croiser un autre client. Il a pris son temps. Il ne s'est surtout pas pressé de sonner. Puisque les filles sont là... Puisque Esther, sa préférée, celle qu'il vient voir régulièrement et qu'il a manquée, la semaine passée, le lendemain de Saint-Loup de Namur, l'attend sagement là-haut, dans sa chambre du premier... Il aime bien cette idée de la fille soumise, docile à son désir. Il aime cette idée d'un grand nombre de filles entre lesquelles il faut choisir comme le premier homme devant les fruits du paradis... Le bordel, image du paradis... l'idée le fait sourire... Il se demande ce qu'en dirait sa mère... Ce qu'en penserait l'abbé Cardine, son confesseur... Il songe que c'est avec des idées de ce genre qu'on se fait brûler ses *Fleurs du Mal*... Et puis, comme le temps passe et que le désir lui est venu, il se décide à se lever et à tirer le cordon de sonnette.

Comme souvent à cette heure-ci, Madame n'est pas dans les murs. C'est Olga, la sous-maîtresse, qui répond donc à sa place. De cela non plus, il n'est pas fâché. Car Madame lui fait toujours peur avec ses airs de duègne un peu sèche, habituée au commandement. Alors qu'Olga le rassure. Il la trouve plus gentille, plus accueillante. Il apprécie son maintien de bourgeoise bien mise, au regard plein de vertu. Et il y a même des jours, lorsqu'elle ne parle pas trop, où, avec sa taille trop forte, ses chignons, ses trois rangs de perles posés sur son chemisier amidonné, elle lui rappelle sa mère, au temps des lundis de la place Vendôme. Cette fois, pourtant, cela ne va pas. Il y a dans son sourire, dans ses yeux soudain fuyants, dans la façon abrupte qu'elle a eue de lui offrir, en entrant, un cigare, puis une dragée, une imperceptible gêne qui ne lui est pas habituelle. Il l'interroge du regard. De la voix. Inquiet de ce contretemps, il s'irrite, la presse de questions. Et tandis qu'il se lève, brandissant déjà sa canne et pestant intérieurement contre cette façon de le priver d'un de ses plaisirs au moins – celui, préliminaire à tous les autres, qu'il prend toujours à s'imaginer l'époux, le fils ou le veuf de cette respectable douairière –, elle finit par lui lâcher l'information qu'elle lui cachait. La police des mœurs est venue. Elle a examiné les pensionnaires. Et malgré les efforts de Madame, malgré tous les stratagèmes mobilisés pour maquiller la vérité, elle a détecté le gros mal chez trois d'entre elles. Esther était du nombre. Il a fallu la conduire au dispensaire de salubrité.

Stupeur. Colère. Envie de rosser cette sotte qui semble trouver naturel qu'on le prive ainsi, sans sommation, d'un des derniers petits bonheurs que lui réserve l'existence. Gros mal... Gros mal...

Est-ce qu'il s'en soucie, lui, du gros mal? Est-ce que Nadar, Poulet-Malassis, Rops s'en soucient? Est-ce que le monde entier n'en est pas obscurément contaminé? Est-ce qu'il s'en porte moins bien pour cela? Est-ce qu'il n'en a pas toujours été ainsi, partout, de tout temps? Et qu'est-ce donc que cette manie de vouloir à tout prix nous guérir, aujourd'hui, du mal syphilitique – demain, peut-être, de l'amour, voire du plaisir que les hommes y prennent? Plus il va, plus il sent derrière ce rapt d'Esther une affaire de grande importance. Il y devine une manifestation nouvelle de cette inépuisable volonté de soigner où il a toujours vu la plus pernicieuse des tentations de l'époque. Et il ne faudrait pas beaucoup le pousser pour qu'il détecte derrière tout ça la main de ses vieux ennemis – l'éternel « clan Hugo » avec sa satanée manie de sauver le genre humain. Pour l'heure, pendant que le complot gronde, son désir, lui, retombe et son merveilleux bien-être de tout à l'heure se dissipe comme une ivresse. C'est d'un pas gourd à nouveau, aussi traînant qu'avant d'entrer, qu'il accepte de suivre la sous-maîtresse et de découvrir, avec elle, les autres filles qu'elle lui propose.

La première est une adolescente blonde, à peine pubère, grimée en Diane chasseresse, dans un décor de temple grec. On l'a déposée presque nue, un genou en terre, l'autre sous les seins, un arc de faux ivoire tendu à bout de bras, sur une sorte de sofa, lui-même surélevé afin que l'œil du client arrive à l'exacte hauteur de la croupe. Sans doute en d'autres temps eût-il goûté la mise en scène. Mais la fille, cette fois, lui paraît laide. Peut-être trop maigre. Il n'aime pas l'effort qu'elle fait pour l'aguicher, ses œillades, son déhanchement. Il a repéré surtout, à l'instant où, sur ordre muet de sa maîtresse, elle creusait davantage les reins et laissait plonger le regard un peu plus loin entre les cuisses, une méchante tache brune que, malgré le fard rose dont on avait tenté de l'enduire, il n'a pas eu de peine à identifier. Et il s'est demandé pourquoi, mal pour mal, ce n'est pas cette fille-ci qu'on a conduite au dispensaire. Il n'en dit rien. Mais l'idée l'agace. Et quand la soubrette vient lui confier, sur un ton de fausse confidence supposé lui procurer un émoi supplémentaire, que la petite a quinze ans mais « déjà des dettes » et que c'est la vraie raison de sa présence à l'hostellerie, l'agacement se transforme en exaspération – et, plutôt que d'exploser, il tourne les talons et claque la porte.

On le conduit alors au second étage, dans une chambre plus classique et plus classiquement aménagée, où l'attend une autre femme. « Vous verrez, lui a dit la sous-maîtresse en se rengorgeant : une femme mariée, en chapeau, pas en cheveux ! » La femme, de fait, est belle. Mûre à souhait. Elle est assise, jambes croisées, sur un canapé au rouge si profond qu'il tourne parfois au noir. Elle a un angora sur les genoux. Une robe de mousseline, noire aussi, qui éclaire la pâleur de son teint. Elle fume une longue cigarette qui lui donne l'allure de ces passantes de la Chaussée-d'Antin que croquait autrefois Constantin Guys. Et elle a dans le maintien cette espèce de froideur apparente qui suffit en général à lui rendre une femme attirante. Que se passe-t-il alors ? Est-ce le regard qu'elle lui lance ? Sa mine tout à coup réjouie ? Son rire un peu trop franc quand il l'apostrophe ? Est-ce cet anneau qu'elle porte à la cheville ? Ce chapeau ridicule, qui lui rappelle celui de la Sabatier le lendemain de leur fameuse soirée ? Est-ce cette odeur de rousse qu'il lui devine et qui, il ne saurait dire pourquoi, lui donne soudain la nausée ? Le fait, quoi qu'il en soit, est là. La malheureuse ne lui plaît pas. Tout, dans sa mine, l'irrite. Et il en est à se dire que les blondes ou rousses, soumises ou insoumises, aucune des filles de la maison ne le consolera de son Esther quand l'idée – la dernière, il le sent, la toute dernière idée – lui vient de s'enquérir de ces deux femmes dont Neyt lui a, l'autre soir, conté monts et merveilles.

La scène se passe cette fois dans une chambre beaucoup plus grande, tendue de drap grenat et décorée, comme le fumoir, de petites gravures de genre censées représenter des scènes et légendes d'Orient. C'est à cause d'un de ces tableaux qu'il l'a choisie. A cause aussi du pouf, immense, un peu dur, qui trône sous le lustre. Et pour ce coin d'ombre, sous la lampe, où il savait qu'il s'installerait et pourrait – suprême plaisir! – voir sans être vu. Il s'est installé donc. A pris ses aises, sa distance. Il a vu les deux filles entrer, insouciantes à souhait et feignant, comme convenu, de ne rien savoir de sa présence. Il les a vues vaquer, jouer un peu. Il les a vues ôter leurs tournures, leurs jarretières. Il a fermé un instant les yeux pour mieux entendre le froissement des sangles, lacets, agrafes qu'elles défaisaient. Et il les a retrouvées sur le pouf enfin, presque nues, une chemise de batiste retroussée jusqu'à la taille – explorant déjà, tête-bêche, leurs cuisses respectives. Tout allait pour le mieux. Le spectacle s'annonçait conforme à ce qu'il avait espéré et commandé. Il savourait déjà le bonheur de caresser ces corps du regard, longuement, tacitement, sans avoir à les toucher. Sauf qu'une légère gêne lui restait, qu'il ne parvenait pas à s'expliquer mais qui commençait à brouiller l'exquis tableau.

D'abord, il a cru que les filles étaient troublées. Il a pensé que c'était leur trouble qui le troublait, leur maladresse qui l'embarrassait. Il a trouvé leurs caresses timides, inabouties. Il s'est dit que c'était la faute du pouf, trop dur. De la lumière, trop crue. Il s'est dit qu'elles le faisaient exprès, que c'était encore un coup du clan Hugo. Puis non, que les Hugo n'y étaient pour rien; que c'était lui qui était mal placé et qu'aussi loin qu'il fût, aussi noyé d'ombre qu'il se voulût, il était encore trop présent. Son chapeau peut-être... Le brillant de son soulier dans la lumière... Son imbécile réaction tout à l'heure, quand, exaspéré de les entendre glousser, il s'est laissé aller à deux ou trois légers coups de canne sur le montant de sa chaise... Il a rangé sa canne alors. Rentré son soulier sous la chaise. Il a reculé la chaise – et, donc, la canne et le soulier – le plus loin possible sous la lampe. Jusqu'à ce que, ayant tout fait, tout essayé, ayant examiné l'une après l'autre toutes les raisons plausibles d'un malaise qui, maintenant, s'était installé, il finisse par en entrevoir une dernière : la plus folle, la plus improbable – la seule explication qu'il n'eût, d'instinct, jamais envisagée...

C'est un regard qui lui a donné l'éveil. Un tout petit regard. Un de ces regards très simples, sans histoire, comme on en échange tous les jours sans que cela tire à conséquence. Un regard bref. Furtif. Un regard qu'il aurait pu ne pas voir venir et qui ne lui a pas laissé, une fois passé, plus de souvenir qu'un rêve ou un fantôme. Ce qu'il y avait dans ce regard? De la tendresse, sans doute. Un rien de connivence. Un roucoulement muet, prenant le relais de l'autre. L'essentiel étant une force étrange, surgie des profondeurs de l'œil et qui, le temps du regard donc, a semblé arracher ces filles

à lui, à la chambre qu'il avait louée, aux ébats qu'il leur avait prescrits – pour les transporter ailleurs, très loin, dans un lieu connu d'elles seules et où il n'était, lui, d'évidence plus invité. Un regard comme une fugue. Un regard comme un voyage. Un regard semblable à une étreinte qu'il n'aurait ni voulue ni prévue et à laquelle il était étranger. Les deux filles s'aimaient, voilà tout. Elles s'aimaient sans vergogne. Elles s'aimaient sous ses yeux. Et aussi extravagant que cela fût, elles lui signifiaient, en s'aimant, que cette fameuse « présence » dont il se demandait, à l'instant, si elle n'était pas cause de leur embarras, leur était en réalité, dans les sphères où elles flottaient, souverainement indifférente.

Tout s'éclaire à partir de là. Leurs caresses... Leurs maladresses... Cette gêne des débuts qu'il prenait, sot qu'il était, pour de la froideur alors que c'était déjà une forme oblique de leur désir... Leurs plaintes... Leurs soupirs... Tout cet exaspérant caquetage où il ne voyait que comédie quand il s'agissait en fait d'hommages qu'elles se rendaient... L'idée, à dire vrai, le sidère. Elle le dégoûte aussi un peu. Oui, il trouve à la fois sidérant et dégoûtant que l'on se permette, sur son dos, de tels débordements d'intimité. Des femmes, passe encore ! Mais des filles ! Des catins ! N'est-il pas scandaleux que payées, non pas, grands dieux ! pour s'aimer, mais pour feindre l'amour, le simuler et, dans cette feinte même, lui donner le plaisir qu'il attendait, elles se permettent de jouir, elles, à ses frais ? Furieux, il décide que c'est assez. Et jugeant que rien ni personne ne rompra plus l'obscène attachement qu'il devine entre ces corps, il prend son chapeau et s'en va. Au passage, il ne peut résister au plaisir de donner un petit coup de canne, négligent mais sec et ajusté, sur les fesses

de celle des deux filles qui, agenouillée entre les cuisses de sa complice, est en train de la besogner.

C'est dans cet état d'esprit que Madame Lepage l'a retrouvé. Humilié donc. Trouvant l'aventure assez grotesque. Mais ne pouvant s'empêcher de penser, en même temps, que c'est comme le dernier lacet d'un piège qui se resserre depuis des semaines et vient peut-être, cette fois, de le traquer tout à fait. Il était à Bruxelles pour gagner un peu d'argent : il n'a rien gagné du tout. Pour retrouver un éditeur : les portes, toutes les portes, se sont fermées l'une après l'autre. Il avait ce projet de livre sur la Belgique qui intrigue tant ses amis : lui-même doute d'en venir jamais à bout et finit par se demander s'il n'est pas suspendu à une clause maligne et secrète qui le paralyserait. Et voici que maintenant, comme pour couronner le tout, deux tas de viscères roucoulateurs lui signifient – et avec quelle désinvolture ! – ce qu'il ne peut s'empêcher d'interpréter comme un congé définitif. Femmes damnées, maugrée-t-il pour se donner une contenance intérieure tandis qu'il boite en direction de la rue de la Montagne... Anges perdus... Créatures sataniques... Mais au fond de lui-même il sait que ses malédictions sont vaines et que le jugement des filles est à sa façon sans appel. L'aventure a beau être absurde, c'est un signe. Un présage. C'est, à ses yeux, l'expression et la manifestation dernières de son infini malheur d'exilé. Et c'est l'annonce, surtout, de ce désastre ultime qu'il sent monter depuis des semaines – et qui est peut-être en train, tout à coup, de précipiter sa marche.

4

Suite du monologue de Madame Lepage

IL était temps qu'il parte. Car ça pouvait plus durer comme ça. Il pouvait plus continuer de vivre ici, entre quatre murs, cette vie de salsifi. Il y avait les crises de pilepsie. Quand il y avait pas les crises, il y avait ces gourdeurs qui le prenaient et le laissaient des jours entiers comme une épave. Et tout ça pourquoi, mon Dieu ? Quel intérêt, pour lui, de prendre racine ici, chez nous, dans ce pays qu'il aimait point ? Soi-disant qu'il avait des villes à visiter avant de s'en aller : mais il visitait rien du tout, vu qu'il quittait plus Bruxelles. Soi-disant que, s'il restait, c'était rapport au livre sur la Belgique qu'il voulait d'abord avancer : mais je suis bien placée pour savoir qu'il y a jamais eu une page d'écrite (ce qui s'appelle écrite, pas ces gribrouillons que je trouvais certains matins en faisant mon ménage dans ce foutoir qui lui servait de chambre). Des fois encore, quand lui et Monsieur Malassis en causaient, j'entendais qu'il fallait qu'il reste jusqu'à tant qu'il trouve un libraire pour faire une édition complète de ses livres : mais là non plus je suis pas idiote et je sais que le seul valable, de libraire, l'avait envoyé promener depuis longtemps. Et quant à ces supposées conférences dont il attendait monts et merveilles et qui étaient, à ses dires, l'autre but de son voyage, vous parlez d'un but ! vous parlez d'une aventure ! allez savoir si ça aura pas été, en fait de merveilles et de monts, la pire vexation qu'il a subie !

Vous connaissez cette histoire des conférences, pas vrai ? Il y en a eu quatre ou cinq à l'hôtel de ville où il parlait devant des salles vides, que c'en était à pleurer. Et puis, quand la ville a arrêté les frais (paraîtrait même que les malotrus lui auraient payé que cent francs sur les trois cents qu'ils lui devaient), il en a encore donné une sixième chez un agent des changes de la rue Neuve qui se moquait comme de sa chemise de ce que Monsieur avait à dire mais qui voulait épater son monde en faisant une causerie privée dans son salon. Faut imaginer le tableau ! Les lustres ! Les dorures ! Les cuirs comme dans les clubes ! Et, installés dans leurs fauteuils, pas peu fiers d'être là, douze gaillards en digestion qui le regardaient comme une bête de cirque. Nous, déjà, on était pas bien. Et même que s'il avait pas insisté avec cette politesse qu'il avait des fois et qui lui poussait comme des boutons (« venez, Monsieur Lepage, venez, vous êtes mes invités, et puis comme ça vous serez ma claque ») sûr qu'on aurait pas traîné à leur tirer notre révérence. Alors lui, vous pensez ! Vous le voyez avec ses belles phrases, ses dentelles, ses façons délicates de saluer et les choses difficiles qu'il avait à dire ! Au bout d'un moment, ça a été plus fort que lui. Voyant ces gros messieurs qui somnolaient et l'écoutaient en clignant de l'œil, il les a traités de crétins. Et devant leur air offusqué (« ça c'est trop fort ! qu'ils semblaient dire; sortir par le froid qu'il fait! écouter ces cochonneries! et, en plus, se faire insulter! ») il s'est mis à rire, rire, comme jamais j'ai entendu rire – un rire de tous les diables qui nous a tous glacé les sangs.

Il s'est pas démonté pour autant, notez bien. Et je me rappelle une fois, lendemain d'un de ses fours, où il m'a expliqué : « faut pas se frapper Madame Lepage, c'est pas votre serviteur qui est en cause si ces fichues conférences marchent pas, c'est la faute à la bande à Hugo qui empêche les gens de venir. – Comment qu'elle fait ça? je lui demande. – En faisant courir des bruits sur moi, il me répond. En disant que j'ai des mœurs contre nature ou que je suis, moi que vous voyez, payé par la police française. » Hum, je me grommelle, elle a bon dos la bande à Hugo! D'abord, il dira ce qu'il voudra, mais je sais pas ce qu'il deviendrait sans elle vu que c'est Madame Adèle qui lui dépêche son docteur privé quand ça va mal et il crache pas dessus, à ce que je sache... Et puis, la faute à ci, la faute à ça, est-ce que c'est des manières d'homme de toujours balayer la porte des autres? Est-ce qu'il faudrait pas mieux admettre qu'il y a que les mauvais ouvriers qui ont des mauvais outils et que si ses conférences sont des fours c'est qu'il a pas le gabarit? Qu'il soit poète, je conteste pas. Mais conférenceur, c'est autre chose. Faut du bagou pour ça. Faut du culot. Faut être comme ce Monsieur Silvestre que j'avais eu bien l'honneur de recevoir l'année d'avant et qui s'y entendait, lui, je vous jure, à vous remplir une salle. Mais qu'est-ce que vous voulez? N'est pas Monsieur Silvestre qui veut. Et rien qu'à le voir lui, le pauvret, bredouiller, manger ses mots et saluer trop bas une salle où il restait plus que les huissiers, on comprenait qu'il avait pas le niveau. Il y a pas de mal, notez bien. Sauf qu'il aurait pu le savoir et comprendre qu'il avait plus rien, ce qui s'appelle plus rien à faire ici.

Surtout que, d'après Monsieur Ballotin, il paraîtrait que, à Paris, il était pas tout à fait n'importe qui. Ah oui! j'ai pas encore parlé de Monsieur Ballotin. C'était son voisin. Celui qui occupait la chambre juste à côté. Mais attention! Bon client, lui, par contre. Gentleman comme on en fait plus. Il avait dû être quelque chose comme sous-officier dans la guerre du Mexique et faisait maintenant le représentant pour une fabrique française de hachis. Longtemps ils se sont pas causé. Ils se croisaient dans le couloir. Ils prenaient leur tour pour les petits besoins. Ils se faisaient un bonjour de la tête, bien sec, comme quand on se connaît sans se connaître. Mais pour ce qui est d'échanger des mots, ah! ça plutôt mourir : ces messieurs étaient pas du même monde, alors protocole! protocole! on aurait cru qu'ils avaient mangé leur langue. Et puis un beau matin ça s'est déclenché. Je sais pas lequel a commencé. Mais ils se sont mis à se parler à travers la paroi qui, comme vous pouvez voir, est pas bien grosse chez nous. Cric cric, faisait l'un. Crac crac, faisait l'autre. Et que je te fais un grattement pour le bonjour. Et que je te fais un grissement pour le bonsoir. Et que je te fais une bamboula de meubles pour te dire que je suis rentré. Et que je te fais toc sur les canalisations, histoire de te faire comprendre : bon, d'accord, assez causé, c'est l'heure du petit coucher. Ça a duré des mois comme ça. Des vraies conversations, ça devenait. Pas plus idiotes, à bien considérer, que les conversations télégraphiées de Monsieur Chappe. Et c'est comme ça, ma foi, qu'ils sont finalement devenus amis.

Donc Monsieur Ballotin sait des tas de choses sur mon oiseau. Il sait qu'il a une maman âgée, qui est en retraite au bord de la mer et passe son temps à lui écrire comme quoi elle a une chambre gratis pour lui. Un homme d'affaires très comme il faut, notaire ou approchant, qui lui gère les petits avoirs qu'a dû lui laisser son père, même que s'il y avait pas ça derrière pour garantir les retards de loyer ça fait longtemps que, malade ou pas, Monsieur Lepage y aurait dit son fait. Il sait aussi qu'il a un beau-père, alors lui carrément de la haute, qu'on a jamais réussi à bien savoir s'il était vivant ou non : mais qu'il soit ministre ou général, ça c'était du sûr de sûr. Et il paraît enfin que ces livres dont les libraires d'ici ont pas voulu font leur bonhomme de chemin là-bas, dans les cercles et les académies de Paris, avec des armées de gandins qui s'appliquent à les copier. Qu'on puisse copier un zigoto pareil, j'avoue que ça me dépassait. Mais ce qui me dépassait encore plus c'est qu'avec tout ce répondant qu'il avait, avec tout ce monde qui l'attendait et avait l'air de vouloir lui faire la fête, il se soit incrusté comme ça chez moi. Tout ça pour dire que lorsqu'il est venu me voir ce matin-là pour m'annoncer qu'il s'en allait, j'ai pleuré ni pour moi qui en pouvais plus de courir après mon loyer – ni pour lui, le pauvre Monsieur, qu'on se demandait pourquoi il l'avait pas fait plus tôt.

J'étais dans l'escalier quand il m'a dit ça. Vous allez croire que j'y passais ma vie, dans mon escalier. Mais qu'est-ce que vous voulez que j'y fasse? Puisque c'est là que j'étais, pourquoi est-ce que je dirais que j'étais ailleurs? « Voilà, Madame Lepage, qu'il m'a dit. C'est fini. Je m'en vais. Vous m'avez beaucoup aidé, vous savez. Si, si, je vous assure. Mais la pénitence est terminée. Et tel que vous me voyez, je m'en vais retrouver mon enfer. » Ça m'a étonnée, ce mot d'enfer. C'est une drôle de façon, je me suis dit, pour dire qu'on rentre à Paris. Et c'est vrai, quand j'y repense, qu'il avait pour s'exprimer sa mine pas franche, son œil pas clair, sa taille raide comme un mètre de maçon, qu'il avait généralement quand il sortait de ses nuits de zizanie. Mais il avait l'air en même temps si gai! si guilleret! il avait tellement l'air de se libérer d'un fardeau! Je l'avais jamais vu comme ça, parole. Et quand je lui ai dit (car il fallait bien que je le dise, pas vrai?) : « et mon loyer? vous y avez pensé à mon loyer? parce que c'est pas tout de vous faire du bien : je vous ai nourri logé, à l'œil, depuis trois mois », vous savez ce qu'il a fait? Il a eu un sourire fiérot que je connaissais pas et, m'en laissant pas placer une de plus, il a brandi une liasse de billets qu'il m'a fourrée, sans la compter, dans la poche du tablier.

Là-dessus il est parti. Enfin, *on* est partis, je devrais dire. Car, vu cette humeur généreuse où il était (je les ai comptés, moi, les billets et je peux encore certifier qu'il avait pas eu la main légère), on s'est dit, avec mon mari, qu'il y aurait peut-être avantage à le mener jusqu'à son train. Lui a dit que non, non, fallait pas se donner ce mal, sa valise était pas lourde et, pour le coffre qu'il laissait, Monsieur Stevens ou Malassis viendrait bien le chercher le moment venu. « Taratata, on lui a rétorqué, si vous croyez qu'on traite les clients comme ça! C'est quand même pas le bout du monde de faire la route avec vous. » A telle enseigne que nous voilà tous les trois sur le chemin de la gare. Monsieur Lepage à gauche, portant la petite valise, pas bien lourde en effet, où il a réussi à caser tout ce que les huissiers lui ont pas pris. Lui au milieu avec son teint gris, son pas mécanique et le chiffon qu'il s'est entouré sur la tête avant de se mettre en chemin. Et puis moi, de l'autre côté, perdue dans mes pensées comme quoi il se pourrait bien, après tout, qu'on vienne à regretter ce foutu client. Nous voilà à la gare. Au revoir. Bon voyage. Couvrez-vous. Prenez pas froid. Si on s'écrit? Oui on s'écrit. L'hôtel du Grand-Miroir, en tout cas, aura toujours un coin pour vous... Et c'est à ce moment-là, après les adieux, alors qu'on est derrière, cachés derrière la barrière, à quelques longueurs du quai (des fois, je ne sais pas, qu'il ait un malalaise ou un trébuchement), qu'arrive la chose extraordinaire.

Faut connaître la gare de Bruxelles. Monsieur Lepage dit qu'une gare c'est toujours une gare. Mais moi je suis pas d'accord. Je suis sûre qu'elle est spéciale, cette gare-là, et qu'on a nulle part ailleurs autant de boucan dans les oreilles, de fumée dans les trous de nez, de chariots qui font « attention les pieds! attention les pieds! » avant de vous les écraser. Sans compter ces hangars, ces rails dans tous les sens, ce monde qui attend, qui beugle, qui se bouscule : il serait pas mal fondé à le dire, là, pour le coup, que ça lui fait penser à l'enfer. Est-ce que c'est ça qui lui a fait peur? Est-ce que c'est qu'on serait arrivés trop tôt et que tous ces bruits, ces cris, ces poussements, ces odeurs, lui ont tapé sur le système? Toujours est-il que son train arrive. On entend déjà ses pistons. Le tchutt tchutt de sa loco. On le voit qui pointe son museau, juste là, au bout du ballast, avec ses grands jets de vapeur bouillante qui vont le tirer jusqu'à Paris. On voit les bonnes gens qui se pressent, qui se précipitent pour les places comme c'est normal quand un train entre en gare. Et le voilà-t-y pas, lui, au lieu de faire pareil et de se chercher tranquillement un siège comme un honnête homme ayant payé son passage, réglé sa note d'hôtel et dit au revoir à ses amis, qui se met à courir dans tous les sens, sans qu'on en voie la raison valable : on serait pas là, dans une gare, on se dirait c'est une mouche qui l'a piqué.

« Regarde, je dis à mon mari. Non mais regarde-moi ce travail. On dirait que ça le reprend. Est-ce qu'il faut pas y aller, dis-moi? Est-ce qu'on devrait pas lui donner de l'aide? – Mais non, il me répond. C'est pas à toi de te mêler de ça. Suppose qu'il cherche quelqu'un. Suppose même que ce soit une mignonne. Tu te vois nez à nez face à elle, avec le souci que tu as de ta vertu? » Sauf que le pauvre Monsieur, pendant ce temps, court de plus belle. En tête... En queue... Bousculant les gens... Les gens qui le bousculent... Affolé, qu'il a l'air... Sachant pas, mais alors vraiment pas ce qu'il veut, ni où il va... De là où on est, on le voit qui tombe, se ramasse, trébuche, retombe, se ramasse... On le voit qui se hisse sur une plate-forme de troisième classe, s'avise qu'il a pas payé pour ça, redescend, laisse tomber son chiffon dans la manœuvre, le ramasse, aïe! aïe! le voilà sous les roues maintenant, si le train démarre, sûr que ça va être sa fête... On le voit qui avise un wagon à ce moment-là... Un bon vrai wagon de seconde... Ça y est, on se dit, il est monté... Il a fini par trouver son affaire... Et puis non...! Toujours pas...! C'est sa valise qu'il a oubliée cette fois... Il redescend la chercher... Manque s'étaler... L'agrippe comme qu'on aurait voulu la lui voler... Et au lieu de remonter, le voilà qui hésite, branle la tête, tourne sur lui-même comme une toupie et s'en va partir de plus belle : qu'on a vraiment l'impression, cette fois, qu'il y a ni quelqu'un ni quelqu'une dans le paysage...

« Est-ce que tu vas y aller, à la fin, je redis à mon mari? Tu vois bien que c'est pas ce que tu crois et qu'il y a quelque chose de pas rond dans la tournée. » Le temps qu'il se décide, malheureusement, c'est le train qui a pas attendu, vu que pendant que l'autre faisait la toupie c'est les dix minutes réglementaires qui avaient passé. Et le voilà donc, le pauvre Monsieur, tout seul sur son quai de gare, sa petite valise entre les jambes, son chiffon de térébenthine tout de travers et les mains sur les oreilles pour se protéger du brinquebalement des roues des wagons qui, de si près, doivent l'assourdir. De derrière notre barrière on voit pas clairement sa figure. Mais on voit le gros de la tournure. Et ce qui, tout de suite, nous commotionne c'est l'air chaviré qu'il a... c'est ça, chaviré... c'est Monsieur Lepage qui a trouvé le mot, mais ça dit bien ce que ça veut dire... pas convulsé, si vous préférez... pas comme ces matins de maladie quand il a fait le train tout seul, toute la nuit, dans sa chambre... chaviré, oui... à l'envers... comme si, tandis qu'il tournicotait, des idées lui avaient traversé la méninge... Il y a plus rien à faire à partir de là, on s'est dit. Sinon qu'à rentrer brepticement au Grand-Miroir pour faire les étonnés quand il reviendrait et lui demander son explication.

Quatre heures ont passé comme ça. Quatre grandes heures qu'on est restés assis sur des charbons ardents et qu'on a pas eu à chercher loin, vu l'odeur d'absinthe qu'il dégageait en rentrant, pour savoir où il les avait employées. Et vous croyez qu'il nous a causé à ce moment-là? Vous croyez qu'il nous a dit : « voilà, me revoilà, j'ai pas pris mon train parce que ceci, parce que cela »? Eh bien non, figurez-vous. Pas un traître mot pour nous soulager. Ce qui fait que l'explication c'est entre nous qu'il a fallu la chercher. Monsieur Ballotin a dit que c'était peut-être vrai, après tout, qu'il était un agent de la police française. Monsieur Lepage, qui a du bon sens, a dit que oui, admettons, mais que ça a jamais empêché les gens de prendre proprement leur train. Un autre client, plus déductif, a dit que pour se mettre dans cet état, fallait qu'il ait grand-peur de rentrer à Paris et que pour avoir grand-peur il faut avoir commis un grand crime. Un troisième a rappelé qu'il avait entendu dire un soir, dans une taverne de la place du Jeu-de-Balle, qu'il avait mangé son père et que ça se pourrait bien que ce soit la clé du mystère. Et moi ? Moi je prends pas parti. Tout ce que je sais, c'est qu'il est là de nouveau. Que tout va recommencer, qu'il va plus sortir, plus toucher à mon mironton. Et qu'il va falloir, la semaine prochaine, que je recoure après mon loyer.

5

A VRAI dire, il ne connaît pas bien lui-même les raisons de ce faux départ. Il sait qu'il avait décidé de partir. Il sait pourquoi. Il sait comment. Il se souvient, comme s'il y était, de cette terrible sensation d'étouffement, après l'épisode du bordel. Et il se souvient, le même soir, dans sa chambre, de cette conversation avec Coco lui remontrant une nouvelle fois qu'il n'avait aucune raison de « s'encrucher » ainsi à Bruxelles; qu'il n'était ni failli comme lui, Coco, ni proscrit comme les Hugo; et que c'était tout de même là-bas, à Paris, que l'attendaient l'argent, les éditeurs, les disciples, la gloire. Il se souvient de son départ de l'hôtel. Il se revoit si gai ce matin-là, merveilleusement libéré. Il revoit les époux Lepage, qui l'encadraient comme des gendarmes. Il se revoit avec eux, piteux et comique attelage, arrivant place Rouppe. Il les revoit même, les imbéciles, cachés derrière leur barrière l'imaginant trop ahuri pour surprendre leur manège. Il voit tout, absolument tout jusqu'au bout – sauf que, de l'événement lui-même, du train où il devait monter et qu'il a laissé partir, il ne se rappelle étrangement rien.

Une odeur peut-être. Il se rappelle une odeur de suie et de fumée. Un bruit aussi, terrible, qui pourrait être celui du train qui entre dans la cervelle. Un grand trou noir à ce moment-là, dans le temps et dans sa tête, où s'engouffre un flot d'images douloureuses, mais à la façon de ces scènes de cauchemar qui vous ébranlent jusqu'au tréfonds et dont rien ne demeure, pourtant, le lendemain, au réveil. Et puis la rue à nouveau. La rue sans transition. Son ciel gris. Ses becs de gaz. Son brouillard sale, si dense déjà qu'il enveloppe les silhouettes et les rend, même de près, semblables à de mauvais anges. Les yeux durs des passants. Leurs bouches amères, méchantes, qui lui font dire qu'en cas d'émeute ces Belges-là le surineraient. Et lui, dans cette rue, titubant; un peu hagard; marchant à tout petits pas comme quelqu'un qui aurait reçu un choc; ne sachant plus où il est, qui il est, ni, derechef, ce qui vient de se passer; faisant une halte, une autre, ingurgitant force absinthe dans les estaminets sur le chemin pour se donner la force de continuer – et échouant enfin, comme une bête blessée, dans cette tanière du Grand-Miroir qu'il n'a plus quittée jusqu'aujourd'hui.

C'est un rat dans son trou, un crabe dans sa boue. C'est un renard meurtri, tapi dans son terrier, qui n'en voudrait sortir à aucun prix. Il ne souffre plus. Il n'a plus, comme la semaine passée, de ces vertiges et névralgies qui le tenaient cloué au lit. Mais il y a quelque chose de pire – il ne saurait dire quoi – qui le retient et n'a plus rien à voir, donc, avec la douleur ou la maladie. Sa logeuse, inquiète, parle d'un « sort » qu'on lui aurait jeté. Son voisin d'étage, sentencieux, d'un accès de « mélancolie » qui ferait classiquement suite à son « hystérie » des jours précédents. Poulet-Malassis, qui est passé ce matin et que cette torpeur d'un nouveau genre a beaucoup impressionné, voit dans cette chambre close l'image et la réplique de l'« impasse » où son ami est pris. Lui, quoi qu'il en soit, est là. Enfermé. Emmuré. Assigné à une invisible geôle dont nul, même pas lui, ne saurait ce qui l'y condamne ni ce qui, physiquement, lui interdit de s'en évader. Le plus extraordinaire, pour ceux du moins qui le connaissent, étant que la seule idée d'en sortir pour aller retrouver l'odeur, la rumeur, la couleur de la ville au-dehors lui est devenue tout à coup insoutenable.

Trois jours ont passé ainsi. Trois nuits. Encore que dans l'état où il se trouve, il ait de plus en plus de peine à distinguer les nuits des jours. Il n'a jamais beaucoup dormi, c'est sûr. Et aussi loin qu'il se souvienne, il a toujours tenu le sommeil pour une sorte de naufrage précipitant l'âme du dormeur dans un monde maléfique et noir. Là, pourtant, c'est davantage. C'est un refus total. Une réticence définitive. C'est comme un entêtement de la conscience, cabrée aux bords de l'abîme et des menaces qu'elle y devine, à refuser l'abdication. Et le fait est que, depuis son retour dans cette chambre, il a bâillé, somnolé, papilloté, fermé les yeux – mais que, pas un instant, il ne s'est véritablement assoupi. Confusion des heures. Indécision du temps passé. Imbroglio d'une âme qui, dans la constante clarté où elle se tient, perd ses repères accoutumés. S'il sait encore l'heure qu'il est, c'est à son oreille qu'il le doit, aux vagues rumeurs de la rue qui montent jusqu'à son lit. Un souffle. Une clameur. Une conversation de femmes à leurs fenêtres qui dit que c'est le matin. Un aboiement dans le lointain, qui atteste que le jour s'est couché. Ou cette qualité de silence extrême, presque ouaté, qui n'appartient, il le sait, qu'à l'avant-dernière heure de la nuit.

Parfois, certes, il se lève. Il s'approche de la fenêtre. Doucement, à pas de loup, comme s'il y avait quelqu'un dans la chambre qu'il craindrait de réveiller, il va écarter le rideau et regarder son bout de ciel. Ou bien, pris d'un scrupule subit, il va vers son miroir et, longuement, avec méthode, comme s'il attendait une visite qui, bien entendu, ne vient jamais, il renoue pour la dixième fois le nœud de sa cravate. En général, pourtant, il ne fait rien. Un peu comme l'autre semaine, au lendemain de la crise de Saint-Loup, il passe le plus clair de son temps sur ce lit – immobile, impassible, impuissant à se fixer sur quelque tâche ou souci que ce soit. A la réserve près qu'il était cette semaine-là physiquement incapable de sortir alors que son incapacité, cette fois, est d'un autre ordre. A la réserve aussi qu'il avait son « tintouin » dans la cervelle et qu'il ne l'a plus maintenant; qu'il a la tête libre et claire; et qu'il peut passer des heures ainsi – attentif, aux aguets, sans autre souci que d'entendre le léger bourdonnement que fait le sang à ses oreilles.

Lire le fatigue. Écrire l'ennuie. Les quelques fragments de « Pauvre Belgique! » qu'il a sortis de son coffre aux manuscrits pour les montrer à Coco et les expédier chez Ancelle l'ont sidéré par leur indigence. Et devant ce chapelet d'insultes, devant ce relevé maniaque des menus travers d'un peuple considéré dans son ensemble, il s'est même surpris à songer : « quel piètre témoignage ce serait de mes derniers mois de travail si je devais, ce qu'à Dieu ne plaise, disparaître demain matin! » Il n'a pas corrigé ces pages pour autant : pas la force, pas le désir. Il ne les a pas brûlées non plus : pour brûler aussi, il faut de la force; il faut une énergie qu'il n'a plus. Trois jours sans œuvre. Trois jours de désœuvrement. Trois jours de vide absolu en même temps que d'impeccable attention aux plus infimes tressaillements de l'air. Il ne sait toujours pas ce qui lui arrive ni quel charme le terrasse. Recueilli sur ses draps, dans l'état non plus de torpeur mais d'extrême affût où il se trouve, il n'est plus capable que de songes creux, de pensées vaines.

Il pense à son corps, par exemple. Il pense à ce corps sans gloire, si mal aimé, si mal traité et auquel, l'autre jour encore, au plus haut de la douleur, il continuait de refuser le secours d'un médecin. Comme il se venge, ce corps! Comme il le punit bien de son insouciance! Il ne souffre pas, c'est entendu. Mais il est là, obsédant, transparent. Et il y a, dans cette transparence, comme un formidable pied de nez à celui qui, sa vie durant, a maudit sa part de corps et de nature. Corps remords. Corps vengeance. Il est, ce corps, comme un très vieil ami, longtemps docile et discret, qui se mettrait à vivre sa vie. Il est comme un vaste appareil, merveilleusement invisible, dont on entendrait tout à coup le moindre froissement d'organe. C'est cela, il n'a plus de corps : il a des organes. Et ces organes, voici que, dans l'étrange disposition où il est, à l'écoute du moindre murmure, du moindre mouvement de soi, il ne peut plus les penser qu'un à un, bien distincts, comme si chacun avait sa vie, sa voix particulières. Il pense à ses pieds qui enflent, à son ventre qui ballonne. Il pense à la jambe qui le gratte, sous l'excessive pression du drap. Il pense à son pouls qui va trop vite, à son sang qui coule trop lentement, à son estomac qui geint, à son sexe qui s'obstine à gonfler. Il pense à son squelette rongé, carié déjà.

Et il pense même à ses viscères et à l'effroyable guerre qu'ils se livrent à son insu. Il pense à son corps et cette pensée lui répugne.

Il pense au vieillard qu'il est devenu. Si tôt. Si vite. Il pense à ce saltimbanque dont il a prophétisé l'apparition et qui, sans prévenir, l'a rattrapé. Est-ce par le corps que c'est arrivé ? ou par l'âme ? Est-ce l'âme qui a entraîné le corps ou lui qui, au contraire, l'a emportée dans son naufrage ? Là non plus, il ne sait pas. Non, il ne sait pas comment c'est venu. Il n'a ni vu ni entendu le vieux qui le rejoignait. Et la seule chose dont il soit sûr c'est que cela s'est fait là, récemment, par un mystérieux emballement du temps cristallisant soudain en lui. Dans les bons moments, il se dit que rien n'est joué et qu'il a encore des élans, des impatiences de jeune homme. A ses heures moins fastes, il pense que c'est pire encore; que c'est comme un tour sinistre que lui jouerait la destinée; il pense que vieux pour vieux, autant vaudrait la douce impassibilité des vrais vieux. Faux vieux ! Pauvre vieux de comédie ! Lui qui a si bien décrit la vieillesse des autres vieux, voici que son tour est arrivé et qu'il est tout interdit; voilà que s'annoncent en lui les mortelles fatigues qui précèdent la mort et il est, face à elles, comme un mécréant face à Dieu. Ce vers de lui qui lui revient – et dont il ne saisit plus bien le sens : « et qui refait le lit des gens pauvres et nus ».

Il pense à la ville aussi. Il pense à cette ville qu'il a aimée, chantée, célébrée. Il pense à la majesté de sa pierre, à l'ivresse de ses paysages, au « charme compliqué d'une capitale âgée ». Il pense aux obélisques de l'industrie, aux temples du commerce urbain, à ses flâneries, ses fouleries – à la formidable liberté qui fut la sienne dans l'atmosphère galvanique des grandes villes. Et puis il pense à l'étrange retournement, opéré il y a trois jours et qui, annulant en quelque sorte quarante années de vraie passion, fait que sur le visage de cette ville il ne sait plus voir que deuil et désolation. Est-ce Shelley qui avait raison? Méryon, le pauvre Méryon – celui que la ville a rendu fou? Était-ce là ce que disait Poe dans ses mystérieuses diatribes, dont il saisit seulement le sens, contre l'horreur de l'homme des foules? Et devra-t-il admettre, lui aussi, que la poésie urbaine était un leurre où il n'aurait que trop participé? Peut-être. Peut-être pas. Dans le doute, et jugeant la question d'importance – que serait son œuvre sans cette ivresse de la ville? –, il a demandé au couple Lepage de lui quérir un plan de Paris. Sur ce plan, depuis son lit, il essaie, autant qu'il peut, de retrouver son amour de la grande ville.

Il faut tenter de l'imaginer dans cette chambre, sur ce lit, avec son plan sur les genoux. Les volets sont clos. Les rideaux tirés. Il se garde bien, cette fois, d'aller à la fenêtre. Et il passe de longs moments à promener un doigt rêveur sur son paysage d'encre et de papier. Voici une rue qu'il a aimée. Une autre qu'il a oubliée. En voici une dont il retrouve, rien qu'en fermant les yeux, le charme des trottoirs, des passages ou des commerces. En voilà une autre où il sait qu'en s'attardant il risque de voir surgir, en grand équipage et tilbury, l'une de ces belles qu'avec le cher Guys ils suivaient jusque chez elles. Il refait ses itinéraires favoris. En improvise d'inédits. Débaptise les quartiers qu'il connaît trop. Visite ceux qu'il connaît mal. En découvre qu'il soupçonnait, mais où il n'était jamais allé. S'invente ici une retraite, là un hôtel mirifique où il serait si bien. Il revoit une maison, une enseigne, et ne sait plus dans quelle rue il les a vues. Il les place. Les déplace. Il les transporterait, s'il le fallait, d'un bout à l'autre de son plan. Le médecin lui a bien recommandé de marcher? Eh bien pour marcher, il marche. Il marche même comme un damné.

Et puis il pense à lui, enfin. A sa vie. A son destin. Il pense à ce qu'il a été. A ce qu'il aurait pu être. A ce qu'il devait être et qu'il n'aura plus le temps de devenir. Il pense à Bruxelles. A Paris. Une fois de plus, il se demande ce qu'il fait ici, dans cette ville odieuse, quand c'est là-bas, Poulet l'a dit, que se jouent sa gloire, sa fortune. Une fois de plus, il essaie de retrouver les images qui, l'autre jour, sur le quai de la gare, l'ont si mystérieusement détourné de son projet de retour en France. Les heures passent, mais il ne voit pas. C'est toujours le même brouillard, la même incompréhensible confusion. Il sent un étau, simplement. Un piège qui s'est resserré. Il sent une nasse, ficelée par tous les bouts, sous l'effet d'il ne sait quel maléfice. Est-ce ainsi qu'il va finir? Dans ce cul-de-sac invraisemblable? Quelque chose lui dit que ce train qu'il n'a pas pris était en effet sa dernière chance. Et que s'il n'est pas parti ce matin-là, alors que tout l'y disposait, qu'il avait mis en ordre ses affaires, fait ses adieux, payé ses dettes, alors qu'il le voulait surtout, qu'il le désirait de toute son âme, c'est qu'une force s'y opposait et s'y opposera sans doute encore. Énigme de cette force. Noire magie de cette énigme. Et s'il n'était venu à Bruxelles que pour y disparaître – et mourir?

DEUXIÈME PARTIE

1

Le récit de Charles Neyt

JE suis belge. Je suis photographe. Je faisais dans ces années-là mes débuts à Bruxelles. Et je me flatte d'avoir été du tout petit cercle qui, alors, croyait en l'étoile de Charles Baudelaire. Il n'aimait pas les photographes? C'est un fait. Trop réalistes à ses yeux. Trop compromis avec la nature. « C'est un art pour Courbet, disait-il. Jamais Manet ou Delacroix n'y auraient risqué un sol. » Ça me peinait. Ça ne facilitait pas la conversation. D'autant qu'il était fort exigeant sur le chapitre des opinions et qu'il se mettait facilement en colère quand on ne partageait pas ses avis. Mais je l'aimais. Je l'admirais. Et comme Poulet, Rops ou les frères Stevens, j'essayais de le tirer le plus souvent possible de sa tanière du Grand-Miroir.

Cet après-midi-là, je m'attendais au pire. Des rumeurs si étranges couraient la ville! On le disait fou... Malade... On prétendait l'avoir vu errer entre la rue des Minimes et la rue Haute avec des hordes d'enfants à ses trousses, qui se moquaient de lui et le singeaient... On m'avait même dit que, depuis huit jours que je ne l'avais vu, il avait définitivement perdu la tête et qu'il avait fallu le ramener d'urgence à Paris... Qui lançait ces rumeurs? Quelle coterie? Quel clan, littéraire ou autre, pouvait y avoir intérêt? Pour le moment, l'évidence sautait aux yeux : il allait beaucoup moins mal que prévu. On m'avait annoncé un aliéné ou un moribond. Quelle ne fut pas ma surprise de trouver quelqu'un de tout à fait bien-portant!

Il était fatigué; légèrement bouffi; il présentait dans le creux des yeux, dans le cireux du teint, dans la mollesse nouvelle du menton, les stigmates d'un combat qui n'était pas celui d'un écrivain avec sa page. Mais la physionomie d'ensemble était saine. La démarche, assurée. Il avait, je le voyais bien, passé le temps nécessaire à sa toilette. Un signe ne trompait pas : sa chambre avait été aérée, nettoyée. Je ne saurais dire avec certitude ce qu'il faisait au moment de mon arrivée. Il était si discret! Si secret, même avec ses amis! Mais j'ai constaté le temps qu'il a mis à m'ouvrir, le désordre des papiers sur la table. J'ai vu son air contrarié, comme si je l'interrompais dans une tâche qui l'absorbait. Et je n'aurais pas été étonné qu'il fût en train de travailler.

Il m'a parlé de son travail. Il m'a raconté sa visite, avec Rops, à l'église Saint-Loup de Namur. Il m'a dit son souci, avant de quitter ce pays, de visiter *toutes* les églises influencées, comme Saint-Loup, par l'art jésuite. Il m'a conté également, non sans une certaine malice, l'exquis moment qu'il avait passé, dans un sympathique établissement, avec deux coquines de ma connaissance. Et quand je lui ai parlé enfin de cette invitation d'Adèle Hugo que j'étais chargé de lui transmettre, il a réfléchi un instant, a dit – ce qui m'a flatté – que ce serait, hélas, moins drôle que les banquetailles de garçons qu'il m'arrivait d'organiser mais a fini par répondre « pourquoi pas » avec un ricanement si mauvais que j'ai pensé, là aussi, qu'il avait retrouvé tout son allant.

Car les rapports avec Hugo étaient, certes, officiellement bons. On s'écrivait. On se félicitait. On échangeait livres, préfaces, articles. Mais sur le fond, on ne s'aimait guère. On se comprenait encore moins. L'aîné sous-estimait le cadet, où il n'avait jamais su voir un rival vraiment sérieux. Le cadet méprisait l'aîné et se moquait avec nous, ses amis, de son gros tempérament de lutteur forain prenant la chair des mots à bras-le-corps et faisant de la « vigueur » la qualité première du poète. Il détestait son affectation de santé. Il trouvait légèrement répugnante sa prolixité, son abondance. Il ne supportait pas non plus ces sonores « je vous serre les mains » dont il se croyait obligé de conclure ses lettres. Tout cela pour dire que de l'entendre ricaner de cette invitation était plutôt de bon augure; mais que son accord était un signe moins heureux, dont j'aurais dû me méfier davantage.

Les Hugo habitaient en ce temps-là place des Barricades, dans la partie haute de la ville, près du jardin botanique. Le Maître n'était pas là. Je veux dire qu'il n'était pas là en personne, parmi les siens. Mais il l'était à travers mille détails qui le rendaient plus présent qu'en chair et os. Ses livres. Ses objets. Des pages de manuscrit, encadrées comme des reliques. Des porcelaines à café, où un écriteau disait qu'il avait daigné boire. Des photos aussi. Ah! ces fameuses photos avec leurs légendes extravagantes : « Victor Hugo méditant... Victor Hugo devant l'océan... Victor Hugo écoutant Dieu... regardant Dieu... causant avec Dieu... » Ce n'est pas, comprenez-moi bien, des photos elles-mêmes que je me moque. C'est du principe. De la démarche. C'est de ce visage aussi, tellement peu remarquable quand on y pense, peu souverain : le visage d'un petit vieux très ordinaire, que le grand âge n'avait curieusement pas ennobli... Et puis j'oubliais l'essentiel : dispersés dans tous les coins de la pièce, debout, assis, attablés devant des gâteaux de riz larges comme des roues de charrette, la cour des proscrits français. Réunis autour de la grande prêtresse Adèle – la mère bien sûr, pas la fille – et de son long visage anguleux placé sous l'abat-jour de cuivre en forme de tulipe qui en accentuait encore la tristesse, ils ne savaient ni ne pouvaient parler que de... Victor Hugo.

Ses faits... Ses gestes... Ses dires attestés... Supposés... Comment il se porte, là-bas, sur son île... A quoi il pense... A quoi il occupe ses journées... S'il écrit... S'il dessine... Ce qu'il fait là, à la minute, tandis que nous parlons et sirotons notre faro... S'il nous voit... Nous entend... S'il est content de ce qu'on dit de lui... Satisfait de ce qu'on dit qu'il dit de ce qu'on dit de lui... Le temps qu'il fait... Comment est la mer... Le vent... S'il a déjeuné... Fait sa promenade... S'il est déjà levé de sa sieste, hautement réparatrice... Non... Oui... Un peu plus courte le lundi, ne l'oublions pas, vu que c'est jour de courrier... Quelle mine il a... Quel appétit... S'il a bien digéré son dîner de la veille... Son déjeuner d'aujourd'hui... S'il a fait ses besoins ce matin... A midi seulement... Pas du tout... Jusqu'aux détails les plus scabreux du plus intime fonctionnement de l'auguste corps, que l'on interrogeait, scrutait en quelque sorte à distance... On était à Bruxelles. Place des Barricades. Dans la petite maison entourée de lilas et de leurs thyrses mauves. Mais à les entendre tous, à voir comme ils avaient assimilé à leur personne la personne même du poète, on avait l'impression d'être transportés là-bas, sur l'océan, et de vivre littéralement à l'heure du Maître vénéré.

On revenait à Bruxelles quand on évoquait les avanies dont il était l'objet et dont on tenait le compte scrupuleux. Mais c'était, dès lors, une dévotion plus grande encore... Une idolâtrie plus ridicule... Avez-vous vu cet article-ci? Celui-là? Cette attaque frontale? Déguisée? Avez-vous vu cette supposée louange qui était en réalité le pire des éreintements? Cette allusion assassine? Ce silence révélateur? Cette critique du livre d'un tel qui, en fait, le visait? Cette louange de tel autre qui, si on la lisait de près, était une autre manière de l'atteindre? Oh, grondaient les uns... Ah, s'exclamaient les autres... Et ce n'étaient, partout, que clins d'œil, demi-sourires, airs entendus, froncements de sourcils bien informés, comme si le monde entier ne bruissait que du complot contre Hugo, et comme si, dans la plus lointaine manifestation de la vie parisienne ou bruxelloise, nichait toujours et encore le signe d'une machination qu'il était dans notre mission de déjouer. « Merci, soupirait chaque fois Adèle... Oui, merci... » Fermant les yeux d'un air d'exquise lassitude, elle hochait la tête avec douceur, comme pour gratifier l'intervenant.

Que se trouvât dans la pièce un autre écrivain et qu'il eût avec la presse, cet écrivain, des rapports autrement difficiles que le mage de Guernesey, nul apparemment n'en avait cure. Il n'existait qu'un écrivain pour ces gens : Victor Hugo. Qu'une victime : Victor Hugo. Il y avait un homme et un seul dont la misère, fût-elle dorée, méritait considération et émoi : encore, toujours Victor Hugo. Et je savais que si d'aventure je m'étais risqué à dire : « vous avez ici quelqu'un que la plus élémentaire des courtoisies voudrait que l'on interrogeât sur ses propres malheurs journalistiques », j'aurais été regardé comme fou ou blasphémateur. C'était un fait : tous ces gens n'avaient été réunis que pour chanter l'exclusive louange du Maître; et le plus fort était qu'on n'avait convié mon pauvre ami, lui aussi, que pour participer à la cérémonie.

Un souvenir précis. Minuscule. Mais qui en dira plus long que bien des discours sur la cruauté de la situation. Albert Lacroix, l'éditeur, venait d'attirer l'attention de la compagnie sur l'éreintement que préparait, pour *La Tribune de Belgique*, un certain Ferdinand Krullemans. La compagnie s'était émue. Un vent de panique avait soufflé. Tout ce petit monde, surexcité, était déjà prêt à la vengeance. On lisait sur les visages la sainte colère des preux décidés à faire payer son audace à l'infâme Krullemans. Et voilà mon ami qui, soucieux de contribuer, j'imagine, à une si noble indignation, sort enfin du silence où il s'était tenu depuis notre arrivée et explique qu'il connaît ce critique, qu'il en a lui-même été victime et qu'il peut donc, si on le souhaite, donner à son sujet de précieuses informations.

Sans doute s'agissait-il d'abord pour lui de se faire valoir. Une façon de dire : « voyez, j'existe, je suis assez intéressant pour que ce Ferdinand Krullemans qui a l'air de vous faire si peur se soit aussi penché sur mon cas. » Mais enfin l'information était intéressante. Elle l'était *de toutes façons*. Et l'assemblée aurait eu grand avantage, me semble-t-il, à écouter d'un peu plus près un témoignage de première main. Or savez-vous ce qu'il advint? Eh bien rien, justement. Les têtes, un instant tournées vers lui, se retournèrent d'un seul mouvement vers le bien plus intéressant Albert Lacroix. Personne, je dis bien personne, ne jugea utile de relever sa déclaration et de le prier d'en dire un peu plus. Même là, dans le rôle pourtant bien modeste d'informateur en second, il n'avait, aux yeux de ces gens, pas l'ombre d'une existence.

Le grand sujet du jour était la publication prochaine, chez le même Lacroix, des *Travailleurs de la mer*. Si le livre allait marcher... Comment... Grâce à qui... Si la bataille serait aussi rude que pour *Les Misérables*... Comment cela se passerait à Bruxelles... A Paris... Sur qui on pourrait compter... Sur quelles forces... Quelles alliances... Quelles fautes, faiblesses, carences de l'adversaire... Adèle, toujours sous son abat-jour, conduisait les débats avec la maestria d'un général menant ses troupes à la bataille. Elle écoutait l'un. Interrogeait l'autre. Coupait la parole à un troisième. « Oui », dit-elle, le sourcil déjà froncé en signe de sévérité quand mon ami, faisant une seconde tentative, leva la main pour parler. Et comme il avait bredouillé qu'il avait lu les *Travailleurs* lui aussi et qu'il était tout disposé à donner un article quelque part, elle se contenta de lancer, avant de passer au suivant, un sec : « *Le Petit Écho de Louvain* ».

Que *Le Petit Écho de Louvain* fût une feuille plus que modeste n'était pas, en l'occurrence, ce qui me chagrinait le plus. Le pire, c'était le ton de la dame. Son côté maîtresse d'école mettant tous ses élèves sur le même pied. Mon ami n'avait qu'un souci : être traité un peu autrement. Il n'avait qu'un désir : être tenu, non pour un banal journaliste, mais pour un écrivain qui vole, d'égal à égal, au secours d'un autre écrivain. Or voilà que notre hôtesse ruinait cette prétention et le renvoyait, d'un coup, dans le rang. Il ne venait plus, ès qualités, défendre un pair et ami. Il était un vulgaire fantassin chargé de marcher comme les autres, sans privilège ni préséance, à l'assaut d'une citadelle. Je dis fantassin. Je dis citadelle. Car c'est bien dans ce langage ridiculement militaire que l'on concevait, place des Barricades, la défense de l'hugolâtrie.

Là-dessus, changement de tableau. Adèle a-t-elle compris sa bévue ? S'est-elle avisée qu'elle avait, avec ses amis, commis une indélicatesse ? A-t-elle cherché, in extremis, un moyen de la réparer ? Toujours est-il que tout à coup, comme prise de remords, elle s'est dirigée vers lui. Elle a pris son air le plus aimable, son ton le plus gracieux. Elle a légèrement plissé les yeux, une façon pour elle de marquer son intérêt. « A la bonne heure, me suis-je dit ! Va-t-elle enfin comprendre ? Se décider ? » Et la voilà qui, devant une assistance médusée d'un tel honneur fait à un étranger, demande simplement : « et vous, monsieur, pourquoi ne faites-vous pas paraître plus souvent quelque chose ? »

La question aurait dû normalement le combler. N'était-ce pas ce qu'il espérait depuis notre arrivée ? N'était-ce pas une façon comme une autre de lui rendre son état d'écrivain ? Oui, sans doute. Sauf que cela venait tard. Que le mal était fait. Et comme souvent en pareille affaire, la longueur même de l'attente avait fini par émousser le fragile tranchant du désir. Tout à l'heure il était prêt. Merveilleusement dispos. La question n'était pas encore formulée, mais les mots de réponse étaient là, déjà là, ne demandant qu'à s'exprimer. Alors que maintenant, humilié de cette heure passée, engourdi, presque stupide de tant de sornettes entendues, il se révélait incapable de faire face.

J'ajoute qu'il y avait dans la tournure même de l'adresse (« et vous, monsieur, *pourquoi* ne faites-vous pas paraître, etc. ») une méconnaissance si criante de sa misère, des conditions dans lesquelles il vivait, des difficultés qu'il avait à se faire simplement éditer, il y avait dans la légèreté mondaine de ce « pourquoi » une telle indifférence de nantie au calvaire que c'était, pour lui, de trouver des libraires disposés à le publier, qu'une élémentaire dignité lui commandait de partir ou de se taire. Il se tut. Ou plutôt non. Il essaya de répondre. Bredouilla des phrases incompréhensibles. Dit un mot à la place d'un autre. Fit quelques gestes désordonnés à la façon d'un homme qui se noie. Et finit par un drôle de petit râle, qui surprit l'assistance.

Allait-on l'oublier alors? Le laisser en paix? Allait-on retourner sans remords aux pieuses considérations sur les coliques du pèrissime? Las! le plus triste c'est que le branle était donné, l'exemple administré et que, comme toujours dans une cour quand le souverain a montré la voie, la cohorte des favoris ne pouvait qu'emboîter le pas. D'abord Albert Lacroix, très éditeur (mais un éditeur qui, il se garda bien de le dire, refusait de le rencontrer depuis des mois), entreprit de l'interroger sur une question qui, prétendit-il, le préoccupait depuis longtemps : la question des rapports troubles, mais ô combien intéressants! qu'il entretenait avec le Mal.

Ensuite un gros républicain au front borné sous la calotte et aux favoris roux s'inquiéta de ce « ferment de catholicisme » qu'il avait détecté, disait-il, dans un certain nombre de ses vers... « Si, si, je vous demande pardon... catholicisme est bien le mot... Est-ce que ce n'est pas absurde, de nos jours...? Dépassé...? Est-ce que vous n'avez pas compris que ce catholicisme est le pire criminel, le pire suceur de sang de l'humanité...? Le Christ était un héros, je vous l'accorde... Mais déclouez-le, que diable! Arrachez-le à son gibet! Et qu'il vienne donc prendre sa place, éminente mais pas unique, dans la procession des nouveaux dieux que se donne la religion du Progrès! »

Un troisième bonhomme encore, débraillé, parlant haut, le visage ravagé par un méchant lupus, s'étonna, lui, sur un ton grandiloquent qu'il croyait probablement dans la manière du Maître, de le voir si docile, si respectueux du régime et des lois. « Vous ne dites rien! Non, depuis six mois que vous êtes ici, pas une fois vous n'avez mêlé votre voix à la nôtre qui refuse la tyrannie! Est-ce que ce régime vous plaît tant? Est-ce que vous seriez, comme on le dit, un agent de la police impériale? Parlez, à la fin! Dites quelque chose! Ou bien taisez-vous tout à fait. On ne peut pas répondre au despotisme par le dandysme! A Louis-Napoléon par Brummel! On ne peut pas, quand la liberté est étouffée, continuer de glorifier ces *réactionnaires* que sont votre de Maistre et votre Poe. »

Et puis c'est Adèle enfin qui, sentant les esprits s'échauffer et la petite communauté se souder contre mon ami, reprit le même refrain – mais mezza voce, plus indulgente et sur un ton ridiculement protecteur qu'elle copiait, elle aussi, sur son auguste époux. « Allez, poète, allez... Cessez ces enfantillages... Votre place est ici! Parmi nous! Elle est dans la grande armée de ceux qui, tous ensemble, unis comme un seul homme derrière l'obscur fanal du Progrès, travaillent à l'avènement d'une nouvelle jeunesse de l'Homme! Venez, oui! Avancez! Secouez ces vilaines chaînes! et puis voyez le monde au-dehors! Voyez comme il vous tend les bras! Des milliers de misérables vous attendent – et vous sourient! »

Les réactions de l'intéressé à cette avalanche de belles paroles? Apparemment aucune. Je veux dire qu'il donnait l'image de l'impassibilité. Mais moi qui le connaissais, je voyais bien le tumulte grandissant que dissimulait ce calme. Il avait le visage figé, la même manière de regarder dans le vide que m'avait décrite Rops à leur retour de Namur. De temps en temps, pour se donner une contenance, il croisait et décroisait les jambes, remuait doucement les lèvres comme s'il s'apprêtait à répliquer et que cela ne venait pas. Il murmura à un moment quelque chose comme : « je me fiche des misérables... Je déteste le progrès... » Mais il le fit à voix si basse que je fus le seul à l'entendre. Et ce sont eux qui, lassés de s'acharner ainsi sans obtenir de réaction, finirent par se désintéresser de lui.

La soirée devait s'achever sur une séance de tables. Je sais qu'il est d'usage de dire que l'on n'a plus fait de tables, chez les Hugo, depuis la déjà lointaine époque de Hauteville House. Mais là, je suis formel. C'est bien ce qui se préparait au moment où, n'en pouvant plus, nous décidâmes de prendre congé. Trépieds... Guéridons... Lumières qui s'éteignent... Yeux qui se ferment... Adèle en officiante... Ronde des somnambules... Les présents parlent aux absents... Les absents parlent aux présents... Absent es-tu là? Oui, bien sûr, il est là... Guernesey comme si vous y étiez... Ses arbres... Ses vagues... Ses rochers enchantés... Ses canards réincarnés... Et puis, avec un peu de chance la voix du Maître en personne qui retentira dans la pièce et assènera ses directives... Pour lui, c'était trop. Plus, en tout cas, qu'il ne pouvait en supporter. Nous sortîmes en silence. Sans éveiller, autant le dire, le moindre regret ni intérêt.

La suite n'a pas d'importance. Car l'essentiel, n'est-ce pas, était joué? J'avais, à tout hasard, fait préparer un petit dîner chez moi et nous nous dirigeâmes donc, lui abasourdi et moi sentant que cette séance avait réveillé en lui des monstres inquiétants, jusqu'à la rue Montagne-de-la-Cour. Il mangea peu. Ne parla guère. Il toucha à peine au pâté de bécasse dont, pourtant, il raffolait. Il me demanda du thé, arrosé de force cognac, qu'il but à petites gorgées, la tête renversée, avec des gestes exquis de la main. Il avait la mine sombre. Une alternance, sur le visage, de sourires mélancoliques et de regards distraits. Il avait de drôles de tressaillements qui, tout à coup, sans motif, lui traversaient le corps. Quand je lui montrai, pour l'égayer, le dernier cliché que j'avais fait de lui, assis, cigare aux doigts, il me répondit d'un air qui me navra : « garde-le, je n'aime plus à me voir. » A onze heures enfin, sortant de sa rêverie, il prit congé. Je l'accompagnai par prudence, jusqu'à la rue et le regardai s'en aller, la démarche hésitante, me criant : « à ce soir! »

2

Il a descendu la rue Ducale. Longé les grilles du parc. Il a pris la place du Palais à droite. Puis, à gauche, la place Royale et ses enfilades de peupliers. Puis, encore, la rue de la Régence avec ses hautes façades à colombages. Square du Petit-Sablon, au bas de l'esplanade déserte, il a avisé une guinguette qu'il aimait bien. Il a hésité. S'est arrêté. Mais, comme si l'ombre et le silence n'étaient pas encore assez parfaits, il a renoncé et repris sa marche. Il est passé très vite devant Notre-Dame-des-Victoires. Plus vite encore, et non sans un léger frisson, devant le palais de justice, place Poelaert, là où l'on menait autrefois, avant de les exécuter, les condamnés à mort. Il a traversé, toujours sans s'arrêter, la place du Jeu-de-la-Balle, d'ordinaire si animée et que n'éclairait soudain que le reflet des vitraux dans la petite église des Capucins. Il est arrivé ici enfin, aux lisières de la ville, dans cet effrayant lacis de ruelles et impasses où il se dit que, même en plein jour, il se serait perdu.

Il va. Vient. Revient sur ses pas. Prend une rue qui ne mène nulle part. En prend une autre qui ressemble à la précédente et qui le mène au même endroit. Les passants, quand ils le croisent, se retournent sur ce personnage étrange, trop habillé pour le quartier, qui bute sur les pavés, trébuche contre les ordures, mais va droit devant lui, en faisant tournoyer une canne au bout de son poignet. Lui, en revanche, ne voit rien. Il ne regarde personne. Il ne remarque ni les filles en maraude, ni le fiacre qui manque l'écraser, ni la petite marchande de papier d'Arménie, oubliée sous un porche, ni même l'ombre pluvieuse qui le suit depuis un moment. Un rôdeur? Un assassin? Il ne sait pas. Il ne se le demande même pas. Lui si peureux hier encore, effrayé par la ville, par ses foules, ne prête plus la moindre attention à ce vagabond-ci plutôt qu'à cet autre. Il marche simplement. Sans cap ni repères. Se laissant guider par la corne des derniers tramways, la mélopée d'un vitrier dans le lointain, les fenêtres d'étage éclairées – ou bien, plus sûrement, par le rythme des pensées qui, depuis qu'il a quitté Neyt, ne l'ont pas un instant lâché.

Il pense à cette visite de l'après-midi. A l'humiliation qu'il a subie. Il pense à la façon qu'ont eue ces gens de lui signifier qu'il n'était rien, qu'il ne comptait pour rien et que l'on pouvait donc, sans honte ni précautions, étaler devant lui le détail des manigances qui font les coulisses du génie. Mais il pense à d'autres après-midi. A d'autres humiliations. Il pense aux mille et une après-midi d'humiliation qu'il a pu vivre depuis vingt ans et que sa mémoire avait sagement rangées dans ses tréfonds. Il pense aux flétrissures qu'elle a effacées, aux mortifications qu'elle a oubliées – et que cette séance-ci, il ne sait pas bien pourquoi, a le pouvoir de ressusciter. On ne peut pas vraiment dire qu'il pense, d'ailleurs. Encore moins qu'il réfléchit. Les idées viennent, simplement. Elles se pressent, s'imposent à lui. C'est une suite ininterrompue de souvenirs qui défilent un à un, sans ordre véritable. Il marche. Il ne fait que marcher. Et au rythme de cette marche, à l'appel régulier de ses pas et du bruit de sa canne sur le pavé, une foule d'images se lèvent, claires et nombreuses – qui l'assaillent, l'envahissent et achèvent de l'accabler.

Images de Hugo, évidemment. Hugo hier. Hugo aujourd'hui. Hugo qui, la première fois qu'il l'a vu, place des Vosges, à Paris, alors que, tout jeune homme, il s'apprêtait à partir pour les Indes sur ordre de son beau-père, lui a conseillé de voyager lui aussi, de vivre à la campagne et de faire, non des vers, mais du sport. Et Hugo qui, la dernière fois, à Bruxelles, alors que vingt-cinq ans avaient passé et qu'ils avaient tous deux fait leur chemin, a pris le même air stupidement paternel pour s'inquiéter de sa santé, le féliciter de sa bonne mine et lui proposer, dans le même élan, de lui envoyer son médecin et de le recommander à son éditeur. Ce qu'il lui reproche, ce n'est bien entendu pas de l'avoir recommandé. Ni, du reste, de l'avoir ainsi fait que cette recommandation n'a rien donné. C'est ce ton insupportable qu'il avait. Ces manières de grand-père secourable et libéral venant au secours d'un cadet dont il semblait ignorer tout ce qui le séparait. « *Jungamus dextras!* lui a-t-il dit en le quittant. Serrons-nous les mains! Unissons nos mains, nos voix, nos têtes, nos talents, pour l'avenir du genre humain! » Image de Hugo debout, ce jour-là, en majesté, sur le seuil du restaurant où ils venaient de déjeuner – loin de deviner, tandis qu'il lui secouait chaleureusement les mains, qu'il se moquait, lui, du genre humain; et loin, surtout, d'imaginer que le jour puisse arriver où l'on verrait dans ce raté qu'il considérait avec bienveillance et un peu de curiosité une sorte d'égal, ou de rival, dominant le siècle avec lui.

Images de Sainte-Beuve, le vrai rival du Maître, amant d'Adèle dans sa jeunesse, fin poète, grand critique – autant de titres qui, se dit-il, devaient l'incliner non certes à l'indulgence mais à la juste appréciation de son importance. Longtemps il y a cru. Il a cru à son attention. Il a vraiment cru que le moment viendrait où il écrirait enfin l'article qui suffirait à le consacrer. Aujourd'hui, il ne sait plus. Ou plutôt si. Il ne voit que trop l'étendue du malentendu. Il voit le vieux critique renâcler, se dérober. Il le voit geindre, tomber malade, chaque fois qu'il était question d'écrire sur un de ses livres. Il le voit, au moment du procès, quand ses pauvres *Fleurs* furent traînées au tribunal, trouver mille raisons de ne pas venir. Puis, comme il insistait, envoyer un plan de plaidoirie stupide où il conseillait d'implorer la clémence des juges. Il revoit le jour où cet incomparable lecteur avait regretté, sans rire, que ses poèmes ne soient pas écrits en latin. Il le revoit hurlant, l'insultant presque, sous prétexte qu'il avait, passant toute mesure, sali la bienséance, la morale, la France même et la littérature en osant, lui, le gueux, briguer à l'Académie le siège de Lacordaire. Et il réentend le vieux sacripant, après dix ans d'atermoiements, quand il se décida enfin à écrire sur son « cher enfant », ne rien trouver de mieux à dire que : « c'est un gentil garçon, il gagne à être connu. »

Images de Théophile Gautier. Son maître, lui, tout de bon. L'impeccable magicien auquel il dédia son « misérable dictionnaire de crime et de mélancolie ». L'a-t-il payé de retour, le magicien ? A-t-il reçu comme il convient le fabuleux hommage qu'il lui rendait ? Il n'en est pas sûr non plus. Et il ne peut s'empêcher de revoir à nouveau tous les menus signes qui disaient que le bon Théo n'était pas mieux disposé à reconnaître son talent. Théo à l'hôtel Pimodan, au temps de leur jeunesse, qui le prenait pour un inoffensif dandy. Théo plus tard, au moment de la publication des *Fleurs* et du procès, acceptant du bout des lèvres, comme une faveur qu'*il* lui faisait et qui pouvait le compromettre, la dédicace flatteuse. Et puis Théo le lymphatique, à jamais fixé pour lui dans l'image du viveur en burnous qui, son petit singe sur l'épaule, racontait aux joyeux compagnons du « club des Haschischins » les aventures de son voyage en Espagne – Théo le gai luron, incroyablement jouisseur et paresseux qui, jusqu'au tout dernier moment, osa le payer en secret pour écrire ses articles à sa place. Qu'il l'ait aimé n'est pas douteux. Mais quant à voir dans ce jeune admirateur une sorte d'émule ou de concurrent, il y avait un pas que son indolence et sa suffisance l'empêchaient manifestement de faire. Oh ! sa hideuse stupeur un soir, chez la Présidente, quand un convive avait tenté de les opposer : « vous me menacez de lui, avait-il répondu dans un éclat de rire incrédule, à peu près comme, autrefois, je menaçais Hugo de Pétrus Borel ! »

Images de Du Camp, son ami, qui le reçut comme un fâcheux dans son bureau du *Moniteur*. Images de Mérimée, l'ami des grands, qui ne voyait en lui qu'un pauvre hère « las de la vie parce qu'une grisette l'avait quitté ». Images de Buloz qui le méprisait. De Houssaye qui le récrivait. De Janin qui, lorsqu'il le recevait, appelait sa femme, tout excité, pour qu'elle vienne voir la bête curieuse. Images de ses propres amis qui ne le prenaient souvent que pour un bon traducteur doublé d'un poète à scandale. Image de Flaubert lui écrivant un jour (que le compliment était donc beau!) qu'il était « résistant comme le marbre et pénétrant comme le brouillard » – et puis, un autre jour, le même peut-être, allez savoir, serrant quelques-unes de ses *Fleurs* dans ses cartons, en vue de son futur catalogue raisonné de la bêtise contemporaine. Image de Vigny, enfin, si délicat, si élégant, le jour où il lui rendit sa visite d'aspirant à l'Académie – mais qui, après des heures d'une conversation que, dans sa naïveté, il avait crue féconde et profonde, n'avait trouvé à lui écrire que : « je vous trouve injuste envers ce bouquet si délicieusement parfumé de printanières odeurs pour lui avoir donné ce titre indigne de lui. »

Alors, bien sûr, il y a les autres. Ces jeunes poètes de l'école dite « fantaisiste », qui ne jurent, paraît-il, que par lui. Mendès, leur chef. *Le Parnasse contemporain,* leur revue, qui lui consacre, aux dernières nouvelles, la totalité de sa prochaine livraison. Ce Verlaine qu'il ne connaît pas mais qui le connaît, lui, assez bien pour employer trois forts aricles à prouver qu'il n'est pas le charognard satanique que l'on décrit en général. Ce jeune Anglais, Charles Swinburne, qui dit de si belles choses sur « les délices cruelles et aiguës » de ses vers. Et puis ce Mallarmé, si étrange, si lointain, dont *L'Artiste* vient de publier un très curieux petit texte où il se voit rapproché de Banville et de Gautier. Mais qui est ce Mallarmé? Que vaut-il? Que pèsent tous ces petits jeunes gens, avec leur vaillance, leur enthousiasme, mais aussi hélas leur légèreté, face au rang serré des maîtres qui ont, eux, et sans conteste, choisi de l'écarter? Ah! comme il échangerait bien la ferveur de ce Mallarmé contre un hommage, même tiède, du grand Sainte-Beuve! Comme il aimerait troquer dix Swinburne, cent Verlaine contre un seul Théophile

Silvestre qui, simplement, le considérerait! Cette image de cauchemar qui le hante tandis que, pour la troisième ou quatrième fois, il passe sous la porte de Hal : lui, errant entre la rue Haute et la rue des Minimes, comme l'autre semaine, à la veille de son départ manqué pour Paris; l'observant depuis le trottoir, un groupe de badauds goguenards qui ont le visage de ses pairs; et puis, derrière et devant, une horde de gamins – très gais cette fois, un peu mutins, lui faisant comme un cortège lamentable et glorieux, et qui ressembleraient soudain à Swinburne, à Verlaine, et au petit Mallarmé.

Le pire, en fait, c'est Delacroix. Non pas que Delacroix fût à proprement parler un pair. Mais enfin c'est un peintre qu'il a admiré. C'est celui qu'il aura, depuis vingt ans, le plus régulièrement célébré. C'est le seul, surtout, dont il ait toujours senti qu'il faisait avec des lignes et des couleurs ce qu'il tentait, lui, de faire avec des mots. Or comment le jugeait-il, ce peintre? Aussi loin qu'il remonte dans le passé, il ne retrouve pas, de sa part, le moindre geste d'estime, de reconnaissance. Il se souvient de visites, de conversations. Il se rappelle les soirées passées à essayer de parler peinture dans le grand désordre de lavis, gouaches ou toiles inachevées qui peuplaient l'atelier de la place de Fürstenberg. Mais son hôte était si gêné, chaque fois! Il avait une façon si bizarre de ne le regarder jamais en face, de ne jamais trop le contredire non plus, comme s'il redoutait toujours une réaction intempestive! Il ne l'aimait pas, c'était clair. Il n'aimait pas ses façons. Il se méfiait de la rumeur de scandale – des dettes, disait-on... des femmes... de l'opium... – qui flottait autour de son nom. Et il fallait être aveugle – et il le fut, hélas! – pour ne pas voir qu'il n'avait qu'une idée en tête pendant que son admirateur tentait de lui exprimer ce qu'il comprenait de ses tableaux : le moment où il se tairait et se déciderait à partir.

Un jour – c'était l'une de leurs toutes premières rencontres – le Maître avait parlé argent devant lui. Il l'avait fait librement. Naturellement. Il l'avait fait parce que Lenoble, son homme d'affaires, se trouvant là, il l'avait prié de transférer une certaine somme de telle banque à telle autre pour acheter des « chemins de fer ». Et lui alors, surpris d'une liberté qu'il avait interprétée comme le signe, au choix, d'une confiance exceptionnelle ou d'une indifférence d'artiste à ce type de convenances, avait tranquillement demandé s'il ne pouvait pas, tant qu'il y était, lui avancer cent cinquante francs. Est-ce là que tout s'est gâté ? Était-ce la faute à ne pas commettre ? Est-ce à partir de là qu'il s'est mis à le prendre – car c'est, il le sait bien, l'image qu'il avait de lui – pour une sorte de feuilletoniste à gages, vendant ses éloges au plus offrant et faisant profit de ses amitiés ? Difficile en tout cas d'oublier son air surpris, puis navré, puis très légèrement dégoûté de grand bourgeois sollicité. « Non, non, murmura-t-il... Cela tombe mal... Demain peut-être... Un autre jour... Mais là, comme ça, vous comprenez... Il se trouve que je suis gêné... »

Un autre jour, le Maître lui a écrit. Il ne lui écrivait pas souvent ! Il ne lui écrivait même à peu près jamais ! Mais enfin, là, il l'a fait. C'était une lettre courte, un peu sèche, suite à l'envoi d'un livre ou d'une préface. Et ce qui l'avait frappé dans cette lettre, c'était son ton incroyablement convenu, prudent – dont il savait qu'il n'était pas celui de ses lettres aux autres critiques. Pourquoi, s'était-il alors demandé ? D'où venait qu'il observât, avec lui, des prudences qu'il n'avait pas avec un Thoré ou un de Saint-Victor? Qu'il se sentît à l'aise avec eux, en confiance, presque en famille, alors qu'il devenait, à son contact, si étrangement protocolaire? Et pourquoi est-ce à Silvestre qu'il écrivait – l'autre s'en était assez vanté! – « vous me traitez comme je voudrais que la postérité me traitât »? Mystère là encore. Évidence du malentendu. Un écrivain rencontre un peintre. Il l'admire, le célèbre. Il se sent, avec lui, de bouleversantes affinités. Mais le peintre, lui, ne sent rien. Il le voit comme un fâcheux. Il lui préfère, et de très loin, d'obscurs plumitifs du *Moniteur* ou du *Journal des débats*. Cette phrase, dans cette lettre, qu'il n'oubliera pas non plus de sitôt (se sont-ils tous donné le mot? c'est la même question, exactement, que celle d'Adèle Hugo tout à l'heure) : « pourquoi, cher ami, ne faites-vous pas paraître plus souvent quelque chose? »

Image de Delacroix feignant de ne pas le reconnaître, au Louvre, un après-midi, sous prétexte qu'il avait à son bras une catin de la Chaussée-d'Antin. Images de Jenny, sa servante, flairant, comme elle s'en vantait, le « causeur inutile à cent lieues » et lui barrant quand elle le pouvait – avec, il n'en doute plus, l'assentiment exprès de son maître – l'accès de l'atelier. Puis image de lui à Bruxelles, le soir de sa première conférence, se permettant ce misérable et audacieux petit plaisir que jamais, à Paris, il ne se serait autorisé : raconter sa prétendue « amitié profonde » avec l'auteur de *La Mort de Sardanapale*; leur « confiance » réciproque; leur « complicité »; et, au tout dernier moment, celui de la veillée funèbre, ces longues heures passées place de Fürstenberg auprès du corps de son « ami » – seul avec la Jenny qui, comme dans un conte de fées, aurait reconnu en lui le fidèle entre les fidèles... Il frémit rien que d'y penser! Il tremble à l'idée de ce mensonge énorme, grotesque, que n'importe quel Français de passage, s'il s'en était trouvé dans la salle, aurait pu démentir publiquement! La vérité, il la connaissait. Elle était claire. Sans l'ombre d'une équivoque. C'est à Silvestre, une fois de plus, qu'était revenu l'honneur de veiller le mort. Comme si, jusqu'au bord du tombeau, Delacroix avait tenu à lui dire : « non, non, je ne suis pas des vôtres et ne vous reconnais aucune espèce de droit ni sur moi, ni sur ma mémoire. »

Il peut pleurer aujourd'hui. Médire contre les sourds qui n'ont rien compris, rien entendu. Il peut s'attendrir sur les éloges qu'il méritait et dont aucun de ces beaux esprits ne semble avoir eu l'idée. Il peut même, dans chaque cas, trouver la raison particulière qui, à défaut d'excuser, expliquera du moins la chose et rendra le scandale plus supportable. Le fait, pourtant, est là. Massif. Indubitable. Et devant un tel accord, devant tant de puissances conjurées pour l'éclipser, il doit bien avouer qu'il y avait au cœur de l'époque, dans son intelligence des œuvres, dans la façon qu'elle avait, indépendamment des erreurs ou des choix de tel ou tel, d'appréhender les livres et de les distinguer, une sorte de force occulte dont l'aveugle mécanique *devait* le disqualifier. Peut-être *Les Fleurs du Mal* étaient-elles inaudibles aux oreilles habituées, par exemple, à la grande clameur hugolienne. Peut-être leurs rimes, leurs métaphores étaient-elles invisibles à l'œil qu'avaient formé les images de *Émaux et Camées*. Peut-être, plus simplement, les noms mêmes d'Hugo ou de Gautier brillaient-ils d'un éclat si vif qu'ils rendaient le sien indécelable. Ainsi de certaines étoiles, anéanties par la lumière d'une autre. Ainsi d'une couleur qui, juxtaposée à une couleur voisine ou au contraire antagonique, s'éteint ou perd de sa netteté. Oui, voilà : tout s'est passé comme si deux ou trois noms énormes avaient saturé le siècle et repoussé le sien à l'extrême bord du spectre; et la preuve est faite en tout cas que l'on peut être un grand poète, un novateur de vrai talent – de cela, pour le moment, il n'a aucune raison de douter – et traverser son temps sans plus d'égards ni de prestige qu'un faiseur de second rang.

3

PEUT-IL au moins se dire qu'il l'a voulu ? cherché ? Peut-il se dire qu'il a été léger ? maladroit ? qu'il n'a rien fait pour convaincre ce monde, le séduire, le circonvenir ? Peut-il se consoler en songeant que c'est sa punition ? la rançon de son insolence ? que cette méconnaissance est sa fierté ? le plus bel hommage que l'on pouvait lui rendre ? Peut-il, comme il faisait dans sa jeunesse – mais c'était la jeunesse, n'est-ce pas... le temps de la forfanterie, de la pose sans conséquence –, clamer que la reconnaissance est un malheur ? la popularité une infortune ? que seuls le désaveu, la flétrissure sont dignes du poète ? Peut-il... Peut-il... Oui, certes, il le pourrait. Nul, en principe, ne l'interdit. Et l'autre jour encore, quand Madame Paul Meurice s'est inquiétée devant lui du sort que la critique réservait à Manet, il lui a crânement rétorqué que la petite et la grande fournaise, la raillerie, l'injustice, sont en fait choses excellentes et que Manet serait bien ingrat de ne pas remercier ses insulteurs. Aujourd'hui, pourtant, ce n'est plus possible. Il n'a plus le cœur à crâner ni à se mentir. Et dans l'obscurité tiède de Bruxelles, dans ces ruelles toujours désertes et qui prennent, à mesure de sa marche, les couleurs de ses songes et de sa mémoire, voici que d'autres images lui viennent – plus terribles encore, plus accablantes, et qui font peu à peu justice de ces faciles vantardises.

Il y a des écrivains secrets, se dit-il. Des poètes clandestins. Des écrivains et des poètes qui, nostalgiques du silence que leur livre a brisé, se tiennent le plus loin possible de la foule et de ses clameurs. Lui, il faut bien l'admettre, a fait l'inverse. Il a joué la foule. Il l'a aimée. Il a dit – et cru – qu'elle était non pas l'ennemie de l'écrivain, mais son lot et son alliée. Il a cru – et crié – qu'une littérature digne de ce nom avait non seulement le droit mais le devoir d'apprivoiser ce drôle de monstre, inconnu des âges anciens, que l'on appelle le « grand public ». Et quoi qu'il prétende à présent, quelque image de lui-même qu'il s'apprête ou aspire à laisser, il sait que rien ne lui fut plus étranger que le rôle de l'écrivain maudit, replié sur sa chapelle et ignorant le verdict du plus grand nombre. Il est vulgaire, ce plus grand nombre? Incapable de saisir toutes les subtilités des *Fleurs*? Sans doute. Mais quel plaisir en même temps! Quelle joie de s'y égarer! Quelle ivresse à l'idée de lancer un livre dans ces régions de grande énigme où des foules sans visage colportent vaguement les syllabes de votre nom – absurde mot de passe aux vertus oubliées. C'est le même plaisir, se dit-il, que celui du flâneur perdu dans la grande ville. Le même aussi, probablement, que celui du nageur plongeant loin, très loin, dans les grands fonds marins. Cette ivresse, la vérité l'oblige à dire qu'il aura passé sa vie à en rechercher les forts effluves. Quelle ironie du sort, tout de même, s'il devait rester comme le parangon du poète élitaire et austère – alors qu'il fut, de tous, le plus prostitué!

Il y a des écrivains qui ont le marché littéraire en horreur. Il y a des écrivains puritains pour qui la seule idée d'une œuvre vendue, achetée, appréciée par les marchands est un sacrilège. Lui n'a jamais pensé cela. Il n'a jamais cru que l'argent, étant sale, ne pouvait que salir une poésie. Et il se souvient même de conversations de jeunesse où il tenait au contraire que l'argent a sa noblesse; qu'il mesure les œuvres d'art à une aune qui, après tout, n'est pas la pire; il se souvient d'avoir plaidé qu'il valait mieux, à tout prendre, qu'une toile de Véronèse pesât son pesant d'or que son poids d'heures et de sueurs – vertige de l'écu! grâce de ses possibles! génial caprice de celui qui, pour la toute première fois, osa abstraire d'une toile l'idée du temps passé ou de la peine prise à la peindre pour ne plus lui donner que l'arbitraire légèreté de son prix sur le marché! Il dit le contraire aujourd'hui! Il vitupère les flibustiers qui l'ont pressuré, exploité, pour finalement le rejeter? Sans doute. Mais cette opinion tardive ne peut pas effacer ce qui fut la doctrine de toute sa vie. Elle ne peut pas faire oublier que, avant d'en souffrir et de les dénoncer, il a gaiement joué le jeu de cette société de marchands et de la prodigieuse liberté dont elle lui semblait porteuse. « J'ai une soif diabolique de jouissance, de gloire et de puissance », écrivait-il à sa mère alors qu'il était encore un jeune poète plein d'avenir et d'ambition.

Il y a des écrivains qui ont la presse en horreur. Et lui-même, si on l'interrogeait ici, maintenant, au milieu de ce Bruxelles qui l'a si cruellement traité, répéterait probablement, comme Edgar Poe, qu'il ne comprend pas qu'une main pure puisse toucher un journal sans une convulsion de dégoût. Mais hier? Avant-hier? A l'époque du *Salut public*? A celle du *Représentant de l'Indre*? A l'époque où, avec Toubin, Courbet, Champfleury, il fondait un journal tous les huit jours, qu'il crevait comme un cheval de poste? A l'époque du *Hibou philosophe*? du *Corsaire Satan*? En ces temps de fièvre et de ferveur où il pensait que, sans un organe à lui qui exprimât ses points de vue, il ne parviendrait pas à imposer son idée de l'art et de la vie? Est-ce qu'il le tenait, ce langage, quand il voyait dans le journalisme « la pénitence glorieuse du poète »? Est-ce qu'il l'avait, cette convulsion de dégoût, les après-midi qu'il passait au *Corsaire* à bavarder, s'encanailler, sentir les frémissements de l'air du temps ou cuire ses premiers poèmes au feu de la conversation? Il les aimait, alors, les journaux. Ils faisaient naturellement partie de son paysage. Et un peu à la manière de Flaubert qui, à la veille de chacun de ses livres, venait huit jours à Paris pour mettre en place ses batteries, il excellait dans l'art de créer un poncif, de lancer un titre pétard, ou dans celui de tourner à son avantage le scandale d'un grand procès. Alors, bien sûr, il a perdu. Et cette presse qu'il entendait utiliser, c'est elle qui l'a dévoré. N'empêche : il a essayé; il n'a donc pas, là non plus, l'honorable et commode excuse d'avoir été vaincu sans s'être vraiment battu.

Et puis il y a des écrivains – la plupart, en vérité – qui, quelque compromis qu'ils passent avec le siècle, s'arrêtent toujours au seuil de l'œuvre, veillant à ce que ce compromis n'entache surtout pas la sacro-sainte pureté des livres. Or là non plus, ce n'est pas son cas. Il ne s'est jamais dit, comme ces purs : voilà d'un côté mes articles, mes textes hâtifs et stratégiques, voilà toute la part de moi-même que la bataille a mobilisée – et puis voici de l'autre côté, préservée de ces commerces inavouables, ma part la plus authentique, que la manigance n'a pas touchée. Pourquoi il ne se l'est pas dit? Parce qu'il n'a pas pu, mon Dieu. Parce qu'il lui fallait se battre encore, s'imposer, parfois survivre. Et le fait est que, revoyant maintenant, comme un mourant le fil de sa vie, l'entière collection des pages qu'il a signées, il ne peut s'empêcher de compter toutes celles que cette familiarité avec le monde, ce désir de reconnaissance et de réussite, ont irrévocablement dénaturées. Articles de complaisance... Poèmes de circonstance... Ce *Voyage* destiné à Du Camp et écrit dans sa manière... Ces *Petites Vieilles* censées séduire Hugo et écrites en conséquence... Ces préfaces hypocrites... Ces notes paratonnerres... Ces feuilletons... Ces nécrologies... Oui, ces nécrologies qu'il écrivait à tour de bras, non pas certes par goût – oh, l'horrible image du poète croque-mort attendant que ses amis s'en aillent pour faire de la littérature sur leur cadavre – mais pour la simple raison que c'est ce que les journaux lui prenaient le plus volontiers... Sans parler du principe même des *Fleurs du Mal* que ce désir de gloire, cette volonté farouche de se faire entendre, n'ont peut-être pas laissé intact.

C'était la thèse de Sainte-Beuve. C'est ce qu'au moment du procès, dans ses « Petits Moyens de défense tels que je les conçois », il lui recommandait de plaider. Et cela n'est pas fait, c'est évident, pour lui rendre l'idée sympathique. Mais si Sainte-Beuve avait raison? S'il avait vraiment choisi le Mal parce que ses prédécesseurs et contemporains s'étaient déjà partagé le reste? S'il s'était résigné à prendre l'enfer parce que Lamartine avait pris les cieux, Victor Hugo la terre, Laprade les forêts, Musset la passion et l'orgie, Théophile Gautier l'Espagne? S'il n'y avait eu, là aussi, que tactique, opportunité, cynisme? Il songe, pour se rassurer, à

Crébillon avouant, sans gêne aucune, que, Corneille s'étant emparé du ciel et Racine de la terre, il ne lui restait, à lui aussi, que l'enfer. Il songe à la peinture où les choses, il le sait de même, se passent naturellement ainsi : Raphaël qui prend la forme, Rubens et Véronèse la couleur, Michel-Ange l'imagination du dessin, Rembrandt le drame – Delacroix n'ayant d'autre ressource que de se replier sur l'ultime et si mince portion de l'empire qu'on a voulu lui laisser et qui est celle du tumulte et des fanfares. Mais l'idée, pour classique qu'elle soit, ne lui paraît pas moins désespérante. Car Crébillon est Crébillon. Delacroix a fini par devenir Delacroix. Tandis qu'il a eu beau calculer, conspirer, il a eu beau se conformer, non seulement pour le renom, mais pour la composition même de ses livres, à ces lois qu'il croyait infaillibles, il n'en est pas moins réduit à ce triste état d'aujourd'hui : seul, un peu ridicule, ayant fait les gestes qu'il fallait, appliqué les recettes les plus classiques – mais sans en avoir retiré le moindre profit ni avantage.

Sainte-Beuve justement. A nouveau, il pense à Sainte-Beuve. Oh! pas à sa méchanceté cette fois. Ni au fait que, jusqu'au bout, il se soit moqué de lui. Mais à la manière qu'il a eue, lui, l'insulté, de se comporter face à l'outrage. Cela n'a rien changé, c'est entendu. Mais fallait-il tant ménager le critique? Fallait-il, dans l'attente d'un hypothétique *Lundi,* passer sa vie en courbettes, génuflexions, bassesses? Fallait-il, une fois l'article venu, et le titre de « gentil garçon qui gagne à être connu » si libéralement accordé, se confondre en remerciements? Fallait-il répondre à l'indifférence par l'hommage? Au faux hommage par la vraie flatterie? Fallait-il, quand le grigou lui faisait l'honneur de le recevoir rue du Montparnasse, arriver là-bas le cœur battant? les tempes brûlantes? Fallait-il jouer les petits garçons éperdus de respect, venus chercher on ne sait quelle onction? Et fallait-il se présenter les bras chargés de ce pain d'épice qu'il avait couru prendre à l'autre bout de Paris parce qu'il savait qu'il l'aimait? Ce souvenir, entre autres, qui lui fait honte : l'ami Babou, indigné que le lundiste n'ait soufflé mot des *Fleurs du Mal*; un article de la *Revue française* où, en deux lignes courageuses, il dit cette indignation; et lui qui, au lieu de se réjouir de cet amical renfort, au lieu de l'en remercier ne serait-ce qu'à mots couverts, perd aussitôt tout son sang-froid et, sur un ton de servilité infâme, adresse lettre sur lettre à l'« Oncle Beuve » pour désavouer le pauvre Babou, jurer ses grands dieux qu'il n'était ni de près ni de loin « derrière » sa polissonnerie – et que loin de nourrir, d'ailleurs, colère ou amertume à l'endroit de son silence présent, il lui sait d'avance gré de ses bontés futures.

Hugo. Même chose pour Hugo. Il le détestait, celui-là. Il s'en moquait. Et rien ne l'a davantage amusé, dans les conversations entre amis, que de dauber sur sa bêtise, son absurde santé, son culte de la vigueur, ses enflures, son fameux « en avant », sa suffisance, ses livres ineptes... Oui mais pourquoi « entre amis », là aussi? Pourquoi en privé, en secret? Pourquoi s'être donné tant de mal pour dissimuler son sentiment? Pourquoi ces mots flatteurs? Ces déclarations d'amour et d'allégeance? Qu'avait-il besoin, quand il lui envoyait des vers, d'écrire qu'il les avait faits pour lui, en pensant à lui? Comment, quand il lui demandait une préface, pouvait-il se laisser aller à écrire (car il a écrit cela, vraiment écrit!) : « j'ai besoin de vous, j'ai besoin d'une voix plus haute que la mienne, si vous trouvez dans ces épreuves quelque chose à blâmer, sachez que je montrerai votre blâme docilement, mais sans trop de honte; une critique de vous, n'est-ce pas encore une caresse puisque c'est un honneur? » Et comment ne pas rougir enfin, avec son recul d'aujourd'hui, de ces lettres insulteuses et rageuses que, lorsqu'il n'en pouvait plus, il adressait aux journaux hostiles au clan – mais anonymes hélas, encore et toujours anonymes, allant même certaines fois, quand il voulait détourner les soupçons, jusqu'à envoyer une autre lettre, publique celle-là et sous son nom, qui désavouait la première?

Les autres. Il pense, de nouveau, à tous les autres. A Vigny, qu'il flattait. A Du Camp, qu'il encensait. A Sand, la femme Sand, qu'il ne perdait pas une occasion de traiter de truie ou de latrine mais qu'il ne dédaigna pas de courtiser, elle non plus, un jour qu'il eut besoin d'elle. A Feydeau, dont le livre répugnant lui soulevait le cœur de dégoût, mais qu'il salua néanmoins, à sa sortie, d'une lettre sans vergogne. Aux ministres qu'il complimentait. Aux académiciens qu'il enjôlait. A l'humble journaliste dont, à tort ou à raison, il croyait que son sort dépendait et qu'il traitait, de ce fait, en frère ou en égal. Au directeur de journal arrogant qu'il écrasait sous les éloges avant de négocier le prix d'un de ses poèmes. Et il pense à Janin, symbole à ses yeux de ce que la critique peut avoir de plus frivole et dont, la semaine dernière encore, entre deux vertiges, au Grand-Miroir, il couchait pieusement le nom sur la liste d'envoi de ses *Épaves*. Pourquoi alors? Pourquoi ces hypocrisies? Ces lâchetés? Pourquoi, lui qui croyait laisser un nom, une gloire considérables, a-t-il traité ainsi des hommes qui, le plus souvent n'avaient que son mépris? Et fallait-il aller si loin, vraiment, dans ce qu'il appelait indifféremment, avec sa mère, l'« art de mentir » ou le « métier de vivre »?

Longtemps, il y a cru. Il a vraiment cru qu'il fallait le faire. Il a pensé que, dans cet univers ingrat où tout conspire à interdire l'éclosion puis la glorification d'un écrivain, il n'y a pas d'autre façon de contourner l'obstacle. Il voyait la littérature comme une guerre. Les livres comme des batailles. Il se voyait, lui, leur auteur, comme une sorte de stratège contraint par la nature des choses à feindre et manœuvrer. Il voyait les écrivains en général – ou du moins les meilleurs d'entre eux – comme d'impossibles personnages, rebelles à leur époque, qui ne pouvaient avancer qu'à tâtons, moyennant d'inlassables déguisements. Et il n'était pas loin de penser que sans cela, sans ces alliances de circonstance aussi vite rompues que contractées, sans ces masques dont il s'affublait pour chaque fois s'en déprendre ou s'en moquer, il n'aurait pas la moindre chance de survivre ni de publier. Il jouait l'un. L'autre. L'un contre l'autre. L'autre contre l'un. Il mobilisait Hugo face à Gautier. Gautier face à Hugo. Il prenait appui sur le premier pour mieux se dégager du second. Puis à nouveau sur le second, pour tenter de se défaire de l'empire du premier. La seule chose dont il était certain c'est que, de ces jeux et doubles jeux, de ces manœuvres et contre-manœuvres, il sortirait toujours indemne, voire vainqueur, puisque c'est sa « raison d'État » qui, chaque fois, l'emportait.

Aujourd'hui il doute. Peut-être a-t-il eu tort, après tout. Peut-être a-t-il eu raison sur le principe, mais tort dans la manière. Peut-être a-t-il mal manœuvré. Peut-être a-t-il commis – mais où? quand? à quelle occasion? dans quelle bataille? – une de ces impardonnables erreurs de calcul qui scellent un destin. A moins qu'il ne faille imputer le désastre à quelque inavouable trait de caractère qui, s'ajoutant à ces erreurs ou, qui sait? les favorisant, leur aurait donné, avec le temps, leur pleine efficacité. Un goût réel, par exemple, pour la mortification. Un authentique plaisir à se soumettre à la tutelle de maîtres supposés. Ou bien encore la tentation, irrépressible, de plier doucement l'échine chaque fois qu'une grosse voix commençait de tonner ou de le rappeler à l'ordre. Aupick. Ancelle. Sa mère. Les amis de sa mère. Et jusqu'à ces critiques qu'il se jurait, certains soirs, dans les dîners où il les croisait, de traiter avec la superbe qu'ils méritaient : il suffisait d'un rien, ces soirs-là (un mot brillant de l'un, une mâle vantardise de l'autre, une plaisanterie d'un troisième – qu'il n'avait pas tout de suite saisie), pour que, le naturel reprenant le dessus, il sente sa propre voix dérailler, son débit se précipiter, son regard perdre d'un seul coup sa claire intensité – et toute son affectation d'aplomb laisser comme par enchantement la place à la mine humble, d'avance soumise, dont il fallait précisément se défaire.

Ce n'est pas cette nuit, dans l'état de détresse où il est, qu'il comprendra ce qui s'est passé. Il sait néanmoins que, quoi qu'il arrive – et quelle que soit, si elle existe, la « vraie » raison de tout cela – il est aujourd'hui vaincu et qu'il l'est, par surcroît, de la plus humiliante façon : en s'étant conduit de bout en bout comme un banal orgueilleux, épris de gloire et de victoire, qui aura tout fait, depuis le début, pour que les choses tournent autrement. Deux fois perdu, songe-t-il, tandis que, de nouveau, il repasse la porte de Hal. Perdu pour avoir perdu – et perdu pour avoir joué. Perdu ici, aujourd'hui, dans l'évidence de sa débâcle – et perdu hier, avant-hier, dans l'illusion de conjurer cette débâcle et de voir les forces du succès se ranger à ses côtés. La rue est déserte, à présent. Même le rôdeur de tout à l'heure semble s'être lassé de le suivre. Spectre parmi les spectres, seul dans cette nuit toute noire où il n'est pas jusqu'aux becs de gaz que n'éteigne le brouillard, il n'a qu'une idée – mais qui le poursuit comme un regret : que n'a-t-il été ce vrai maudit, fier, farouche, étranger à la brigue et à l'intrigue, qui, perdu pour perdu, aurait eu l'ultime réconfort de se dire que cette perte était son œuvre, qu'il l'avait voulue et fomentée? Au lieu de quoi ce visage piteux de l'ambitieux qui a échoué...

4

TIENS, comme c'est étrange, voici qu'il pense à la Sabatier. Pourquoi la Sabatier? Pourquoi ici? Maintenant? Pourquoi ce visage de femme, témoin des temps heureux, à cette heure de la nuit et de sa déambulation? Peut-être les temps heureux, justement... Une pointe de nostalgie... Ces « dîners d'artistes » qu'elle donnait, où il eut tant de mal à se faire admettre et dont il vient, soudain, de revoir quelques images... Cet homme aussi, croisé à l'instant, dans la lumière plus vive d'un réverbère de carrefour et qui, avec sa mèche noire, son teint blême, avec la vareuse grise qui lui sanglait la taille, sa moustache, son fouet et la singulière façon qu'il a eue de s'arrêter et de le dévisager, lui a rappelé Florent, son cocher de l'époque, qui lui faisait déjà si peur... A moins encore que ce ne soit la brigue à nouveau, l'intrigue; à moins que ce ne soit cette satanée guerre pour la gloire dont il ne se lasse décidément pas de récapituler les épisodes et dont cette tendre affaire Sabatier, avec son sot parfum d'érotisme et d'élégie, n'aura été, tout bien pesé, qu'une péripétie parmi tant d'autres.

Oh! bien sûr, ce n'est pas le souvenir que la pauvre fille en a gardé. Et ils seraient bien étonnés s'ils l'entendaient parler ainsi, les Du Camp, Gautier et consorts qui, de dîner en dîner, et sur le ton de gaieté salace que leur inspirait ce type d'histoire, commentaient les épisodes du joli feuilleton sentimental que vivait alors leur amie. Mais quoi? N'est-il pas le mieux placé pour dire de quoi il retournait? Ne sait-il pas mieux que quiconque ce qu'il avait vraiment en tête quand, froidement, calmement, depuis sa chambre, un café de bas étage ou, plus indélicat encore, le lit d'une putain qui n'avait pas toujours pris la peine de se rhabiller, il bombardait la belle de poèmes anonymes et fervents? « Un fou », disaient-ils. Il n'y a qu'un fou pour se conduire de cette façon. Et il doit être bien épris, ce fou – ou bien désespéré – pour aimer ainsi à distance, sans jamais se faire connaître... La vérité donc, il le voit clairement, était plus prosaïque. Ce que nul ne savait, ce dont aucun d'entre eux ne s'est un seul instant douté, c'est qu'ils n'avaient qu'un objectif, ces poèmes – et un objectif qui, en ce temps, était étroitement stratégique : par-delà la Présidente et ses charmes supposés, par-delà les romances qu'il lui chantait et dont il ne croyait pas un mot, l'introduire dans le cercle clos, et combien plus désirable, des dîners de la rue Frochot.

Car quelle merveille quand il y songe! Quel génial stratagème! Quelle admirable ruse, surtout, pour atteindre enfin ces hommes qu'il avait connus dans sa jeunesse et qui tenaient maintenant le haut du pavé des lettres! La Présidente recevait les poèmes. Elle les lisait. Les relisait. Elle devait passer des heures, l'idiote, à peser les mots, comparer les écritures. Telle qu'il la devinait, elle devait être flattée par certains. Un peu effrayée par d'autres. Elle ne devait savoir que penser de ce mystérieux correspondant qui l'appelait sa sœur, lui donnait du chère déesse par-ci, de l'ange plein de bonté par-là, lui reprochait d'être trop gaie, d'avoir la chair trop joyeuse et la menaçait de venir un jour, quand l'heure des voluptés aurait sonné, lui faire une large blessure au flanc pour, à travers ces lèvres nouvelles, et en manière de châtiment, lui infuser un sang empoisonné. Que pouvait-elle faire à partir de là? Il l'imaginait mi-comblée, mi apeurée; mi-honorée par l'hommage, mi-épouvantée par la perspective de ces « plaisirs » qu'il lui promettait. Elle ne pouvait, calculait-il, que soumettre le cas à la sagacité de ses amis – lesquels lui consacreraient à leur tour l'une de ces bruyantes et drolatiques discussions dont ils étaient coutumiers.

Il aimait ces dîners qui lui étaient interdits mais que la force des choses, aidée de sa ruse, allait orienter vers lui. Il serait là sans y être. Présent tout en étant absent. Il serait évoqué, commenté, sans avoir à se manifester. Il serait comme un spectre. Une chimère. Le poète sans nom, sans visage. La voix claire, mais sans corps, qui les tarauderait des heures entières. Il serait l'homme invisible que son invisibilité même rendrait d'autant plus envahissant. Il serait cette ombre légère qui planerait sur la soirée et, avec un peu de chance, réussirait à la troubler. Ivresse de l'anonymat. Vertige de la clandestinité. Douceur, ô infinie douceur à l'idée d'occuper ainsi des hommes qui le croisaient la veille sans le reconnaître; le reconnaissaient sans le saluer; ou le recevraient le lendemain – mais pour lui refuser ces autres poèmes qu'il aurait, eux, dûment signés. C'est ainsi que doit faire le démon, se disait-il en pensant au tour qu'il leur jouait. Et il passait la soirée, délicieusement seul dans sa chambre, à s'enchanter de son don d'ubiquité.

Il les imaginait discutant, disputant, se chamaillant à l'occasion non seulement sur l'identité mais sur le talent de l'auteur masqué. Les questions les plus folles devaient fuser. Les hypothèses les plus flatteuses se formuler. Il devait y avoir des convives qui l'encensaient. D'autres qui l'éreintaient. Et toujours un, forcément, qui, au plus fort du débat, comme pour ramener à la raison ces esprits échauffés, intimait silence à la troupe et lisait les vers à voix haute. Il voyait alors Du Camp hocher la tête. Cormenin cligner les yeux. Feydeau murmurant : « tiens, tiens, ça me dit quelque chose. » Il voyait Gautier bougonnant : « oui, ce n'est pas mal »; puis, après qu'un dîneur soûl ou espiègle aurait observé qu'il y avait quelque chose dans cette « Madone » qui rappelait tel poème de ses *Émaux*, il l'imaginait concluant qu'il ne perdait rien, après tout, à laisser s'installer l'incertitude et à baisser modestement les yeux, comme si la « Madone » en question pouvait être en effet de lui. Et puis il voyait la Présidente, émue, surexcitée, se dire que toute cette agitation, non contente de mettre du piment dans son dîner, était un fabuleux hommage que lui rendaient les dieux de la Poésie et ne savoir que répéter, d'un air qu'elle devait croire à la fois pénétré et léger : « je ne vois pas... non, non, je ne vois vraiment pas... »

Un jour, se disait-il, elle verrait. Tous ces imbéciles verraient avec elle. Et quelqu'un, par hasard ou boutade, sans y croire plus que cela, lancerait son nom dans la mêlée. Pas possible, s'exclamerait l'un. Pas dans sa manière, ajouterait l'autre. Beaucoup trop bien, trancherait le troisième : autrefois peut-être, au temps de ses débuts mais aujourd'hui, dans l'état où il est tombé... Jusqu'à ce qu'un quatrième, repérant les menus signes et signatures qu'il aurait pris soin d'y déposer, reconnaisse dans ces vers qu'ils venaient tous de glorifier le timbre et le phrasé qui étaient effectivement les siens. Il imaginait la clameur à ce moment-là. Il voyait Gautier blêmissant, jetant des regards furieux. Il le voyait récapitulant en pensée toutes ses mines, ses mots – tous ses petits airs modestes et entendus le soir où le dîneur espiègle les lui avait attribués. Il maudirait ce soir absurde. Il se maudirait lui-même de ne pas avoir coupé court à l'histoire en profitant de son crédit pour disqualifier ces sonnets finalement médiocres. Il maudirait l'auteur de cette farce, à cause du piège qu'il avait tendu. Malédiction ou pas, le résultat serait là. Et l'assemblée éberluée découvrirait qu'il était le très, très grand poète qu'elle célébrait depuis des mois, sans l'avoir identifié.

Les choses, dans la réalité, ne se sont finalement pas passées ainsi? C'est vrai. Et c'est vrai – même si c'est moins piquant – qu'il a fini par se démasquer tout seul, sans attendre, un jour où, désespérant que s'accomplisse la belle scène dont il rêvait et ayant grand besoin, en outre, d'un peu d'argent pour son hôtel, il choisit de ficher tout son joli plan par terre en donnant à *La Revue des Deux Mondes* – sous son nom bien entendu – trois des mystérieux poèmes que la rue Frochot n'avait pas décryptés. Sur le fond, cependant, la démarche fut bien celle-là; et l'effet obtenu, le soir où l'un des convives arriva tout excité avec un exemplaire du journal sous le bras, celui qu'il escomptait. Revanche. Triomphe. Saveur exquise de ce moment où quelques-uns des hommes dont il avait le plus besoin et qui l'avaient le plus méprisé le découvrirent l'un des leurs. Et merveille de ces dîners où l'on fut désormais forcé de l'admettre puisque ses vers et son talent l'y avaient en quelque sorte précédé. Aujourd'hui, dans la nuit bruxelloise, à l'heure des comptes et des regrets, il sait bien entendu que le calcul se révéla, somme toute, vain. Mais s'il fallait le refaire, sans doute le referait-il : il continue de trouver bonne l'idée d'avoir profité de cette chère Présidente pour entrer par effraction dans le monde si désirable dont elle contrôlait un peu l'accès.

Bien sûr, il y eut la suite. La pauvre fille, « trop lourdaude », comme elle disait, pour tant de subtilités. Le jour – surlendemain, si sa mémoire est bonne, du soir où il fut démasqué et lendemain de celui où, à visage maintenant découvert, il lui avait demandé d'intervenir auprès des messieurs qui allaient juger *Les Fleurs du Mal* – où, offrant ce que personne n'avait songé à lui demander, elle estima que tant de constance, de persévérance dans la passion, méritait une récompense. Et il y a eu sa façon, à la fois canaille et pathétique, de lui souffler dans le creux de l'oreille : « demain, voulez-vous... rue du Pont-aux-Dames... hôtel de N***... je serai à vous... » Qui a écrit que rien ne dissuade mieux le désir d'un homme qu'une femme aimée qui lui dit : « venez demain, à midi, je ne recevrai personne »? Cette femme-ci, grâce au ciel, n'était pas aimée. Elle n'avait d'attirant, à ses yeux, que l'univers qu'elle lui ouvrait. Et c'est peut-être même, à la réflexion, ce qui, cet après-midi-là, lui évita l'humiliation d'un fiasco. Il fallait y aller. Il y alla. C'était le prix à payer pour obtenir de cette âme simple la bénédiction qu'il attendait – il le paya.

La scène se déroula dans une petite maison de rendez-vous qu'elle avait elle-même choisie et où il comprit tout de suite, à l'œil gentiment complice de la chambrière, qu'elle était un peu connue. Elle avait la mine réjouie, le teint rosé, de longs cheveux blonds, dénoués sur les épaules, qui lui donnaient l'air d'une poupée vieillie. Elle portait un peignoir de satin qui s'entrouvrait sur une chair trop blanche, trop bien nourrie, dont il ne put s'empêcher de penser : « une chair gavée de gâteaux, de crèmes fouettées, de friandises ». Et il y avait dans son maintien, dans ses poses langoureuses et déjà abandonnées, il y avait dans la liberté même de ses mouvements et dans le naturel extrême avec lequel elle lui passait, par exemple, la main dans la chevelure, quelque chose qui le dégoûtait. Il essaya, d'abord, de biaiser, de parler. Il essaya de lui dire, de l'air le plus effrayant qu'il put, que l'amour était un péché. Mais la garce n'entendait pas. Elle n'écoutait déjà plus rien. A chaque mot qu'il prononçait, à chaque question qu'il lui posait, elle ne savait répondre qu'en riant bien fort, la tête renversée sur le sofa – jugeant probablement (c'est une expression qu'il entendra souvent, par la suite, dans sa bouche) que cela lui « déployait la gorge » et ne la rendait que plus désirable.

Ce sont ses pieds qui l'ont sauvé. Oui, oui, ses pieds. Il sourit encore, rien que d'y penser. Car il ne les avait pas vus, ces pieds. Il ne leur avait pas prêté d'attention particulière. Est-ce que ça compte, des pieds? Est-ce cela qu'on regarde, chez une femme qui va se livrer? Non, bien sûr. Jamais, au grand jamais. Sauf qu'il y a pieds et pieds. Pieds normaux et pieds spéciaux. Et il y a des façons de les cacher, ses pieds, il y a des façons de s'affoler rien qu'à l'idée qu'on va les toucher ou les regarder, qui ne peuvent pas ne pas donner à penser qu'ils ont quelque chose de mystérieux ou de honteux. Il les frôlait, elle les retirait. Il les cherchait, elle les dissimulait. Il essayait de les caresser, en passant, mine de rien, sans avoir plus que cela l'air de s'y attacher – elle se les calait bien fort sous les fesses, au risque de les engourdir. Et quand, n'en pouvant plus, exaspéré par ces deux pieds imbéciles auxquels il n'avait, en principe, aucune raison de s'intéresser mais qui, d'être si furieusement dérobés, devenaient d'autant plus désirables, il tenta de les prendre pour de bon et de leur retirer de force les petites mules qu'ils agrippaient de leurs orteils, cette fille qui était presque nue et ne demandait qu'à l'être tout à fait, cette amoureuse qui se donnait et semblait prête déjà à toutes les débauches et turpitudes, eut la réaction la plus inattendue qui soit : elle bredouilla des mots sans suite d'où ressortait une obscure histoire de père qui, petite, l'avait forcée à porter des bottines; et d'un seul coup, sans crier gare, elle fondit en larmes entre ses bras.

Bonne affaire, se disait-elle – attendu que dans sa vision du monde un peu simplette, rien ne valait une crise de larmes pour créer entre un homme et soi une intimité délicieuse et propre aux épanchements. Mais aubaine pour lui aussi – car il n'avait jamais pu voir une femme en pleurs sans être, non pas certes attendri, mais au contraire exaspéré, et pris d'un irrépressible besoin de la tourmenter encore un peu plus. Aussi la prit-il entre ses bras. Une main derrière la nuque, comme s'il voulait la consoler. L'autre à la taille, puis sur la croupe, puis plus bas, plus bas encore, tout doucement vers cette fichue zone interdite. Et tandis que la malheureuse, pleurant de plus belle, murmurait entre deux hoquets qu'elle ne s'était jamais livrée ainsi, qu'il ne fallait pas mal la juger car les larmes, n'est-ce pas, c'est « l'âme à découvert », il ne songeait, lui, qu'au divin moment où, d'un coup sec, par surprise et traîtrise, il arracherait la petite mule. Le moment arriva. Et à l'instant où il découvrit ce pied boudiné au gros orteil renflé et au petit doigt recroquevillé comme s'il avait été longtemps torturé, à l'instant où il toucha cette peau rêche, presque morte, qui contrastait, en effet, avec la douceur laiteuse du reste du corps, il se sentit pris de la furieuse envie de meurtrir qu'il attendait et que les femmes, il le savait, confondent volontiers avec le désir.

Le lendemain les choses se compliquèrent. La Présidente était heureuse. Grotesquement reconnaissante. Il l'avait revue, chez elle, cette fois, rue Frochot, où elle avait affecté une retenue plus sotte encore que ses débordements de la veille. « Je vous aime... je vous aime... », répétait-elle d'une voix pâmée, qu'elle croyait sans doute distinguée. Ajoutant d'un geste large, et un peu las, qui voulait désigner tout le luxe qui l'entourait : « peu importe cela, voyez-vous... peu importent ces meubles, ces argenteries... peu importent ces dîners... je vous suivrais au bout du monde si vous me le demandiez... » La partie fut rude, il s'en souvient. Car il ne pouvait tout de même pas lui dire que c'était « cela », justement, qu'il aimait? pour « cela » qu'il l'avait désirée? Il ne pouvait pas lui avouer qu'ils étaient, ces meubles, ces fauteuils, ces tilburys, ces cochers, la seule part de son être que – avec ses amis – il trouvait réellement désirable. A tout hasard, alors, il parla d'elle. De sa vie. Il lui parla de Mosselman, parfait dans son rôle de « protecteur », qu'elle ne pouvait pas abandonner. Il essaya de lui expliquer la pureté de son amour. Sa dévotion. Et comme elle ne comprenait toujours pas et qu'à chacune de ses objections elle ne savait répondre qu'en hochant sottement la tête et en répétant que « non, non, tout cela ne comptait pas, elle l'aimait voilà tout, elle l'aimait plus que son âme, elle était prête à l'aimer jusque dans sa chambrette du quartier Latin – voudrait-il bien, d'ailleurs, lui faire un jour l'honneur de l'y accepter en visiteuse ? » – comme elle ne comprenait donc pas, il eut l'idée soudaine, mais géniale, de prononcer le nom de Jeanne.

Pauvre Jeanne ! Pauvre Présidente ! Oui pauvre Jeanne, si vieille déjà, si décatie, qui, là-bas, sur son grabat, était loin d'imaginer le service qu'elle lui rendait. Et pauvre petite Présidente, assommée par l'argument et dont cette seule évocation – il ne saura jamais pourquoi – eut le miraculeux pouvoir de calmer toutes les ardeurs. Elle cessa à la seconde de minauder. Interrompit net son babil d'amante fervente. Et d'une voix frêle, timide, qui n'avait plus rien à voir avec celle de la rouée de tout à l'heure, elle lui demanda l'ultime faveur de lui décrire sa rivale. Bon garçon, il essaya. Il lui dit les vertus de Jeanne. Son dévouement. Il lui raconta ces qualités d'« âme » et de « cœur » que l'on consent aux femmes quand il ne reste plus rien d'autre. Sentant que ce n'était pas assez, qu'il fallait la lui décrire, la lui représenter, mais qu'il n'y parvenait pas, il prit un bout de papier qui traînait là et y griffonna un vague croquis au demeurant peu ressemblant. « Ah, fit-elle simplement... C'est donc cela... » Et devant cet œil noir, ces lèvres épaisses, devant cette chevelure drue et crépue qui n'appartenaient plus depuis longtemps à la vraie Jeanne de chair, mais qui, spontanément, à la manière d'un remords ou d'un regret, lui étaient venus au bout des doigts, elle branla longuement du chef – comme si les choses étaient claires et que, face à cette femme « idéale », elle ne pouvait que s'incliner.

A partir de là, elle l'honorera. L'invitera. Ne perdra pas une occasion de l'imposer à la bande de noceurs qui se seraient bien passés, certains soirs, quand la conversation devenait scabreuse et les charades ou bouts-rimés ouvertement graveleux, de ses airs de curé, à l'évidence réprobateurs. Et il se rappelle avec quelle douce sollicitude, quand il partait d'un de ces éclats de rire grinçants et presque lugubres dont il avait déjà l'habitude et qui risquaient de glacer l'assistance, elle le recouvrait de son rire à elle, mieux dans le ton de la soirée, à la façon d'un concertiste rattrapant à la hâte, par un accord voisin, la note dissonante et mal venue de l'instrumentiste qui s'est trompé. Mais pour le reste, c'était fini. D'amour, vraiment d'amour, elle ne devait jamais plus lui parler. Et mis à part, de temps à autre, un vague regard de complicité, excepté des petits rires sous cape dont il sentait qu'ils lui étaient destinés ou des sourires à peine esquissés qui, dans leur humilité même, semblaient signifier quelque chose comme : oh! lui qui me connaît si bien... », elle ne fit ni ne dit rien qui, en privé comme en public, pût témoigner de leur brève, unique et, à mesure que passaient les semaines, de plus en plus problématique étreinte.

Tout cela est loin, maintenant... Si loin... Dix ans à peine – et il a le sentiment d'un siècle... Où est-elle? Que fait-elle? Est-il vrai qu'elle est ruinée? Refaite? Est-il vrai qu'on l'a vue à Drouot négocier les bibelots qu'elle proposait de lui sacrifier? Au Salon des Refusés, l'année suivante, exposant ses propres toiles, la maligne! aux côtés de celles de Whistler, Manet, Fantin et Pissarro? Et qui est ce

Richard Wallace qui, d'après la rumeur toujours, aurait remplacé dans sa vie un Mosselmann en banqueroute ? Elle a toujours eu de la chance, la Présidente. Elle a toujours – sauf une fois... – eu l'art de faire tourner la fortune dans le bon sens. Il l'imagine vieillie. Un peu plus grasse qu'autrefois, un peu plus ronde, régnant sur des dîners peut-être moins salaces. Et il suppose que là-bas, dans ce lointain Paris où il ne retournera sans doute jamais, il lui arrive de repenser à lui avec la même mélancolie tendre qu'il ressent, lui, pour elle. A moins... Oui, à moins... L'idée peut sembler folle... Absurde... Ce n'est peut-être, se dit-il, que l'effet de la fantaisie ou de la fièvre... Encore qu'il y ait eu cette drôle de silhouette, croisée voici une heure, porte de Hal, et qui lui semblait si familière... Voilà... C'est ça... Il en est sûr maintenant... C'était lui... Florent... L'horrible cocher d'autrefois... Et s'il est là, à ses trousses, à le surveiller comme un cafard, ce ne peut être que sur ordre formel de sa maîtresse... La Présidente, à Bruxelles – venue, dix ans après, le chercher et, qui sait ? lui demander des comptes.

5

Suite du récit de Charles Neyt

J'AI eu du mal à le retrouver. Il suffit de peu, vous savez. Deux minutes. Trois peut-être. Hop ! Il a disparu ! Englouti dans la nuit ! Vous avez beau courir, revenir, scruter les ténèbres, appeler, taper de la canne sur les pavés, vous avez beau aller jusqu'au carrefour, interroger les promeneurs qui arrivent en sens inverse, rien n'y fait, la piste est perdue – et l'oiseau s'est envolé.

Dans ce cas-là, vous cherchez. Hélant un fiacre pour aller plus vite, vous ratissez les quartiers où il pourrait s'être rendu. Je suis allé au Globe. A la Taverne Royale. Je suis allé jusqu'au Grand-Miroir où, à deux reprises, j'ai réveillé le couple Lepage. J'ai même poussé jusqu'à Ixelles, chez Poulet, qui n'avait pas non plus de nouvelles. Puis jusqu'au quartier de la Putterie, à l'Hostellerie de la Reine Mère où on ne l'avait pas vu depuis une semaine. Puis, encore, dans une demi-douzaine de bouges où il aurait pu avoir échoué. C'est au milieu de la nuit seulement que, découragé, me faisant mille reproches et repassant par acquit de conscience à la Taverne Royale, j'ai fini par le retrouver.

Il était au fond de la salle. Seul. L'air battu. La tête sur le dossier de son banc matelassé de cuir beige. Les yeux mi-clos. La bouche ouverte. Avec, devant lui, deux gobelets de bière vides et un ballon de cognac à demi plein que – seul signe de vie notable – il pianotait du bout des doigts. La salle était presque déserte. Les garçons avaient déjà empilé la plupart des chaises sur les tables. Il ne restait, près de l'entrée, qu'un ou deux groupes de fêtards qui, dans une atmosphère empuantie par la fumée et l'odeur de chicotin, terminaient une partie de cartes. Nul ne lui prêtait attention. Lui-même ne regardait personne. Et l'image était si « posée », le vide autour de lui si étrangement théâtral que je me souviens avoir pensé : c'est comme une mise en scène, le meilleur photographe du monde ne l'aurait pas imaginée plus réussie.

Quand je me suis approché, il a commencé par ne pas me voir. Puis il m'a regardé, mais sans que je puisse jurer qu'il me reconnaissait. Ce n'est qu'au bout d'une minute, après que je l'eus gentiment secoué et lui eus dit la frayeur qu'il m'avait faite, qu'il m'a toisé et identifié. J'ai demandé ce qu'il devait. Voyant qu'il n'avait pas de quoi, j'ai réglé à sa place. Sans tergiverser davantage, avec toutes les précautions, tout le respect dont j'étais capable et que, même dans cet état, il ne cessait pas de m'inspirer, je l'ai aidé à se lever, à remettre son paletot, puis à trouver le chemin de la sortie.

Une fois dehors, une scène encore plus étrange m'attendait. Mon cocher était là, à la porte. C'était un cocher tout ce qu'il y a de plus ordinaire, avec un bonnet de régicide et des moustaches avantageuses. Il était descendu se dégourdir les jambes et, pour tuer le temps, faisait claquer son fouet. Or voilà mon pauvre ami qui, sitôt qu'il le voit, semble saisi d'effroi. Non, me fait-il de la tête en s'accrochant d'une main à mon bras et en désignant, de l'autre, le bonhomme. Puis, la parole lui revenant : « non, non, je ne monterai pas... vous ne pouvez pas me faire monter... vous n'avez pas vu comme il me regarde? comme son visage est menaçant? » Sur quoi je le vois qui se crispe, se met à trembler. Si je n'avais pas été là pour le retenir, je pense qu'il serait rentré se réfugier dans la taverne.

Que faire? Que dire? Je ne voulais à aucun prix effaroucher celui que j'avais tant peiné à retrouver. Je ne voulais pas non plus l'humilier. Et j'ai surtout dû considérer que, étant donné son état, une petite marche dans l'air frais ne pourrait pas lui faire de mal. En sorte que, sans chercher à comprendre plus avant, j'ai accédé à son désir et congédié le bougre. « Vous avez raison, ai-je dit. Ces cochers belges sont d'une grossièreté qui n'a d'égale que leur laideur. J'espère que vous en parlerez dans votre livre. » A l'instant, il s'est calmé. Il a semblé si soulagé que cela faisait bonheur à voir. Et nous voilà partis, *pedibus cum jambis*, en direction de son hôtel.

Presque aussitôt, pourtant, la scène a recommencé. Pas avec le même cocher, certes. Mais avec les autres. Tous les autres. Avec tous les cochers, de plus en plus nombreux, que nous croisions à mesure que nous quittions le quartier de la Vosseplein pour nous rapprocher des grandes artères. Il y avait les fiacres de louage, comme celui que j'avais renvoyé. Mais aussi les cabriolets des noceurs attardés. Les voitures, plus lourdes,

des représentants de commerce quittant la ville. Les tombereaux de maraîchers, avec leur charge de légumes, qui montaient déjà vers le marché. Et chaque fois qu'il entendait, même de loin, le grelot de l'un, le charroi de l'autre, le bruit du trot d'un troisième, il tressaillait, s'affolait et la même agitation le reprenait.

« Écoutez, me criait-il... Mais écoutez donc... Est-ce que vous n'entendez pas ces cloches? ces carillons? Est-ce que vous n'entendez pas ce fracas? ce bruit de ferraille derrière nous? Ils nous traquent, cher ami... Ils nous poursuivent... » Après quoi il se mettait à courir, à sauter. Il filait sous un porche. S'embusquait sous un bec de gaz. Je le voyais se cacher le visage dans les mains, s'accroupir, puis jaillir tel un forcené au moment où passait la voiture et où il risquait vraiment, pour le coup, de se précipiter sous ses roues. Quand le cheval était passé, et le danger écarté, il partait d'un rire nerveux qui me faisait plus peur encore.

Je l'ai interrogé bien sûr. Doucement. Sans le brusquer. Je ne pouvais pas le faire carrément, vous comprenez. Je ne pouvais pas lui dire (*aucun de nous* n'aurait pu lui dire) : « vous avez l'air d'un dément avec vos hurlements, vos grimaces, vos sauts de cabri. » Imaginez votre père devenant fou. Votre mère en larmes, humiliée. Lui n'était ni mon père ni ma mère, mais l'homme au monde que je révérais le plus, et je ne pouvais le questionner qu'au prix de précautions infinies – en feignant de le comprendre, d'entrer pour ainsi dire dans son jeu et de trouver sa sarabande, sinon normale, du moins singulière et amusante. « Comme c'est plaisant, cher ami... Comme vous êtes allègre, tout à coup... Ce cocher vraiment, vous croyez? Hum,

hum... Je ne sais pas... Je serai moins catégorique... Me ferez-vous la grâce de m'expliquer? de m'en dire tout de même un peu plus? »

De fait, il m'expliqua. Et ce fut un long récit d'où ressortait, si ma mémoire est bonne, qu'il avait connu jadis, à Paris, dans l'un des cercles où il régnait avant de s'exiler, une femme surnommée la Présidente; que ladite femme, pour des raisons qu'il ne m'exposa pas et dont je ne suis pas sûr, d'ailleurs, qu'elles aient été claires à ses yeux, le poursuivait depuis ce temps d'une rancune inexpiable; qu'après l'avoir traqué, fait suivre dans toute la France, elle venait de retrouver sa trace et, arrivée elle-même en Belgique, s'apprêtait à lui faire payer ses fautes; que Florent, son vieux cocher, l'avait reconnu tout à l'heure aux abords de la porte de Hal et s'était empressé de battre le rappel de tous les autres cochers de la ville; en un mot : qu'une épouvantable chasse à l'homme se préparait, dont Bruxelles serait le théâtre, lui la victime – et moi, ironisa-t-il, le chanceux photographe.

Cette Présidente était-elle vraiment à Bruxelles? Et si elle y était, avait-elle les desseins que lui prêtait l'imagination de mon ami? Franchement, j'en doute. Mais lui le pensait. Il croyait à cette bizarre histoire de femme bafouée attendant, depuis des années, son heure pour se venger et qui, apprenant, Dieu sait comment, que sa proie était ici, fragile, à sa merci, se serait dit : « voilà, c'est le moment, profitons de sa faiblesse pour sonner enfin l'hallali. » Il était clair que, pour lui, en dépit de mes remontrances et de mes objections, tous les cochers de la ville étaient comme une grande armée qu'elle avait stipendiée pour la lancer à ses trousses et l'achever.

Quand il n'y avait pas de fiacre à l'horizon, il allait un peu mieux. La fièvre tombait. Son pas devenait normal. Comme s'il était conscient du fâcheux tableau qu'il venait d'offrir, il déployait de touchants efforts pour m'entretenir de la coupe de mon habit, du rôdeur qui l'avait suivi au début de la soirée, de l'inconvénient, quand on avait forcé sur le cognac, à sortir dans le froid ou de la distance qui nous séparait encore de la rue de la Montagne. Mais dès qu'une voiture s'annonçait, c'était plus fort que lui. Et de si loin qu'il l'entendît, la même frénésie le reprenait, doublée du même désordre verbal : jusqu'au rire de sa « Présidente » qu'il prétendait entendre, mêlé au fracas du carrousel; jusqu'à sa gorge pigeonnante qu'il disait apercevoir, là, au-dessus de nos têtes, dans une sorte d'éclair trouant tout à coup la nuée – comme si elle menait elle-même l'attelage qui manquait l'écraser.

Au bout d'une heure de ce manège, nous arrivâmes enfin à son hôtel. Était-ce l'ivresse? le froid? était-ce la fatigue, simplement, consécutive à son agitation? Toujours est-il qu'il ne pouvait plus marcher et qu'il fallut, avec les hôteliers, le hisser dans l'escalier jusqu'à l'étage de sa chambre. « Allez-vous-en, allez-vous-en », criait-il à tue-tête tandis que nous le traînions jusqu'à son lit. Mais son malaise était si grand et sa volonté si affaiblie que, dans le même temps et comme si la main démentait l'âme, il me serrait le bras de toutes ses forces pour m'obliger à rester. Voyant que je cédais, il accepta de se coucher et commença d'égrener toute une série d'autres souvenirs qui me semblaient dater de la même époque que son histoire de « Présidente » – et qui me parurent plus absurdes encore, plus décousus, et, il se peut, plus pathétiques.

Je me souviens d'une obscure affaire d'article, par exemple. C'était un article sur Théophile. Il l'avait écrit par amitié. Sinon par complaisance. Et parce que l'auteur, par ailleurs couvert d'honneurs, fêté par ce que la France académique comptait de plus prestigieux, avait expressément souhaité voir s'ajouter à son palmarès d'hommages une note un peu « singulière » Or voici que le directeur du journal, une fois l'article reçu, hésite, fait la fine bouche; voici qu'il se demande, et demande partout à l'entour, si cette sulfureuse signature ne risque pas de nuire au maître; et celui-ci étant en voyage, c'est sa fille, presque une enfant, qu'il prie de trancher : « nous avons ici un pauvre diable qui se prétend ami de votre père et qui insiste pour nous donner etc., etc. »

Je me souviens d'une sombre histoire sur Musset. Il n'avait jamais beaucoup aimé Musset. Il lui reprochait ses mines, son lyrisme. Il détestait ses luths, ses harpes, sa façon d'étaler sa douleur, ses états d'âme à tout vent. Et l'insupportait, plus que tout, la manière qu'il avait de poser, malgré l'âge qui venait, à l'éternel « enfant du siècle » – quand il savait, lui (et comment, là-dessus, lui donner tort?), que rien n'est plus infâme que l'innocence prétendue des enfants. Or il semble qu'un soir une fille qu'il avait accostée en lui disant qu'il était écrivain l'ait regardé d'un air soupçonneux, son nom ne lui disant rien; et il semble – je dis « il semble » car le récit, encore une fois, était d'une confusion extrême – qu'elle lui ait lancé, comme si elle voulait le défier ou vérifier sa qualité : « écrivain... écrivain... vous devez bien connaître Musset, dans ce cas... quel ange, n'est-ce pas? quel merveilleux enfant! dites-moi donc quelques vers de Musset : ici, c'est le genre de choses que nous lisons. »

Je me rappelle comment, sans transition, il a essayé de me raconter la première de *Tannhäuser* à Paris. L'Opéra... La foule des grands jours... L'atmosphère d'émeute dans la rue... Des forces de l'ordre plus nombreuses que pour la venue, un mois plus tôt, de je ne sais quel roi étranger... La fièvre dans le parterre... Les sifflets au premier acte... Les cris au second... Ces messieurs du Jockey-Club transformés en chiens hurleurs et en voyous... Et lui au milieu de cette frénésie, dans son frac de vieux dandy ressorti pour l'occasion, essayant de faire face, de défendre l'artiste contre la meute – et se faisant bousculer, malmener, insulter par ses voisins, frapper peut-être... Un événement merveilleux pour un petit photographe belge. Une bataille grandiose, haute en couleur, comme on n'est pas près d'en voir en Belgique. Mais la preuve, pour lui, sur le moment, qu'il était, une fois de plus, seul, désespérément seul.

Encore, toujours sans lien ni logique, il s'est lancé dans une longue diatribe à propos de la façon dont la « confrérie » l'avait traité au moment de la mort de Delacroix. Faut-il rappeler combien il l'avait aimé? Défendu? Avec quel acharnement, quelle rage, il avait, de son vivant, illustré son génie en face de la canaille? Le peintre mort, est cependant arrivé ce qui se produit souvent en pareil cas. A savoir que ladite canaille, fidèle au vieux principe qu'il n'y a de grands artistes que les artistes morts, s'est jetée sur sa dépouille et a commencé à l'empailler. Banquets... Comités... Cérémonies commémoratives diverses où tous ces gens qui avaient conspué ou sous-estimé le peintre se précipitaient maintenant... Toute l'histoire étant qu'il y avait un exclu et un seul dans toutes ces festivités et que c'était, comme de juste, le seul frère, le seul double, le seul *complice* du disparu. Apparemment, il ne se trouva pas une revue pour accepter de lui commander un hommage. Il en fut donc réduit à rédiger, sous le manteau, et moyennant rétribution, celui de... Théophile !

J'entends bien que ces misères peuvent sembler dérisoires. Et je dois à la vérité de dire que j'en fus le premier étonné. Je savais mon ami en position difficile à Paris. Je connaissais l'histoire du procès, celle de sa candidature à l'Académie. Je savais – nous savions tous – qu'il était en délicatesse avec les pontifes de l'établissement littéraire. Mais de là à imaginer cette détresse, cette solitude, de là à supposer que cet immense poète pouvait être traité comme un mendiant par les directeurs de journaux, de là à envisager qu'il pouvait en être réduit, pour s'exprimer, à faire le nègre pour un autre et qu'il gagnait, quand il publiait sous son nom, cent, deux cents, *trois cents fois* moins d'argent qu'un Dumas ou un Sue, il y avait un pas que je n'aurais jamais eu, seul, l'idée de franchir. « Je me vengerai, bafouillait-il... Vous verrez, Neyt : je me vengerai en grand... » Et moi je commençais d'entrevoir ce que nous avions, les uns et les autres, tant de mal à admettre : que s'il était ici, à Bruxelles, ce n'était ni par goût, ni par vice, ni par opération du Saint-Esprit – mais parce que ce grand homme, cet incomparable écrivain dont nous étions quelques-uns à éprouver le génie, n'avait tout bonnement plus sa place parmi ses pairs à Paris.

A un moment, il a été tout à fait net. Dressé sur son séant, l'œil fou, il s'est mis à hurler – et, jusqu'à mon dernier souffle, je garderai, sinon les mots, du moins l'accent dans la mémoire – : « mais oui, Neyt... c'est la fin... je le sais, moi, que c'est la fin... et je puis bien le dire, à vous qui êtes si bon avec moi : si je suis ici, dans cette ville que nous abominons tous, c'est parce qu'ils m'ont chassé... vous m'entendez bien? *chassé*... et que la partie, à Paris, était pour moi terminée... » Après quoi il s'est effondré. Le corps secoué d'un interminable tremblement, il est reparti dans un galimatias d'où ressortaient, cette fois, les noms des malheureux que nous avions rencontrés rue des Barricades, au tout début de la soirée, et qui étaient à cent lieues d'imaginer leur rôle dans cette fantasmagorie. Il pensait, lui, j'en suis sûr, qu'ils étaient les derniers maillons de la chaîne qui l'astreignait depuis vingt ans – et qu'ils étaient donc, en ce sens, les responsables ultimes de la catastrophe qui l'emportait.

Voulez-vous un dernier exemple de son désordre cette nuit-là? Ce n'est pas le plus fort. Mais celui qui, sur le coup, m'aura le plus impressionné. Il avait, je ne sais plus à quel sujet, parlé d'un parfum « doux comme une chair d'enfant ». Sursautant à cette image ô combien familière, et la prenant pour une perche tendue par le maître à son émule, j'avais aussitôt enchaîné – l'œil malin, la voix complice : « doux comme des prairies, verts comme des hautbois ». Et lui, aussi extraordinaire que cela paraisse, loin d'entendre l'allusion que je croyais qu'il attendait, me regarda d'un air stupide comme si je lui parlais persan. Ces vers dont il était l'auteur et qui auraient dû être, pour lui, la plus intime des comptines, il ne les reconnaissait simplement plus. Je le regardai à mon tour, d'un air plus stupide encore. C'est, dans mon souvenir, le premier signe sérieux de son effondrement.

J'avoue d'ailleurs, à ma grande honte, n'avoir pas tout de suite compris l'extrême gravité de la chose. Et le fait est que, prenant pour une manifestation nouvelle de son ivresse ce qui était déjà la preuve d'un ravage autrement grave, je n'ai pas songé à demander l'aide d'un médecin et me suis contenté de lui dire qu'il avait besoin d'une nuit de sommeil. Comme il ne voulait sous aucun prétexte se déshabiller en ma présence, je l'ai aidé à se déchausser. J'ai fait le geste – qu'il a arrêté d'un regard impérieux – d'éteindre la petite lampe qui brûlait à la tête du lit. Et tout doucement, sur la pointe des pieds, comme si mon unique souci devait être de ne pas troubler son repos, j'ai entrepris de me retirer.

Sur le pas de la porte, avant de sortir, je me suis retourné une dernière fois. Il était blême. Je constatai – mais en mettant la chose, à nouveau, sur le compte du cognac – qu'il avait la bouche légèrement tordue et, à l'exception de la paupière qui clignait nerveusement, tout un côté du visage raide. En le voyant ainsi, livide, les traits tirés, l'habit encore impeccable qui se détachait sur le drap blanc, je n'ai pu m'empêcher de songer qu'il offrait déjà l'apparence qu'il aurait dans son linceul. Lui m'observa aussi. Il esquissa un difficile sourire que j'interprétai comme un au revoir. Puis il regarda au-dessus de moi, vers le plafond, comme si une voix l'avait appelé. Et il retomba, la tête dans l'oreiller, sombrant dans ce que je crus être un bel et bon sommeil.

Je ne savais pas qu'il aurait le même air le lendemain matin quand je reviendrais prendre de ses nouvelles; et que j'allais exactement le retrouver dans la position où je l'avais laissé. Même posture du corps. Mêmes équilibres du visage. Même rictus surtout, figé au coin de la même lèvre, et rendu plus inquiétant par l'humble clarté de la lampe que les quelques heures de la nuit avaient à demi consumée. J'ignore si c'est sa « Présidente » qui avait su le rattraper ou le fameux « clan » qui, comme il le craignait, avait fini par le terrasser. Mais sur le fond, et toute superstition mise à part, mon ami ne s'était hélas pas trompé : il s'était passé quelque chose dans cette soirée qui lui avait été fatal; et il avait en mon absence – à moins que ce ne fût sous mes yeux et que je ne m'en fusse pas aperçu – subi sa seconde attaque. La première, à Saint-Loup, l'avait affaibli. Celle-ci, survenant au terme de cette journée terrible, alors qu'il voyait enfin clair dans l'enchaînement d'échecs et de déboires qui l'avait mené jusqu'à nous, ne pouvait que le diminuer encore. A dater de ce jour, il ne fut plus que l'ombre de lui-même et commença de se figer – c'est le photographe qui parle – dans son masque définitif.

TROISIÈME PARTIE

1

L'HÔTEL du Grand-Miroir à nouveau. La même chambre. Le même lit. Le même parfum de mort et de misère qui vous prend à la gorge dès l'entrée. Mais les rideaux ouverts, cette fois. La fenêtre entrebâillée. La lumière du matin, crue, qui semble vouloir dire : « il fallait que ça cesse, il fallait que l'on fasse lumière sur les drôles de choses qui se passaient. » Et, de la pièce au couloir, puis du couloir à l'escalier, cet inimitable affairement, furtif, chuchoté, que l'on ne trouve en général qu'au chevet des morts ou des mourants. Il y a le médecin, requis d'urgence. Les amis, qui ont accouru. Il y a la logeuse, qui s'agite. Son mari, qui fait l'important. Les voisins, qui prennent l'air flatté, comme si l'événement ajoutait au chic de l'établissement. Il y a Neyt, qui tourne en rond, répétant à qui veut l'entendre (mais personne, bien sûr, ne l'entend) : « le fiacre... je savais qu'il fallait garder le fiacre... » Il y a un éditeur, qui se pose des questions. Un folliculaire, qui tient sa nouvelle. Un représentant du « clan », qui ressort tous les quarts d'heure, comme s'il rendait compte à Dieu sait qui. Bref, toute une société qui va, vient, ressort, s'empresse. Et au cœur de tout cela, très pâle entre ses draps, l'homme qui est apparemment l'objet de toute l'agitation – mais qui, comme de juste, est le seul dans la pièce à rester impassible.

Ce n'est pas de la torpeur cette fois. Ce n'est pas de la langueur. Ce n'est plus cette léthargie de l'autre semaine, qui lui interdisait la réflexion. Ce n'est pas son état de la semaine suivante – quand, redevenu alerte et vif, il ne savait s'appliquer qu'à des choses aussi dérisoires que la couleur de l'air, la rumeur de la ville au-dehors, ou le bourdonnement léger du sang à ses oreilles. Non, il pense cette fois. Il pense véritablement. Pensée pour pensée, peut-être n'a-t-il même, depuis des semaines, jamais autant pensé que ce matin, alors qu'il a la jambe gourde, le bras raide, tout le côté du visage forcé à l'immobilité. Simplement, il pense à autre chose. Il est dans un univers qui n'a tout à coup plus rien à voir avec celui de la petite chambre ni de la nuit qu'il vient de passer. Et tout se déroule comme si cette crise, en lui alourdissant le corps, lui avait allégé l'esprit et l'avait transporté dans un monde différent, étranger à ce qui s'accomplit là, autour de lui. Il a le corps ici – la tête ailleurs. Il a le corps à Bruxelles, hôtel du Grand-Miroir – mais l'âme est à Paris, dix ans, vingt ans, trente ou quarante ans plus tôt. Et c'est, dans cette âme, un effrayant et délicieux manège qui fait que d'autres lieux, d'autres hôtels, d'autres visages, d'autres parfums, viennent bousculer ceux d'aujourd'hui, les envahir, les remplacer.

Il ne pense pas à sa maladie, par exemple. Il ne s'inquiète pas de savoir s'il guérira, ni comment. Il ne scrute plus les écailles du plafond. Encore moins l'inhabituelle qualité du jour qui monte de la rue de la Montagne et qui, en temps normal, l'aurait sans doute frappé. Ou s'il y songe, ce n'est que pour autant qu'elle vient lui rappeler telle lumière de sa jeunesse; tel lever de soleil sur l'océan Indien; ou ce matin très ancien, lendemain de la mort de son père, où, petit garçon entrant à l'improviste dans la chambre mortuaire dont on avait, pour l'aérer, laissé la fenêtre entrouverte, il avait été épouvanté par l'éclat de la lumière dans les franges du rideau rouge et était ressorti en hurlant qu'il y avait le feu à la maison. Il est malade, certes. Très malade. Mais d'une maladie singulière, plus terrible peut-être que ne le croient ceux qui l'entourent et dont aucun ne devine le symptôme le plus déroutant : ce dérèglement nouveau d'une tête qui, déprise du monde et de ses prestiges, tout entière tournée vers le dedans et la plus obscure conscience de soi, n'est plus capable de la moindre idée, du moindre choc ou sentiment qu'elle ne s'emploie aussitôt à convertir en mémoire.

Mémoire donc. Prolifération anarchique d'images du passé. Scènes non seulement des années récentes comme hier, porte de Hal, quand il menait encore la ronde – mais des années les plus anciennes, les plus loin enfouies dans le souvenir. Jamais il n'avait vécu cela. Jamais il n'avait vu resurgir ainsi, sans qu'il le veuille ni le calcule, tant de pans de sa vie qu'il croyait engloutis. Les refuserait-il, ces pans de vie, résisterait-il à cette crue d'images, qu'il n'y parviendrait pas et serait semblable à ces nageurs qui, pris dans un tourbillon, se noient d'autant plus sûrement qu'ils s'affolent et résistent au courant. Il ne parle pas; mais s'il parlait, ce serait d'une drôle de voix, improbable, désaccordée à ce qu'il est et comme voilée par la distance qu'elle aurait dû traverser avant de parvenir jusqu'à lui. Il n'écrit pas; il est physiquement – et sans doute mentalement – incapable d'écrire; mais s'il écrivait, s'il avait, non le projet, mais le regret d'un dernier livre et si l'on pouvait entrer dans cette tête pour y déchiffrer les bribes de phrases qui s'y inscrivent, ce seraient celles d'un livre dont il n'a jamais eu l'idée; ce serait le seul livre qu'il a toujours été certain, de sa vie, de ne jamais vouloir écrire; ce serait, en un mot – mais qui prend à cet instant tout son poids de nécessité – un *livre de souvenirs.*

L'a-t-il, d'ailleurs, ce projet? vraiment? sérieusement? Est-il capable, dans l'état d'extrême flottement où il se trouve, de se dire de façon nette : « c'est ce livre que, si je guéris et retrouve l'usage et de la tête et de la main, je me résoudrai à entreprendre »? L'idée, c'est sûr, ne lui sied guère. Elle ne convient ni à sa pudeur ni à son peu de goût pour les épanchements des romantiques. Et c'est vraiment la dernière pensée qui lui serait venue à l'époque de pleine maîtrise où il écrivait si fièrement que, de l'authentique homme de lettres, il ne faut attendre ni Mémoires, ni confidences. Là encore, pourtant, il faut croire que la maladie a fait bien des ravages. Car il semble que, en dépit de toute doctrine et de tout tempérament, en dépit de son esthétique et des fatalités de son caractère, il soit en train de nourrir un dessein de cette nature; et qu'à l'instar de ces écrivains vieillissants qu'il ne perdait, dans sa jeunesse, aucune occasion de moquer, il soit tenté lui aussi par l'ultime petit jeu qui consiste, le soir venu, à essayer de recomposer la course de sa vie.

Besoin de comprendre ce qui s'est passé, d'abord. Par où il a péché. Pourquoi, à quel moment la mécanique s'est enrayée. Besoin de mieux saisir – pour lui-même, et pour ce qu'il appelle « les archives de son esprit » – l'enchaînement de circonstances qui fait qu'il a échoué et que, parti pour devenir le plus brillant poète de cette génération, il finisse ici, hôtel du Grand-Miroir, dans la peau de ce pauvre hère écrasé par un second ictus. C'est si étrange, une vie... si complexe... C'est une telle suite de ruses, de coups du sort, de faux succès, de vrais faux pas... Et il est si tentant, quand vient l'heure du dernier mot, d'essayer de faire le chemin à l'envers en retrouvant la trace des occasions perdues, des rendez-vous manqués – il est si tentant de retrouver l'obscur point de l'esprit où il suffit de se placer pour voir tout ce réseau de signes, de pistes, de causes sans effets, d'effets sans causes, se mettre soudain en place et ressembler, donc, à une vie. Rêve banal, certes, d'une vie enfin lisible. Rêve – le seul qui lui reste et le console un peu – d'une vie qui, même si elle demeure cette vie d'échec absolu, commencera néanmoins de lui devenir intelligible.

Besoin de s'expliquer. Besoin de dire aux autres, à tous les autres, à tous ceux qui l'ont ignoré ou vilipendé, qui il est, qui il était, celui qu'il aurait pu être et qu'il n'a pas été. Car impossible de partir ainsi... Impossible de prendre congé en laissant derrière soi une telle épaisseur de malentendus... Image de Chateaubriand, recru de tristesse et entreprenant, pour adoucir sa peine, d'expliquer à qui voudra l'entendre son « inexplicable cœur ». Image de Jean-Jacques, plus triste, plus accablé et plus atrocement défiguré qu'il ne le sera jamais lui-même – quand, sous l'œil cette fois de Dieu, il décide de prendre à témoin l'immense foule de ses semblables et de crier qu'il ne fut pas, comme le murmurent ses adversaires, le plus honteux des hommes. Il n'est pas Jean-Jacques. Il n'est pas

Chateaubriand. Et c'est d'une autre nature, il le sait bien, qu'est la méconnaissance qui le frappe. Il éprouve le même désir, cependant. Il sent la même aspiration à un grand pourvoi en révision devant le tribunal de la postérité. Quel est l'écrivain digne de ce nom qui ne réagirait ainsi ? Quel est celui qui, à sa place, se satisferait de ce verdict bâclé, de cette exécution sans vrai procès ?

Et puis il y a l'idée, enfin, que ce récit, s'il ne l'écrit pas, d'autres l'écriront à sa place et le feront, cela va sans dire, dans le sens de leurs intérêts et des comptes que, à travers lui, ils tenteront de solder. Ne pas laisser ce pouvoir aux biographes qui, par ce moyen, poursuivront contre son œuvre leur guerre de longue durée. Ne pas laisser cette chance – la chance d'écrire l'histoire et de lui donner son dernier mot – à la petite horde qui écoute à sa porte depuis vingt ans et n'attend que ce moment pour mettre l'ultime touche au portrait qui l'achèvera. Ne surtout pas s'en remettre aux amis et à l'absurde propension qu'ils ont à vous statufier immédiatement – que signifient « les amis » quand arrive cette heure cruciale où la guerre des mémoires fait rage et où devant la gravité, l'énormité des forces en présence, on a moins besoin de fidélité que d'habileté ou de rouerie ? Jean-Jacques n'avait pas ce souci puisqu'il croyait, lui, n'avoir pas d'amis du tout et personne pour, à sa place, interpréter son tas de secrets. Chateaubriand, à l'inverse, ne cessa pas un instant d'y songer; et, convaincu à la fois de l'extrême poids du dernier mot et du fait qu'un bon dandy ne saurait laisser quiconque s'en faire le porte-parole, il poussa la précaution jusqu'à rédiger, outre ses Mémoires, sa propre nécrologie. Ah ! s'inspirer de la prudence de celui-ci plutôt, s'il le peut encore, que du pessimisme de celui-là... Garder juste assez de forces pour donner, avant de partir et avant que, lui parti, ne se déchaîne la sarabande, sa propre version des faits.

Ce récit, s'il l'écrit, ne dira d'ailleurs pas « la » vérité. Il n'offrira pas une version qui, sous prétexte qu'elle est la sienne, invalidera les autres en les frappant de fausseté. Et il ne jouera – il ne *se* jouera – pas la comédie de l'écrivain au cœur pur et à la conscience transparente qui décide un beau matin de tout raconter. Au nom de quoi, du reste? De qui? Son père, au temps des promenades au Luxembourg, ne lui disait-il pas que seul Dieu a le pouvoir de « scruter notre fond de ténèbres »? Ne lui expliquait-il pas qu'un simple mortel, aveuglé par l'amour qu'il se porte et par l'habitude qu'il a de sa propre âme, ne verra jamais de lui-même que la vaine image qu'il s'en forme? Pas d'aveux, non. Pas de confessions. Pas de voiles qui se lèvent, de secrets que l'on perce à jour. Pas de mystères révélés, de fond du cœur à découvert. Il sera plus malin, ce livre. Bien plus intelligent. Il sera comme une dernière arme que, vif, il passera à son fantôme en vue des nouvelles batailles qu'il aura à mener sans lui. C'est cela : dans l'état de fébrilité où il est, et dont nul autour de lui ne se doute, il imagine un livre plus rageur, plus vengeur – il imagine un livre de guerre, le tout premier du genre, qui, loin de tomber le masque pour le plaisir de tomber le masque et de retrouver en dessous la supposée pureté d'un supposé visage, en choisira un, de masque; en peaufinera patiemment, artistement les traits et les grimaces; et les opposera alors, sans merci ni scrupules, à l'innombrable série de ceux que lui appliquent les canailles et dont le moins redoutable n'est pas celui, précisément, du visage de pureté.

Il ne racontera pas d'histoires pour autant, ce livre. Ce ne sera pas la jolie chronique d'une vie toute simple, édifiante et claire, qui, à travers ses fautes, feintes, faux pas et égarements, n'aurait pas un instant cessé de poursuivre le même dessein. Il se gardera surtout de ce ton cauteleux que l'on trouve dans les confessions traditionnelles et qui, coulant les péripéties de l'existence dans l'ample mouvement d'un style, donne l'illusion de la plus heureuse des unités. O les efforts qu'« ils » font pour mettre un ordre dans le désordre ! Leurs pathétiques tentatives pour donner un sens, rien qu'un sens, à une aventure qui n'en a pas ! Ces passés pleins de promesses ! Ces futurs pleins de regrets ! Et, des uns aux autres, dans le ténébreux entre-deux où la vie se perd et se retrouve, ces belles lignes droites, sans cahots ni cassures, qui semblent aller au terme comme la flèche à la cible ! Son récit sera plus fou que ça. Plus obscur. Ce sera un livre qui, sur ce point en revanche, sera probablement plus vrai. Un livre de masques, pas de mensonges. De guerre, pas de comédie. Un livre où le passé, loin de servir de prétexte à une paisible reconstruction, sera restitué dans sa tumultueuse étrangeté.

Le passé existe-t-il, d'ailleurs ? Existe-t-il comme existent les gens, les objets qui sont ici ? Y a-t-il quelque part, dans des lieux et temps consacrés, une chose qui s'appellerait « le » passé et qui aurait la permanence, la dureté de toutes les choses ? Ces questions peuvent sembler étranges. Un peu sottes. Mais dans la confusion où il se trouve et où il n'a plus le moindre moyen, non pas de distinguer, mais de dater les voix d'aujourd'hui et celles d'hier, les odeurs de gaufre ou de houblon qui arrivent de la rue et les senteurs qu'il humait de sa chambre de Honfleur, le timbre voilé des cloches ici et là-bas, la silhouette haut coiffée de cet ami à son chevet et celle de tel poète funambulesque du temps de la pension Bailly, ou même, plus troublant encore, ce paysage de briques roses et de moellons bleus dont rien n'indique qu'il soit celui de la rue de la Montagne plutôt que, plus ancien, celui qu'il entrevoyait par la fenêtre de tel hôtel parisien – dans cet état d'infinie confusion, donc, où les jours et les lieux s'entremêlent dans un profond tumulte, ce sont pourtant bien ces questions qui s'imposent à son esprit.

Peut-être, se dit-il... Peut-être le passé n'existe-t-il pas... Peut-être la vraie folie des hommes est-elle de se figurer, comme il l'a toujours fait lui-même, qu'il y a quelque part, sagement rangés le long de la route, des petits blocs de passé qu'on visiterait un à un, en prenant bien son temps, en faisant attention de n'en oublier aucun... Peut-être le passé n'est-il pas tant qu'on croit la source du futur... Peut-être y a-t-il des futurs qui ne sont pas la suite d'un passé... Un passé après le futur... Un futur avant le passé... Des passés sans futur du tout... Des futurs sans passé... S'il écrit ce livre ce sera pour montrer que les choses, ici aussi, sont plus complexes qu'il n'y paraît. Ce sera le premier livre, derechef, qui dira que le temps d'une vie n'est pas le temps du temps et qu'il obéit à une logique bien plus secrète et retorse. Le temps, son vieil ennemi... Un livre contre le temps... Un livre pour montrer, en somme, que les chronologies sont toujours fausses; les successions toujours trompeuses; et que la vie, la vraie, avec ses tours, ses détours, ses sources qui se perdent pour rejaillir un jour, ses retards, ses ressacs, ses pressentiments lointains qui gouvernent soudain l'instant, emprunte des chemins toujours moins attendus.

Il le voit, ce livre. Il le sent. Il ne l'écrit pas. Peut-être ne l'écrira-t-il jamais. Mais il sait la forme qu'il aura. Il entend sa musique. Il voit ses pleins, ses blancs, ses lignes de force, ses lacunes. Il voit les grands trous qu'il y laissera, les moments qu'il en effacera. Il voit ces scènes, élues entre toutes, sur lesquelles il reviendra parce que la vie, du temps qu'il la vivait, y repassait sans cesse elle-même. Il voit une suite d'images, de fragments. Il voit des bribes mises bout à bout, sans ordre ni enchaînement, à la façon de plaques de Nadar, rangées dans un coffret. Et il se voit devant le coffret – lui si épris d'ordre et de système – n'obéissant qu'à sa mémoire et écrivant, pour la première fois, un livre sous la dictée. Comment peut-on voir un livre que l'on n'écrit et n'écrira pas ? A peine se pose-t-il la question que la réponse lui vient – terrible : on ne peut voir ainsi, dans un temps si resserré et presque simultané, l'entier tableau de son existence que lorsqu'on est déjà, sans retour, et même s'il n'y en a pas encore d'autres signes convaincants, dans cet état de mémoire totale qui est, notoirement, le dernier prélude à l'agonie.

2

La naissance... Qu'ont-ils tous avec leur naissance ? Et quel trouble plaisir ont-ils à commencer leurs confessions par l'éternel : « je suis né le tant, à tel endroit et il y avait ce jour-là, autour de mon berceau etc., etc. ». Lui ne commencera pas ainsi. C'est le type même du faux passé. Le type même du faux début. C'est un bon exemple de ce qu'il veut dire lorsqu'il parle de chronologies qui n'en sont pas, de sources qui n'expliquent rien. Et puis, autant le dire : cette idée de lui naissant, loin de l'émouvoir ou de l'émerveiller, aurait plutôt tendance à le dégoûter. Son père, sans doute... Sa mère... Les circonstances si particulières de son enfantement... Patience ! Il y viendra ! Il faudra bien qu'il y vienne et qu'il aille au bout de ce drame étrange dont il est le résultat ! Ce qu'il sait pour le moment c'est qu'il est écœuré par cette image de lui arrivant au monde, dans les linges et dans les limbes – sorte d'ancien fœtus, mi-humain, mi-têtard, dont il fallut toute l'imbécile dévotion de la tribu pour célébrer les vagissements. La naissance c'est comme la mort. La même nuit. Le même néant. Le même affreux sommeil d'une Nature sans charme ni grâce. Oublier, oui, qu'il est né. Ouvrir ce livre sur l'oubli de ce premier péché.

La toute première enfance? Hum... Pas beaucoup mieux... Pas plus net ni précis... Une bizarre tournure de l'esprit qui fait que, s'il osait, il dirait qu'il n'a pas de souvenirs d'enfance... Et puis quand il en a tout de même, quand il se contraint – ou se convainc – d'en retrouver, cet insistant soupçon qu'ils pourraient bien, ces souvenirs, être revus et corrigés par l'œil de la nostalgie. Là pourtant, il faudra faire un effort. Il faudra chercher, fouiller. Au besoin enjoliver ou inventer. Il faudra surmonter, aussi, la répugnance que lui inspire, autant que la naissance, cette idée même d'enfance. A la guerre comme à la guerre : il faudra des images rieuses... des visages radieux... il faudra des tableaux heureux et tendres disant le simple bonheur, par exemple, des étés à Neuilly, avec sa mère... il faudra retrouver ce bon temps des tendresses maternelles où le bruit léger d'une robe, l'arôme proche d'un parfum lui procuraient une félicité dont il n'a jamais, depuis, revécu l'intensité... il faudra raconter le goût précoce des femmes... l'ivresse des soies et des dentelles... il faudra dire l'enfant heureux, sans révoltes ni fourberies, dont Mariette disait qu'il était « si sage qu'il irait loin »... Et pourquoi « il faudra »? Pourquoi cette obligation? Pour prouver qu'il n'a pas toujours été ce personnage inquiétant, grimaçant – pour effacer de son premier visage le rictus qui s'y est figé et dont il serait si injuste de croire qu'il lui était essentiel.

Ces images de lui, par exemple, si doux avec son beau-père. Si sage. Si docile. Ces images d'enfant modèle appelant le Général « papa » ou « grand ami » et se forçant à ne lui témoigner qu'affection et respect filial. Le Général était dur. Parfois brutal. Cet enfant qui n'était pas le sien et dont chaque geste, chaque mot, chaque particularité du tempérament ou de la figure étaient comme le rappel aveugle – et d'autant plus troublant qu'il était aveugle justement, impossible à rapporter, à attribuer de façon précise – d'un trait de ce rival inconnu qu'était son père mort, cet enfant lui inspirait, cela sautait aux yeux, une sorte de répulsion muette, discrète mais instinctive. Et quand cela risquait de se voir, quand la rigueur d'une gronderie ou d'un rappel à l'ordre devenait par trop flagrante, il avait une façon plus dure encore de dire (ou simplement de suggérer, par grognements et froncements de sourcil appropriés) : « que voulez-vous, je suis ainsi : rude mais juste et soucieux, d'abord, de mon devoir » qui avait la miraculeuse vertu de le dispenser de toute tendresse et d'habiller d'un malencontreux mais vertueux trait de caractère (le sens, quoi qu'il en coûtât, du devoir) ce qui n'était en réalité que la banale manifestation d'une jalousie de second mari. Lui, cependant, courbait la tête. Il acceptait, au moins d'apparence, cette officielle version des faits. Et quand l'homme de devoir, au nom de ce devoir toujours, décida de le mettre dans un pensionnat pour l'éloigner d'une mère trop faible, quand il interdit donc à celle-ci la tendresse dont il était lui-même avare et qui ne pouvait, prétendait-il, qu'amollir un garçon de cet âge, il se soumit à nouveau et remercia « grand ami » de sa bonté. Importants, oui, ces souvenirs. Importantes ces images d'extrême docilité. Car ne pas laisser croire, là non plus, à une sorte de révolte précoce, préfigurant, etc.

Ne pas oublier non plus la façon dont il réagissait au couple que sa mère formait avec le Général. Jalousie, bien sûr. Inévitable rivalité. Il ne pouvait que nourrir de la rancune à l'endroit de celui qui avait mis fin à l'exquis face à face des débuts. Et il se souvient très bien, par exemple, de la minuscule souffrance qui le poignait quand il le voyait prendre le bras de « sa femme » de cet air possessif et jaloux qui semblait vouloir dire : « vois-tu, petit... tes manœuvres sont inutiles... le couple que nous formons ta mère et moi est absolument inébranlable »; ou bien quand il la voyait, elle, tressaillir comme une fille sous prétexte qu'elle entendait son pas dans l'escalier et, toutes affaires cessantes, interrompre le conte qu'elle lui lisait pour chercher un miroir et remettre en ordre ses cheveux. Ses souvenirs les plus nets, cela dit, ne sont pas ceux-là. Ce sont des souvenirs de docilité, à nouveau. Des souvenirs de complaisance. Ce sont des images d'enfant sage, souffrant encore davantage quand un regard de « grand ami » disait qu'il pouvait, entre eux deux, être la source d'un conflit. Et c'est son chagrin, le jour de leurs noces, quand il fut si dépité, d'abord de ne pas être convié et de rester rue Hautefeuille, consigné avec Mariette; ensuite d'apprendre par celle-ci que sa jolie maman n'avait eu droit qu'à un mariage de pauvre ou de voleuse, expédié à la sauvette dans une vague auberge de banlieue.

Il ignorait, à l'époque, les vraies raisons de cette discrétion. Mais il avait tant rêvé de ce mariage! Il avait imaginé du luxe... Des bijoux... Il s'était représenté sa mère vêtue d'une robe de lin blanc et la tête ceinte de pierreries, comme dans ce tableau de Naigeon qui trônait dans la chambre de son père... Il s'était dit que Naigeon, justement, serait là... Et Ramey... Et Perignon... Et tous les amis de son père venus bénir en son nom la nouvelle vie de Caroline... Il avait cru qu'il y serait lui-même – petit marquis de sept ans, accompagnant les mariés, recevant les hommages à leur place et s'inclinant, gracieux, devant les invités... Et voilà que ce butor – car c'était lui le coupable, il n'en doutait pas un instant – ruinait tous ses espoirs en imposant à sa future une cérémonie bâclée, clandestine, avec, pour tous témoins, l'épicier du village et le limonadier. Oh, la nuit qu'il passa à pleurer sur ce gâchis! Ses pensées vengeresses contre l'ignoble limonadier (le mot même lui était aussi odieux que mystérieux) qu'il rendait, Dieu sait pourquoi, responsable de toute l'histoire et auquel il promettait en pensée toutes les punitions imaginables : écrasé sous une caisse de citrons, noyé dans ses fûts de limonade.

Puis, liée à la précédente, cette histoire de second enfant qui fut sa grande blessure secrète et dont il faudra bien qu'il se décide un jour à parler. Quelques semaines ont passé. Le mariage est déjà loin. Nul – pas même lui – ne peut plus ignorer l'état de Caroline. On lui a dit ce qu'on dit aux enfants en pareil cas. Il a répondu que oui il était heureux; que non il n'était pas jaloux. Il a fait ce qu'il a pu, là aussi, pour qu'il ne fût surtout pas dit qu'il prît le moins du monde ombrage du bonheur qui se préparait. Et voilà tout à coup, presque confondues dans sa mémoire tant elles se sont vite succédé, les deux images de sa mère partant un matin pour Creil, drapée dans une houppelande qui lui dissimulait la taille – et, deux jours plus tard, revenant seule à la maison, le ventre plat, la mine exsangue et avec, à chaque poignet, de vilaines marques brunâtres comme si on l'avait sanglée. Que s'était-il passé? Qui l'avait torturée? Et qu'avait-elle fait surtout du petit être qu'elle attendait? Mystère. Regards voilés, gênés, quand il aborde le sujet. Et à part Mariette qui ne fait que répéter : « pauvre Madame... pauvre Madame... c'est un bien grand malheur qui l'a frappée... », personne pour lui donner la plus élémentaire explication. Longtemps, il a cru que sa petite sœur était vivante, quelque part – élevée, comme dans les contes, par un prince ou un manant. Et longtemps, aux heures de grande détresse, quand la vie de pension lui semblait excessivement sévère, il a associé son image à celle de son père mort – et de ces deux chimères jointes par le seul génie de sa fantaisie, il s'est fait une sorte de recours, invisible mais très doux.

Une image de pensionnat maintenant. Une image dure. Brutale. Une image vraiment vécue qu'il est sûr, là aussi, de ne pas recomposer. Il a treize ans. Il est à Lyon. C'est l'année de la révolte des canuts qu'il appartient au futur Général d'écraser. L'émeute fait rage. L'armée canonne. Des combats acharnés se déroulent dans les rues adjacentes au collège. Les coups pleuvent sur la porte. Les balles sifflent dans les dortoirs. Les élèves de troisième et de seconde jouent à ramasser dans la cour les éclats d'obus et de biscaïens. Et voici, cachée dans l'angle le plus obscur du préau, sous les marches de l'escalier, Séraphine, la grosse lavandière qu'on soupçonne de venir la nuit, après le coucher des élèves, rejoindre dans sa chambre l'aumônier des petites classes – et que les événements du jour, en bloquant les portes d'accès, avaient sans doute empêchée de repartir, comme elle en avait l'habitude, avant la première cloche du matin. Terreur de la fille. Clameur des élèves. Dix, douze gamins, qui la poussent, la houspillent, la tirent de force dans l'escalier et, mimant le taïaut du veneur que les plus aisés d'entre eux ont appris aux chasses de leurs pères, la conduisent jusqu'au dortoir. Et les petits mâles surexcités qui, sous la menace de tout raconter au principal, obligent la pauvre enfant à retrousser sa robe; à baisser sa culotte jusqu'aux chevilles; à reculer à petits pas contraints dans l'encoignure du mur; et là, sous les insultes et les moqueries, à leur tourner le dos et à baisser le buste de manière à leur offrir le spectacle d'une croupe blanche qu'ils entreprennent l'un après l'autre de venir toucher, apprécier, parfois frapper.

Triste image. Triste petite curée à laquelle ils conviendront par la suite, comme pour en conjurer l'odieuse brutalité, de donner le nom, plus anodin, de « jeu des inspecteurs » – mais qui, pour sa victime, dut avoir un dénouement moins heureux puisque, à dater de ce matin-là, nul ne la revit plus au Collège royal de Lyon. La rapporter néanmoins, cette scène. Ne lésiner sur aucun détail. Bien décrire la petite blessure, légèrement humide et tiède, qui s'ouvrait en avant de la croupe, entre les deux cuisses écartées, parfaitement tendues. Et bien dire l'émoi qui fut le sien quand, un peu en retrait, certes, par rapport à ses camarades, mais aussi fasciné qu'eux par le spectacle qu'il découvrait, il eut l'impression d'être pour la première fois confronté à ce que sa mère, un soir, dans une conversation avec Mariette, avait appelé en sa présence « le douloureux secret des femmes ». Scène scabreuse, donc. D'autant plus scabreuse, il faudra le dire, que c'est bien au visage de sa mère qu'il a pensé à cet instant. Scène peu conforme, surtout, à l'impression qu'il aura, jusque-là, essayé de donner de lui. Mais n'est-ce pas l'une des rares leçons bien établies des confessions que l'utilité d'un bel aveu, si possible honteux et sale, pour prêter au reste du récit son épaisseur de vérité?

Il a quinze ans maintenant. Il est rentré à Paris. Grand ami a dit de lui, en le présentant au proviseur de Louis-le-Grand : « un garçon de qualité qui fera honneur à votre maison ». Il revoit l'austère façade du collège. Son hall démesuré qui, jusqu'à la nuit tombée, quand les derniers retardataires ont regagné leur chambre, continue de résonner des innombrables pas qui l'ont traversé dans la journée. Il voit son préau glacial, encaissé en contrebas. Ses coursives lugubres qui, même ouvertes à l'air libre comme celles, au premier étage, qui distribuent les classes des grands, ont encore l'air de manquer de lumière. Il sent le parfum des saucissons dans les casiers. La puanteur des lampes qui charbonnent, le soir, dans les salles d'étude. Il retrouve, rien qu'en fermant les yeux, l'odeur de crasse et d'encaustique qui remonte des dortoirs. Mais l'extraordinaire est qu'il a beau chercher, voire forcer son souvenir, il ne se rappelle toujours pas une vraie révolte, une insurrection; et à la différence de ceux de ses camarades qui vivaient ces années d'internat comme un calvaire dont on devinait déjà l'amertume qu'il leur laisserait, il continuait, lui, sur le même mode facile et doux. Plus malheureux qu'à Lyon? Plus à part? A l'écart d'une classe qui, pour la première fois, lui fait sentir son étrangeté? Certes. Mais une étrangeté qui est encore celle du trop bon élève, trop bien noté, à qui l'on ne reproche que son dos bien droit au premier rang et ce long cou gracile, toujours en quête du compliment, de la bonne note.

Il a dix-huit ans. L'année du bac. Il a quitté Louis-le-Grand dans des conditions sur lesquelles il ne s'appesantira peut-être pas. Et c'est, comme il dit, son « année de dévotion ». Dévotion est-il le mot qui convient ? N'y a-t-il pas toute une part de jeu dans ces façons nouvelles qu'il affiche et qui font rire ses amis ? Si, bien sûr... Il y a du jeu... De la comédie... Il y a le souci de sa mère... L'image muette du père... Il y a la bonne Céleste Théot, bigote comme on n'en fait plus, chez qui il est en pension... Mais, cela admis, il se souvient quand même – pourquoi ne pas le dire – d'authentiques moments de grâce, de recueillement, de certitude. Il se souvient de ces messes où il allait par défi et dont il ressortait transformé. De ces prières où il ne demandait rien, jamais rien, se contentant – touchant ainsi, se disait-il, à l'essence même de la cérémonie – de faire corps avec le rite. Il se rappelle ces moments de joie profonde, sans inquiétude ni tourment, où il se surprenait à remercier Dieu de l'avoir choisi, élu entre tous, pour pénétrer le sens du monde. Etre précis là-dessus. Faire honnêtement la part des choses. Il croyait, c'est vrai, mimer les gestes de la foi; mais les gestes, comme souvent, nourrissaient le sentiment.

Il a vingt ans... C'est le voyage aux Indes... Attention ! Ne pas trop insister sur ce voyage aux Indes ! Ne pas éveiller les soupçons ! Tout son jeu, depuis cette époque, ayant été de maintenir autour de l'histoire un habile voile de mystère; toute tactique ayant consisté à laisser ses amis libres d'expliquer son silence, à leur guise, par la pudeur, l'élégance, une excentricité suprême de dandy ou des raisons plus obscures qu'il se contentait de faire soupçonner par des sous-entendus appropriés; l'objectif restant, dans tous les cas : être dispensé de trop parler et de donner, sur ce voyage en bonne partie mythique, les détails imaginaires qui l'auraient fatalement trahi. Un épisode, cependant, viendra très bien à cet endroit. C'est une femme. Belle. Point trop rieuse. C'est une créature enchanteresse qui conjugue à ses yeux les vertus d'un corps glorieux, de la froideur, et puis de ce tempérament « créole » dont le mot seul l'a fait rêver pendant toute la traversée. Il l'aime. Il la désire. Comme toujours en pareil cas, il la martyrise en pensée, la supplicie. Il promet ce corps altier aux outrages qu'il réserve d'habitude aux filles du faubourg Saint-Antoine. Et voici qu'au moment de se déclarer et de lui transmettre sinon son trouble, du moins les vers qu'elle lui inspire, il choisit le sage canal d'une... lettre à son mari! Qui dit mieux? Qui a jamais fait mieux dans l'ordre de la convenance? Sont-ce là les façons du lycanthrope dont tous ses adversaires, bruxellois et français, ont pris tant de plaisir à lui coller le masque?

Et puis il y a Pimodan. Très important, Pimodan. Le charme de cet hôtel du XVIIe siècle où il eut sa première vraie maison... Son faste... Son calme... Cette cour pavée, verdie par l'herbe... Son escalier meublé de chimères égyptiennes... Sa porte de palais... L'appartement, si baroque, avec ses tentures aux ramages rouge et noir, son lit de chêne brun étroit comme un cercueil, ses tableaux, ses estampes, son cabinet de travail où ses visiteurs s'étonnaient de ne trouver ni livres ni vraie table... Et lui, au milieu de tout cela, tel qu'il se revoit dans le portrait de Deroy : enfantin, le cheveu épais, une barbe folle bouclant au creux des joues et cet inimitable habit noir, agrémenté de gants rose pâle, d'une cravate sang-de-bœuf et d'un chapeau de soie (au fait, a-t-il vraiment le chapeau dans le tableau de Deroy? brusquement, il ne sait plus...) dont il avait imposé lui-même la coupe à son tailleur. Il était gai en ce temps-là. Insouciant. Il régnait sur une jeunesse dont toute l'audace était de se réunir chez Duval, le marchand de vin de la place de l'Odéon et de singer, vingt ans après, le cénacle romantique. Il ne se rappelle pas avoir eu plus haute ambition, alors, que de rivaliser avec Brummell, d'Orsay, La Valette – ou cet admirable Roger de Beauvoir dont l'habit bleu à boutons dorés, la canne en corne de rhinocéros ou les gilets jaunes en poil de chèvre l'impressionnaient davantage qu'un vers de Banville ou de Hugo.

Les séances de haschisch? Oui, il y avait les séances de haschisch. Il y avait ce fameux « club des Haschischins » qui se réunissait, hôtel Pimodan toujours, chez son voisin, le peintre Boissard... Mais s'il en était, c'était bien en voisin; en curieux; par intérêt, disons : littéraire, pour le spectacle de ces hommes qu'il connaissait et qu'il voyait se métamorphoser; c'était, allez savoir! parce qu'il songeait déjà à ses futurs « Paradis »; parce qu'il se souvenait de l'exemple, plus glorieux, de la Lespinasse; ce n'était pas, en tout cas, le signe d'un asservissement fatal aux vertus de la confiture verte. Il était là, mais à distance. Se mêlant sans se confondre. Participant des fantasias mais sans jamais se départir de soi ni de son dandysme. Sorte de bonze – oui, « bonze », le mot est parfait, il fera le meilleur effet – figé dans un perpétuel demi-sourire, il conservait ici encore cet ascendant que lui consentaient, partout ailleurs, ses camarades.

Ah, comme on était loin des dîners de la Présidente! Comme il était loin d'imaginer que le jour viendrait, auprès des mêmes amis ayant gravi sans lui les marches de la gloire, où il lui faudrait mendier la place qui lui était, en ce temps-là, naturellement attribuée! Heures de gloire... Éblouissement de ce temps des débuts...

Une fois pourtant il est allé plus loin. Il ne se rappelle plus quand. Ni pourquoi. Mais il se souvient qu'il y avait ce jour-là une page sur une table; une loupe sur la page; et que l'unique mot de la page que, par hasard, grossissait la loupe – et qui était, comment l'oublier? le doux mot d'infini – l'avait plongé tout à coup, et sous l'effet bien sûr du narcotique, dans une méditation elle-même infinie. Il y a des mots flous. Des mots mous. Il y a des mots qui jamais n'exalteront ni l'esprit ni les sens. Alors que ce mot-ci – était-ce son sens? son dessin? était-ce le nombre de ses jambages? celui, qui lui semblait soudain immense, des *i* qui le semaient? – lui paraissait riche au contraire d'une grandiose frénésie. Les *i*, oui... Ce sont les *i* qui le troublaient... Jamais il n'en avait vu de si près... Jamais tant à la fois... Jamais, songe-t-il, il n'avait été ainsi frappé par ce qu'il y a de force dans un *i*, d'excès dans le geste qui l'a tracé... Jamais, comme aujourd'hui, il n'avait compris combien le point qui le ponctue – et qui était, dans les trois cas, si différent! – peut être tyrannique, audacieux, timide au contraire, presque modeste... Il passa de longues minutes, peut-être des heures, à s'abîmer dans ces *i*, dans leurs arabesques minuscules; il passa des heures à imaginer, sous la loupe, la fabuleuse histoire qu'il y avait, par-delà même les *i*, derrière chacun des signes dont se composait le mot...

Leur grain... Leur épaisseur... Le tremblé du geste, là... L'encre un peu plus pâle ici... L'effort qu'il a fallu pour cette boucle... L'interruption dramatique de celle-là... Ce saut entre deux lettres... Cet abîme dans la même lettre... Le chemin qu'elle a parcouru... Les obstacles qu'elle a dû franchir... Ses hésitations... Ses reprises... Ses arrêts minuscules... Ses reprises encore... La fierté de la lettre devenue lettre mais qui là, sous la loupe, ne peut plus dissimuler les manœuvres qu'elle a conduites... Cette opiniâtreté qu'on lui devine et qui ne parvient pourtant pas à effacer les fléchissements, les rebroussements, les imperceptibles remords ou regrets dont elle a dû s'accommoder... La violence de la main sur celle-ci... Le papier griffé, presque meurtri, à l'endroit de celle-là... Et l'étonnante légèreté du délié un peu plus loin, comme si le mot lui-même avait fléchi sous la caresse... Ce mot qui n'était qu'un mot avait soudain le poids d'une phrase. D'une page. Il était à lui seul comme un grand livre ouvert à son désir. Un mot comme un livre. Un mot comme un monde. Un mot qui, sous la loupe, mettait un monde – une âme ? – à découvert. Il y a des poètes qui écoutent les mots. Qui les goûtent. Il y a des poètes qui aiment toucher, palper le corps des mots. Lui, en ce temps-là, n'était pas encore poète et n'avait d'yeux que pour les lignes, les couleurs de la peinture. Pourquoi ne pas dire alors, s'il raconte cette histoire, qu'il a rêvé, ce jour-là, d'une peinture qui ne peindrait que des mots ? Pourquoi ne pas prétendre que c'est du jour où il a compris qu'un mot cela se voit et que, dans ce qu'on y voit, se voit toute l'âme du monde, qu'il a vraiment choisi de devenir poète ?

Pour l'heure, il n'était pas poète. Il n'était même pas écrivain. Et c'est, quand il y songe, la grande énigme de ces années que de voir avec quelle déconcertante facilité, lui qui n'avait rien écrit ni publié, avait su accréditer cette réputation de « grand écrivain ». Un écrivain sans livres? Au début, cela intriguait. Cela faisait sourire ou jaser. On se disait : « quel poseur! lui si prompt à éreinter! quand donc va-t-il montrer ce dont il est capable? » Et puis un jour, c'est passé. La question ne s'est plus posée. Qu'il ait ou non donné des livres était devenu chose accessoire. Ou, plus exactement, les livres qu'il n'avait pas écrits se sont trouvés plongés dans cette brume où sont ceux des écrivains morts, très vieux, démodés ou au contraire institués, dont l'œuvre est comme « acquise » et dont le nom continue de vaguement flotter – seul, sans amarrage, et sans que l'on prenne chaque fois la peine de se demander ce qu'il recouvre. En sorte qu'à vingt ans à peine, il avait sur ses amis – ceux qui publiaient comme ceux qui ne publiaient pas; ceux qui étaient célèbres et ceux qui ne l'étaient pas encore – cette autorité de principe que ne confèrent en général que les œuvres achevées, reconnues puis oubliées.

Il tranchait. Jugeait de tout. Assenait sur les sujets du jour, les plus frivoles comme les plus graves, des jugements dont le paradoxe, voire l'arbitraire, était la qualité première. Il portait celui-ci aux nues. Clouait celui-là au pilori. Il exécutait tel recueil ou lançait dans la même journée, avec la même arrogance inexpliquée, la mode de sortir tête nue. Et sans qu'il y eût plus de raisons ici que là, il voyait les grandes tablées de jeunes gens qui l'entouraient chez Dinochau ou au

Moulin de Montsouris attendre ses verdicts, opiner du chef quand ils tombaient ou rebrousser prestement chemin, au contraire, quand ils étaient partis trop tôt et s'apercevaient qu'ils n'étaient plus dans la ligne... Roi de Paris, disait-on... Prince de la jeunesse... Il est vrai, avec le recul, que de tous les cadets qui piaffaient aux antichambres des lettres, nul ne semblait promis à plus étincelante réussite – il est vrai, oui, qu'on aura rarement vu, à Paris, débutant si fêté, si célébré et si évidemment promis à la fortune et au succès.

3

Journal de Jeanne Duval

12 décembre 1842. Dame, on aura tout vu et j'en connais qui seraient pas tristes de me voir là, à cette heure-ci de la nuit, en train de m'appliquer sur ce gros cahier tout froissé. Mais quoi? Quel mal y a-t-il à ça? Et ce qui est permis à Bichette ou Mimi me serait-il interdit à moi, qui ai bien plus d'instruction qu'elles? J'ai une bonne raison de l'ouvrir, ce cahier. C'est qu'après deux ans où je sais pas bien si c'est moi qui boudais le théâtre ou le théâtre qui me boudait, je viens de reprendre un petit rôle qu'il est pas question que je laisse dire que j'ai accepté pour le plaisir. Mademoiselle Jeanne par-ci... Mademoiselle Jeanne par-là... Le rôle fait que dix lignes mais toute la pièce repose dessus et avec votre voix, votre taille, votre beau teint d'ambre et tralala, on verra que vous sur les planches... Hé là! Ça va! Elle connaît la musique Mademoiselle Jeanne! Elle en a soupé, du boniment! Et c'est pourquoi elle tient à dire ici, bien net, bien haut, même si pour son seul bonnet : moi, Jeanne Duval, vingt-trois ans, comédienne, qui en ai par-dessus la tête de me passer la figure au blanc pour jouer les soubrettes de composition, n'accepte cette comédie que pour les quatre-vingts francs qu'il y a au bout et qui, vu la dureté des temps, seront aussi bien chez moi que chez une autre. Amen.

13 décembre. Bon. Soyons franche. Il y en a une autre, de bonne raison. Et peut-être même, allez savoir, qu'elle compte plus que la première. C'est ce drôle de grand garçon, plutôt bien mis et distingué, dont Bichette m'a fait remarquer qu'il est là presque tous les soirs depuis que la pièce a commencé. Une fois il est à l'orchestre. La suivante à l'avant-scène. La troisième derrière les planches à rôder dans les appareillages juste au moment où j'entre en scène. Une autre encore, dehors, en bas de l'escalier, mêlé à la troupe des sans-le-sou qui attendent la sortie des acteurs. Et aujourd'hui enfin, des fois qu'il me reste un doute, c'est carrément devant ma loge que je l'ai trouvé – « oh pardon » qu'il a dit, en ôtant bien bas son chapeau, vu que Louise avait pas tiré le rideau et qu'on pouvait très bien me voir, le corset déjà délacé, à califourchon sur ma cuvette. Au début, je l'ai pas remarqué. Mais, à force, ça m'a intriguée. Et ce soir surtout, devant ma loge, j'ai pu noter certains détails. Le brillant des souliers par exemple. Le ruban de soie du haut-de-forme. Ou sa façon de tenir sa canne, du bout des doigts, le poignet un peu levé, comme si elle le dégoûtait un peu. C'est peut-être une déformation mais je fais toujours attention aux détails...

14 décembre. Aujourd'hui, c'était relâche. Je m'étais dit tant mieux, je vais pouvoir faire ma matinée au lit. Et j'avais recommandé à Louise de refuser tout le monde jusqu'à midi. Bien Madame, elle m'avait dit, pas fâchée elle non plus d'en profiter pour faire son ménage à la coule. Sauf qu'à huit heures pétantes, drin! drin! c'est le traiteur du passage des Panoramas qu'on avait oublié toutes les deux et qui vient, comme chaque mardi, réclamer ses arriérés. « Madame est là... Madame est pas là... Madame y est mais elle dort... Madame dort mais elle y est pas... » Pauvre Louison! Autant elle s'y entend à éconduire les galants, autant avec les fournisseurs elle a jamais bien su y faire. Et c'est moi qui, les yeux gros de sommeil, dois venir faire mon numéro – « non mais qu'est-ce que c'est que ces façons de venir embêter les petites femmes? vous serez payé bien sûr... mais pas cette semaine hélas... non, non, pas cette semaine... faut que j'aie touché mes cachets pour ça... allez, vous bilez pas... y a pas vraiment de raison de se mettre dans ces états... » Tout ça pour dire que me voilà levée maintenant et que, tant qu'à être levée, je décide de vaquer à des courses qui auraient aussi bien pu attendre jusqu'à demain. Or à peine sortie, sur qui je tombe? Mais sur lui, voyons! Sur le soupirant du théâtre! Même qu'il a pas l'air surpris du tout de me voir et qu'il aurait pas fait une autre tête si de mystérieuses intelligences lui avaient fait savoir que je me lèverais à huit heures, que j'éconduirais un gros père à neuf et que, à dix heures précises, je passerais là, à l'angle de la rue des Martyrs et de la rue Clauzel. Intéressant, je me dis. De plus en plus intéressant. Et, tombant une seconde en arrêt, je prends pour la première fois le temps de le regarder vraiment. Jeune... Ah ça pour ça oui, très jeune... Presque gamin... Avec, dans la mine, la mise, dans le lâché du nœud de cravate, le casimir du pantalon, dans la façon malicieuse d'incliner la tête en disant « serviteur » quelque chose de ces fils de famille dont j'ai toujours considéré que, pour les femmes de mon espèce... Mais bon. N'allons pas trop vite en besogne. Et tâchons, d'ici la fin de la semaine, d'en savoir un peu plus long sur cet oiseau tombé du ciel.

16 décembre. Je m'étais pas trompée. Le gaillard (qui, soit dit en passant, était à nouveau là ce soir, en corbeille, un peu à droite : et comme mon entrée se faisait côté jardin je pouvais forcément pas le manquer), le gaillard, donc, est en effet pas n'importe qui. C'est Bichette qui m'a informée. Elle est bonne, Bichette, pour les informations. Où elle va les pêcher? Comment fait-elle pour qu'il y ait pas un gandin dans la ville dont elle ignore le pedigree? Ce qui compte, pour le quart d'heure, c'est que le garçon serait, d'après elle, un ami de ce Tournachon que j'ai perdu de vue depuis des années et avec qui paraîtrait même que je l'ai rencontré une fois ou deux. Et c'est surtout que, selon Bichette toujours, il serait d'un milieu tout ce qu'il y a de bien – avec appartement place Vendôme, des militaires dans la famille et dix mille francs de rente au bas mot. C'est pas le bout du monde? Non, c'est pas le bout du monde. Et ça vaut pas ce beau duc de B*** que s'est déniché Mimi par exemple. Mais c'est mieux que rien, pas vrai? Et ça me fera toujours plus d'arrangement que ces armées de meurt-de-faim que je me traîne depuis des années et qui réussissent qu'à me faire des dettes. Il a bonne tête mon théâtreux. Bonne allure. Il a l'air pas regardant sur la façon de les lâcher. M'est avis que ça pourrait bien être, décidément, la Providence qui me l'envoie.

19 décembre. Premier rendez-vous. Ça se passe au Café Anglais, boulevard des Italiens, qui est le seul endroit de Paris, je sais pas comment ils débrouillent ça, où il y a pas une cocotte qui ait pas l'air d'une actrice lancée. Je le trouve beau. Toujours aussi bien mis (d'où je déduis, et ça aussi c'est un bon point, que c'est genre qui a lingère et gouvernante attitrées). Et ce qui me fait le plus drôle, cette fois, c'est ce mélange qu'il a dans la figure : tantôt des timidités de jeune fille, à rougir jusqu'aux oreilles si je lui parle de son manège; tantôt (à croire que c'est plus le même) des insolences et des regards déshabilleurs qui vous paralyseraient la moins bégueule des grisettes. Au fil de la causerie, j'apprends qu'il a vingt ans, qu'il est poète, qu'il habite une maison de maître dans la Cité, qu'il sort d'en prendre avec une Juive et qu'une liaison avec une Noire serait pas pour lui déplaire. « Vous alors, vous craignez pas les complications », je lui dis en riant. Sur quoi, en m'arrangeant qu'elles aient l'air anodines, je lui pose les vraies questions : sur sa fortune, sa famille, son train et le reste. Et, chose curieuse, alors qu'ils sont tous tellement roués sur ces terrains et qu'il faut les travailler des jours et des jours pour commencer d'y voir un peu clair, il me répond, lui, sans ambages. A la bonne heure, mon petit poète! A la bonne heure! Tu as tout ce qu'il faut, tu sais! Je sens qu'on va bien s'entendre! Mais j'arrête là, parce que la porte sonne. Ça doit être cet idiot de baron Calvez. Et je suis encore en chemise.

22 décembre. Second rendez-vous. Ici cette fois. Dans ce salon coquin, tout plein de fanfreluches, où tant de Calvez ont défilé et où ça me fait tout bizarre de voir ce gentil poète. S'il avait tenu qu'à moi, j'aurais bien fait durer les choses un peu plus. J'aime tant faire poser les hommes... Les voir languir, me reluquer... Et là, justement, est-ce que c'était pas la chose à faire de lui montrer que j'avais du montant et que j'étais pas la fille de rien, à tomber dans les bras du premier venu? Bon, mais voilà, c'est comme ça. Et, chose à faire ou pas chose à faire, il y a un côté en lui qui m'a fait perdre ma contenance. C'est sa politesse, m'a dit Louise. Madame a pas l'habitude de cette façon alambiquée de se tenir, de marcher, de demander un verre de punch, d'apprécier la moire d'une draperie ou de dire les choses toutes bêtes qu'ils disent toujours dans ces cas-là. Possible, ma petite Louise... Possible... Le sûr c'est qu'il y avait quelque chose, dans tout ça, de pas normal en effet. Et face à un monsieur qui vous prend de haut et qui, pour mieux vous intimider, fait semblant de vous traiter en dame, les filles comme moi ont pas trente-six manières de se défendre. « Allez, allez, mon petit gars, tu feras moins le fier au lit. »

27 décembre. Café Anglais. Rendez-vous avec Bichette qui est en retard comme toujours. Je suis seule. A ma table habituelle, tout devant, comme en vitrine. Et heureusement que j'ai ce cahier avec moi! De quoi j'aurais l'air, sinon, à attendre sans rien faire quelqu'un qu'on est pas obligé de savoir que c'est Bichette? J'en profite pour raconter de quelle drôle de façon il fait la chose au lit. Au début c'est normal. C'est le farfouillis habituel. Et il s'empêtre, le pauvre chéri, ni plus ni moins que le commun. Mais très vite (aussitôt qu'on est, comme qui dirait, dans le « feu ») le voilà qui se crispe, se raidit, devient pâle comme la mort, le dos plein de suée et vous fait ça de loin, sans presque vous toucher, juste le ventre contre le ventre, avec un air, sur le visage, de souffrir comme un damné. La première fois ça fait bizarre. On se dit : « c'est à ne pas croire! il va claquer, le pauvre chat! il va me tourner de l'œil entre les bras! » Et puis, on s'habitue. On se dit que chacun sa façon. Et puisqu'il a l'air, ma foi, de prendre son plaisir comme ça... D'autant que moi, ça me change. Et je préfère encore ça à mes vieux vicieux de d'habitude avec leurs cochonneries particulières. Tiens, en voilà un justement, deux tables à côté sur ma droite, qui me lorgne depuis un moment et a l'air dérouté par le cahier. Bon, bon, gros père, t'affole pas... On va te le fermer, le cahier... Et pour peu que Bichette s'attarde encore, on va venir voir ce que tu as dans le ventre. Rien qu'à te regarder, rien qu'à voir tes deux grosses pattes, ton bedon, ta trogne de boucher polisson, j'ai pas besoin d'aller plus loin pour savoir que tu es pas le genre de mon petit poète frôleur.

2 janvier 1843. C'est pas pour me vanter. Mais j'ai pas mon pareil en général pour percer le secret de leurs mécaniques. Un tour... Deux tours... Une petite vérification pour m'assurer que je suis dans le bon... Et hop! J'ai tout compris! Je sais ce qui les accroche! Et j'ai plus qu'à être comme ils aiment : câline, soubrette, coquette, sauvage, biche aux abois, fusil, est-ce que je sais? Au point que, lundi par exemple, avec le bonhomme du Café Anglais, il m'a suffi d'une fois, d'une seule, pour trouver que ce qu'il aimait c'était de se faire flatter, peloter puis, comme il disait lui-même en pleurnichant, « inspecter » : le prochain coup (s'il y a un prochain coup! car il faudra, pour ça, qu'il se lave avant! ah ça, je le lui ai dit en face : il faudra qu'il se lave avant!) je le talquerai comme un bébé et, sans qu'il ait besoin de le dire, je sais d'avance que c'est ce qu'il attend.

Avec lui pourtant (quand je dis « lui » c'est à mon poète que je pense) ça a pas été si vite. J'ai observé. Écouté. J'ai fait mes expériences comme d'habitude. J'ai essayé une solution, puis l'autre, puis les deux ensemble, puis une troisième. Et à part cette spécialité de me prendre sans me toucher (mais qui lui est trop personnelle pour que je puisse me vanter qu'elle attende après mes talents) j'ai passé toutes ces premières semaines sans arriver à trouver son goût. Bigre, je me disais ! Quelle bizarrerie ! Faut-il qu'il soit mystérieux, ce minou-là, pour que je puisse pas détecter où c'est qu'il met sa fantaisie ? Jusqu'au jour – c'était tout à l'heure, chez lui, dans le lit très étroit de son hôtel de Pimodan – où j'ai fini par découvrir cette chose si extraordinaire que je passais tous les jours à côté sans la voir et que, rien que d'avoir à l'écrire, je me sens déjà toute bête : ce qu'il aime par-dessus tout, ce cochon-là, c'est ni que je parle, ni que je me pâme, ni que je fasse aucun des trucs qui, d'habitude, les mettent en émoi – mais que là, pendant la chose, au moment même où, en principe, je devrais déborder d'idées, d'imaginations, je fasse bien attention à ne rien, surtout rien faire du tout. C'est incroyable. Inimaginable. Mais c'est comme ça : ce qu'il attend, c'est que je sois *comme morte.*

10 janvier. Lu dans un carnet à lui cette phrase qui en dit long sur son goût : « je suis belle, ô mortels ! comme un rêve de pierre ». Il me tuerait s'il le savait. Car c'était son carnet secret. Celui qu'il tient toujours serré dans le tiroir du bahut de sa chambre. Et si j'ai pu le lire c'est très vite, à la sauvette, parce qu'il était descendu dans la cour raccompagner un ami et qu'il avait, par exception, oublié de fermer le bahut à clé. Il m'a lancé un drôle de regard, en revenant. Un regard suspicieux. Presque mauvais. Le regard de celui qui s'aperçoit tout de suite de cette bêtise de clé pas tournée mais qui peut pas le dire tout net vu que vous êtes pas censée savoir qu'il y a un tiroir, qu'il est secret, etc. Moi, en tout cas, j'ai rien montré. J'avais eu le temps de me remettre en position sur mon sofa avec les jambes alanguies, la lèvre un rien dégoûtée et mon nécessaire à ongles posé sur les genoux. « Regarde, j'ai dit en lui exposant mes mains que je venais censément de finir de soigner : est-ce qu'elles sont pas jolies, les griffes de ta lionne adorée? » Et lui, renonçant à croire que cette grande fille indolente qui finissait de se polir les ongles pouvait avoir vu noir sur blanc l'aveu de son goût particulier, est allé mine de rien tourner la clé dans la serrure; et rassuré, la clé en poche, est revenu me baiser les pieds, me retirer ma robe et, sans presque se déshabiller, me rendre hommage à sa manière.

18 janvier. Immobile... Jambes tendues... Les cuisses fermes, bien rigides... Le corps durci, bronzé comme un métal... Le tout, je m'en aperçois, c'est de se raidir... De bien bander les muscles... Le tout c'est de se cambrer, de se tendre comme un arc et, au moment où ça chahute dans le ventre, de bien crisper toute la région pour garder ça secret, bien renfermé en soi... Difficile? Difficile. Car il ne faut pas montrer non plus les efforts que ça coûte. Il faut pas qu'il ait l'impression que je crispe, tends, bande, etc. Et tout l'art doit être, justement, que ça ait pas l'air d'être de l'art mais quelque chose de naturel, qui coule pour ainsi dire de source – une statue, il doit penser;

c'est une vraie statue que j'aime et s'il se dit que c'est une morte ça peut être encore que meilleur. « Ça doit bien changer Madame », m'a fait remarquer Louise tout à l'heure, après son départ, tandis qu'elle m'aidait à retirer la guêpière et le jupon qu'il m'avait à peine froissés. « Oui, madame doit être bien aise, pour une fois, d'avoir pas à faire semblant de pousser des cris, des gémissements, des pleurs qu'elle ressent pas. » Sacrée Louise. Je lui ai rien dit, pourtant. Mais vicieuse comme elle est, elle aura tout deviné! Sur le fond, elle a pas tort. Et c'est vrai que, pour une fille qui a passé sa vie à leur jouer la comédie du « comme tu es beau! grand! fort! comme tu t'y entends à mettre en extase ta petite femme! », c'est le monde à l'envers d'avoir à leur jouer l'indifférence et la froideur. Drôle d'aventure...

2 février. Au début je me disais : « la barbe! on peut pas demander ça à une femme! et puis est-ce que c'est pas trop bête à la fin? pour une fois que j'ai un tout jeune homme, bien délicat, avec sa jolie peau d'ange qui demande qu'à se faire aimer? » Mais, à force, je m'y fais. Et si je m'y fais c'est, est-ce que j'oserai l'écrire? à la fois parce qu'il aime ça et parce que, moi aussi, je finis par ne pas trouver la chose complètement désagréable. « Je suis une pierre, je me dis... je suis une statue de pierre... » Ou bien : « de bois... plutôt de bois... je suis sa poupée de bois... » Ou bien encore : « de la glace... je suis de la glace... ce sang chaud de ma race, il faut que je le refroidisse... » Et aussi extraordinaire que ça paraisse, le fait est là : de me dire ça, et non seulement de le dire mais de le faire, me procure un plaisir que j'aurais pas soupçonné.

J'ai des orages dans la tête, dans ces moments. Des transports dans les cuisses et le ventre. J'ai des émois dans tout le corps, que j'ai eus avec personne depuis longtemps. Et l'incroyable est que tout ça est encore redoublé, qu'est-ce que je dis? multiplié par le souci de me contenir. Repensé à cette pauvre enfant d'autrefois (Rinette elle devait s'appeler... ou Ninette...) que je sais plus quelle trafiquante avait mise de force sur le trottoir et qu'elle avait eu l'humanité, la jugeant quand même trop jeune pour le reste, de spécialiser dans la sucette. La gamine m'avait expliqué qu'elle était si dégoûtée d'avoir à sucer ces trucs qu'on lui faisait défiler à longueur de jour, qu'elle pouvait pas le faire sans, en même temps, penser au Petit Jésus; mais elle m'avait ajouté que, de mêler le Petit Jésus à tout ça, d'y mettre de la prière et des principes, bref de s'interdire d'y prendre du plaisir, avait finalement l'effet contraire et faisait que, par instants, elle arrivait à y trouver goût.

3 février. Si j'avais une comparaison personnelle à faire, je dirais que c'est comme la première fois, dans la buanderie de la rue de la Lanterne, quand ce vaurien de Félicien m'a enfournée très vite, sans presque me toucher lui non plus – mais c'était pas pour la même raison vu que ce qu'il avait peur, c'était plutôt qu'on nous surprenne. C'est moi qui avais les idées, à cette époque. Je croyais, va savoir pourquoi, qu'une gamine comme il faut a pas le droit d'avoir du plaisir et que, si elle en a quand même, ça doit être tout doux, en catimini, en prenant bien garde que ça se voie pas. Je me mordais les lèvres, conséquemment. Je retenais mon souffle. Je fermais bien fort les yeux, des fois qu'il puisse y lire mon émotion. Tant et si bien que cet imbécile, voyant pas plus loin que le bout de son nez, avait déduit que j'aimais pas ça et que j'étais encore trop minotte pour que ça me fasse vraiment quelque chose. Ce qui, soit dit par parenthèse, l'a pas empêché de remettre ça le lendemain. Puis le surlendemain. Puis le lendemain du surlendemain. Et ainsi de suite jusqu'à tant que Madame Riquet, la tenancière, finisse un matin par nous surprendre. Dieu, comme tout ça est vieux!

Même jour. Deux heures plus tard. Me suis trompée dans les dates. Oui, c'est bizarre vu le sujet : mais pour sûr que je me suis trompée. Car ce que je racontais tout à l'heure, cette histoire d'yeux fermés, lèvres pincées et tout le bazar, c'est après. Pas beaucoup après, mais après. C'est – maintenant je suis précise – quand j'ai eu mes quatorze ans et que j'ai lu dans un livre qu'il fallait être possédée par le démon pour se laisser aller à des émotions au lit. Avec Félicien, donc, c'était autre chose. J'avais pas encore lu le livre. J'avais pas idée de ces histoires de démon. J'avais peur, par contre, oh oui, tellement peur, de ce braquemart qu'il me fourrait, de cette main qui m'empoignait les cheveux et me tenait la tête en arrière, de l'autre main qui m'écartait de force. Et c'est rien d'autre que cette peur qui, ce foutu matin, était cause que je me crispais, me rétractais tout l'organisme.

D'ailleurs, si je suis franche, il y a une dernière chose que j'ai pas dite et qui peut confirmer que je croyais pas encore, à ce moment-là, qu'une fille comme il faut devait s'interdire de gigoter. C'est que, ce fameux premier jour avec Félicien, j'y disais pas non, au gigotin. Non, finalement, quand j'y pense bien, j'y disais pas du tout non. Et je me rappelle comment, malgré ma peur, malgré le mal qu'il me faisait, malgré tout mon pauvre corps de gamine qui se rétractait sous l'assaut, je faisais tout mon possible pour remuer du popotin comme je pensais que ça se faisait. « Tu es une belle gironde, il me disait en me fessant... Tu es une sacrée putain de belle gironde... Mais t'as pas besoin de te trémousser comme ça... » Quelle honte !

4 février. Relu mes dernières pages. Quel intérêt, bon Dieu ? Quel intérêt ? Ferais mieux de réfléchir aux moyens de presser le citron à mon dulciné. Les souvenirs c'est bien joli. Mais les dettes, elles, attendent pas.

11 février. C'est vrai qu'il me traite en dame. En vraie dame. Au point que si je connaissais pas ses habitudes, je pourrais presque en conclure qu'il sait pas ce que c'est qu'une fille. Oh ! c'est pas qu'il renâcle à payer, le cher ange. Manquerait que ça, qu'il renâcle ! Mais il le fait d'une manière drôle, un rien trop distinguée, sans jamais compter ses billets, ni faire attention au jour qu'on est (ce qui fait que, dans la masse, il en arrive forcément à se tromper, pas souvent d'accord, pas de beaucoup, mais comment est-ce qu'il en arriverait pas à se tromper quand il me donne ma semaine comme ça, de cet air censément dégagé de celui qui doit rien et fait les choses par galanterie ?).

Le reste est à l'avenant. Quand il me sort par exemple. Quand il m'emmène dans ses cafés. Je vois comme il me traite, ces soirs-là. Je vois son contentement, et sa fierté, à voir l'étonnement que je produis. C'est pas une cocotte qu'il balade. Non, vrai, c'est pas une cocotte. C'est une espèce de fiancée qu'il fait faire le tour de l'artisterie. Aujourd'hui par exemple. On était chez un peintre de sa connaissance (qui, soit dit entre ce cahier et moi, était aussi de la mienne : mais ça, passons, il en sait rien) dans un atelier tout ce qu'il y a de plus luxe où on causait du prochain Salon et du nouveau scandale qu'on allait envoyer à la figure des bourgeois. Il y avait là un petit monsieur qui me reluquait. Un autre, qui essayait d'engager la causette. Et, à un moment, ils se sont rapprochés comme des comploteurs et se sont fait une réflexion que je sentais bien, malgré que j'étais pas tout à côté, qu'elle était pas bien honnête.

Lui l'a aussi senti, faut croire. Car le voilà qui arrive, ricaneur, le dédain au coin de la lèvre, et qui dit à l'oreille des deux drôles quelque chose que j'entends toujours pas mais qui doit être bien flatteur vu qu'ils se retournent tous trois vers moi et me jettent ce regard vicieux que je connais bien – et qui a pas son pareil pour faire bicher une femme. « Ah ! j'ai songé : comme c'est bon de se sentir protégée. »

13 février. Ma belle, il m'appelle... Ma reine... Ange plein de ceci... Ange plein de cela... Sans compter toutes les gentillesses sur mes jambes de déesse, mes yeux comme des soleils, mes seins de marbre, ma chevelure crêpelée, et j'en passe, à l'avenant. Car il est poète, mon amoureux. Et on dira ce qu'on voudra mais ça parle pas pareil, un poète, qu'un giletier ou un baron ! Cet après-midi, pourtant, il a fait mieux. Qu'est-ce que je dis ? il s'est surpassé. Et ce qu'il a fait est si extraordinaire que la plume m'en tremble rien qu'à l'écrire. Il était cinq heures. J'étais dans mon cabinet, en tenue légère, en train de me faire tirer les cartes par Louise. Le voilà, lui, qui arrive sur ces entrefaites et me demande, puisque je suis là, si ça me plairait d'entendre des vers que j'ai inspirés. Et comme je réponds « pourquoi pas », il s'exécute sans plus attendre et récite à mes oreilles le poème qui commence par « je suis belle, ô mortels! comme un rêve de pierre ». C'était si beau! Si beau! Et j'étais si fière, moi, pauvre Jeanne, du double honneur qu'il me faisait : de l'avoir écrit d'abord, et puis maintenant de me le lire! J'ai pris l'air bien sage, alors. Bien pénétrée. J'ai eu le regard qui convenait et j'ai hoché la tête au bon moment. Ce qui fait que, ayant fini de réciter, il m'a fait un troisième honneur qui m'a laissée tout étourdie : prétextant que j'allais lui « enrichir ses rimes », il me l'a carrément dicté. Femme de poète...

1er mars. « Si je l'aime? » m'a demandé Bichette tout à l'heure, sur le lit vaste et profond (tiens, voilà que je me mets à parler comme lui) où, entre deux caresses, je lui racontais l'histoire du poème. « Non mais quelle idée, je lui ai dit! Ne va pas tout exagérer! Est-ce que les filles comme nous peuvent aimer? Est-ce qu'elles savent seulement ce que ça veut dire? Et quand par hasard ça leur arrive, quand elles ont la mauvaise idée de s'attacher, est-ce que c'est pas le pire malheur qu'on puisse leur souhaiter? » Si fait, qu'elle m'a répondu... Si fait... Mais à ce qui paraît que, à me voir aussi langoureuse, on finit dans le milieu par se poser des questions... « N'oublie pas, ma petite, elle a insisté : il y a qu'une chose à leur faire, à ces cocos-là, qui est de les plumer – un homme pas capable de se ruiner pour une fille est pas un homme comme il faut... » Chère Bichette! Comme elle me plaît quand je l'entends parler comme ça, sans embarras ni fioritures! C'est elle qui a raison. Et, pour bien le lui prouver, j'ai redoublé d'ardeur et recommencé de la travailler si fort que ses petites lèvres en sont devenues carmin. Ah! les benêts! Savent-ils seulement les pensées qui traversent une femme en train de se donner à une autre femme?

Même jour. Milieu de la nuit. Rouvre ce cahier. Car à quoi ça sert de le tenir, soigneusement, comme je fais, si c'est pas pour y dire les vérités? Qu'il y ait pas d'amour dans tout ça, je le maintiens. Et, comme je disais à Bichette sur le lit, on peut pas faire ça, pendant des années et des années, je dis pas par métier, mais par nécessité, sans que ça vous use le cœur, à force. Mais bon. Ceci étant posé, je peux quand même pas nier qu'il se passe quelque chose avec lui qui s'est jamais passé avec les autres. Ça se voit à ce cahier déjà. A ce besoin que j'ai de noter presque tous les jours ses traits de caractère. Et puis, si je vais au bout des choses, il y a cette envie que j'ai, des fois, de me faire toute petite petite pour lui entrer, non dans la peau où je suis déjà, mais dans sa belle tête de poète que je trouve qui me résiste encore trop. Je suis sa muse, je me dis... Sa muse noire... Et dans la joie de le posséder ainsi, comme le démon, je pense que... Oh! et puis je sais plus ce que je pense. J'ai trop sommeil.

2 mars. Il le sait, lui, ce qui traverse la tête d'une femme en train de etc. Ah! diable, oui, il le sait. Et on en a eu la preuve avec Bichette, pas plus tard que cet après-midi. Pas le temps de raconter. Mais disons que deux biches à la fois, sur un lit vaste et profond, et lui juste à côté en train de regarder – ça n'est pas fait pour lui déplaire. Que ne l'a-t-il dit plus tôt?

5 mars. L'histoire se passe ce matin. Le matin, en principe, c'est pas son heure mais celle, ça dépend des jours, d'Allard, du baron Calvez ou de cette roulure d'Arsène. Or voilà que ce matin, à dix heures, alors qu'Arsène est déjà là et qu'on attend censément plus personne, la porte se met à sonner. Louise, croyant à un fournisseur, répond pas : on insiste. Elle répond toujours pas : on tambourine. A telle enseigne que, quand elle finit par ouvrir, c'est un furieux qu'elle voit débouler, la bousculer, renverser le guéridon d'entrée et courir comme une trombe jusqu'à ma chambre où je suis au lit avec l'autre. « Holà ! je m'exclame. Qu'est-ce que c'est que ces façons ? Ça te prend souvent d'entrer comme ça, à une heure que tu sais qui est pas la tienne ? » Et lui alors, au lieu de s'excuser, au lieu de me dire avec cette soi-disant politesse qu'il est si fier d'arborer « pardon, j'aurais pas dû... je me suis trompé d'heure, vois-tu... mais ça fait rien, je repasserai... », se met à crier plus fort que moi et à m'expliquer que je suis à lui, toute à lui, que Bichette passe encore, mais qu'Arsène non, pas question, il peut pas être question d'Arsène. « Pas question ? je m'écrie à nouveau. Comment ça pas question ? Est-ce que tu aurais perdu le sens ? » Et de lui demander, de plus en plus colère, s'il a le culot d'imaginer que c'est avec ce qu'il me donne que je fais marcher ma maison : quarante francs de loyer, je lui rappelle... vingt-deux pour Louise... quinze au bas mot pour l'habillage... vingt pour le traiteur quand il me colle pas en plus, et sans supplément, un de ses dîners d'amis... dix francs pour la lingère... dix pour la fleuriste... quinze ou vingt pour la modiste... cinq pour les parfums et autres accessoires que c'est lui, pas moi, qui y tient tant... dix pour la couturière qui est encore la moins chère du quartier... sans compter l'équipage que j'ai pas, le cabriolet que j'aurai jamais et la loge aux Variétés que je peux me mettre où je pense... Qu'il fasse le compte. Si, si, j'insiste, qu'il le fasse. Et qu'il m'explique simplement comment il croit que j'y arriverais avec ces maigres cent francs qu'il m'allonge tous les mois. Ça a duré un quart d'heure sur ce ton. Le pauvre Arsène, j'ai oublié de le dire, avait prudemment battu en retraite du côté des cabinets. Et il a fallu que je hausse encore le ton, que je monte sur mes grands chevaux, il a fallu que je lui dise que, même pour ces cent francs, je commençais à me poser des questions et que j'étais bien bonne, après tout, de bien vouloir les accepter, il a fallu tout ça, oui, pour que Monsieur se calme et s'avise de sa goujaterie. Ah mais!

12 mars. Serait-ce la dispute de la semaine passée qui aurait déjà porté ses fruits? Toujours est-il qu'il est venu m'annoncer aujourd'hui, l'air de rien, qu'il en a assez de ce logement et qu'il m'en a trouvé un autre, plus vaste, plus près de chez lui, où il a décidé de m'installer. A la bonne heure! Monsieur aurait-il enfin compris qu'on peut pas dire qu'une femme est à soi sans que ça vous coûte un minimum? Bonne fille, j'évite de lui en faire la remarque. Et on rit simplement, comme deux bons et vieux amis, de ce que la rue s'appelle (juré qu'il l'a pas fait exprès!) la rue de la Femme-sans-Tête.

16 mars. A ce qu'il paraît que cette histoire de Femme sans tête serait pas du goût de tout le monde. Il y a les amis d'abord, jaloux comme ça pouvait se prévoir, qui trouvent que je le pigeonne et veulent le monter contre moi. Et puis il y a cette satanée famille dont j'ai toujours pas, à l'heure qu'il est, vu l'ombre de la couleur et qui se mêle de trouver à redire à nos petits arrangements. « Une fille! aurait dit son général. Et une Noire! Est-ce que tu le fais exprès, ma parole? Est-ce que c'est fait pour me tuer? pour me salir la réputation? Est-ce que c'est fait pour accabler, déshonorer ta pauvre mère? » Sa pauvre mère! Je t'en ficherai, moi, des pauvres mères! Car est-ce qu'on y pensait, à la pauvre mère, certain matin, à Creil, au temps de la folle jeunesse de ces messieurs-dames? Est-ce qu'on en faisait tellement de cas, hein, de la réputation et du déshonneur, dans cette vieille histoire de charcutage qu'il a eu l'imprudence de me raconter un soir, sur l'oreiller? J'aime pas ces procédés. Mais faut pas me pousser non plus. Car j'en connais qui seraient fichtrement intéressés de savoir que, un mois à peine après ses noces, l'honorable épouse de l'honorable général machin a dû etc. Affaire à suivre. Aime mieux pas encombrer mon cahier avec leurs cochonneries.

19 mars. Ses amis... Ses amis... Il m'embête à la fin avec ses amis... On dirait qu'il y a que ça qui compte pour lui... Et quand il y en a un qui donne son avis, dans cette histoire de meublé par exemple, on croirait que c'est l'Évangile qui a parlé... Ce soir, j'étais pas d'humeur. « Tous des vauriens, je lui ai dit... Des macaques... Il y a qu'à voir leur allure... Leurs chapeaux toujours pisseux... Il y a qu'à voir leurs cheveux jamais soignés, leur saleté... D'ailleurs, je vais te dire : c'est à ton argent qu'ils en ont... Mais oui, à ton argent... Et, au lieu de voir le mal où il est pas, tu ferais mieux de t'apercevoir qu'ils finiront, si ça continue, par nous mettre tous les deux sur la paille. » Puis, comme il faisait la moue : « je les connais, bon

Dieu... J'en ai fait le tour... Tiens, pas plus tard qu'hier, je les entendais parler dans ton dos... Un fruit sec, qu'ils disaient... C'est rien qu'un fruit sec... Et ils se sont même permis, sachant pas que j'écoutais, d'imiter ta façon de parler... » Et puis, comme ça suffisait toujours pas, que Monsieur avait l'air de croire que c'est Jeanne qui imaginait tout ça : « N***, par exemple... C'est ton ami, N***, n'est-ce pas ? Un vrai de vrai ami ? Eh bien celui-là, tu penses si j'ai eu affaire à lui : tu as pas plus tôt tourné les talons qu'il est déjà sur moi à me raconter ses avantages et à me faire sa cour de saligaud... » J'y suis allée fort, j'en conviens. Mais le moyen, autrement, de faire taire les langues de vipère ?

27 mars. Nouvelle dispute à propos des amis – rapport à un qui lui aurait dit qu'il est transformé depuis qu'il me connaît, qu'il travaille plus, qu'il fait plus ses vers comme avant et que, au train où je lui coûte, il aura tout mangé au nouvel an. « Pourquoi tu donnes crédit à ces blancs-becs, je lui ai dit, à la fois pour le rassurer et pour reprendre l'avantage... Ils te comprennent pas... Ils s'intéressent pas aux mêmes choses que toi... Ce que tu aimes, toi, c'est marcher... Est-ce qu'ils aiment marcher, eux ? Hein : est-ce qu'ils aiment marcher, eux, par hasard ? » L'attaque a porté cette fois et j'ai vu son visage se défaire plus encore que l'autre jour à propos des mensonges que je lui racontais sur N***.

28 mars. C'est pas que j'aie quelque chose contre ses amis. Non, non, c'est pas que j'aie quelque chose. Même que s'il était pas là, et que je les rencontrais sans lui, il y en a quelques-uns dans le lot que je mettrais bien dans mon lit. L'affaire, en fait, c'est lui. Lui seul. Je le sens trop content, quand il est avec eux. Et ça m'agace de le voir comme ça, si à l'aise, alors que quand c'est moi qui reçois et fais la fête avec mes filles, il est toujours à râler, à venir faire son loup-garou, et à dévisager le monde sans dire bonjour. Et puis ce qui me chiffonne c'est le zèle qu'il y met. Besoin de les voir. Besoin de causer. Besoin de rire avec eux, de leur raconter des histoires qu'il m'a déjà contées et à qui j'ai déjà fait tout l'accueil qu'elles méritaient. Est-ce que je te suffis pas, j'ai envie de lui dire? Est-ce que tu as pas assez d'une muse? Et est-ce que ce serait pas mieux, vu ce que tu as sur la planche, de rester sagement avec moi, bien au chaud, les soirs qui sont prévus pour ça? Il y a des jours, ma parole, où je regrette qu'il soit pas seul, abandonné de tous, déshonoré. Je me dis, ces jours-là, que ce serait délicieux s'il avait plus ni amis ni famille et si j'étais seule à l'aimer, à le comprendre, à lire encore ses jolis vers. La nuit dernière par exemple, ça a l'air bête mais c'est la vérité : j'ai rêvé qu'il perdait sa mère et qu'on était là, tous les deux, au cimetière, lui très digne, moi à son bras, sa dernière consolation. Des orphelins... On serait comme deux orphelins... J'aurais plus besoin de son argent vu qu'il en aurait plus. Et c'est moi qui en gagnerais pour nourrir le petit ménage. Comment? Ah ça, désolée! J'ai pas trente-six métiers. Mais l'avantage c'est que, pour le coup, il pourrait rien y redire.

29 mars. C'est amusant ton affaire, s'exclame Bichette. Il y a des hommes, je te le dis souvent, qui se ruinent pour leurs mignonnes et mettraient le monde sur la paille pour le plaisir de nous gâter. Le tien pas. Non, non, ne prétends pas, le tien est pas de cette race-là. Et comme, au fond de toi, tu le sais aussi bien que moi, qu'est-ce que tu fais ? Eh bien ce que tu peux pas prendre là, tu le prends ici. Et ce pauvre poète qui a jamais demandé au bon Dieu que de poétiser en paix, tu es en train de faire avec ses poèmes ce que fait Mimi avec l'argent du duc de B***. A moi ! A moi ! Tout ça est à moi ! Et, à défaut de lui manger la bourse, vivement que je lui dévore la cervelle !

11 avril. Encore une dispute aujourd'hui. On est chez lui. Hôtel Pimodan. Je suis sur mon sofa, comme d'habitude, dans la position que je sais qu'il aime. Lui est debout. Marchant de long en large. Il a sa figure longue, rasée de trop près, des jours de mauvaise lune. Et j'ai pas besoin de chercher bien loin pour deviner que c'est encore cette sacrée famille qui le tracasse. « Présente-les-moi, je lui dis de mon air le moins effronté... Je leur plairai, tu verras... Je les retournerai... Est-ce que c'est pas un homme, après tout... ? Et est-ce que je m'y entends pas, moi, avec les hommes... ? » Mais, au lieu de me répondre oui ou non, il m'a jeté un regard noir, scandalisé. Ce qui, me connaissant, pouvait que me mettre hors de moi et me faire changer de ton moi aussi. « Qu'est-ce qu'il y a ? je lui lance. Qu'est-ce que c'est que cette tête de navet ? Est-ce que tu me trouves pas assez bien, par hasard ? Est-ce que tu as peur ? Honte ? Ça te fait honte, hein, de montrer ta muse noire ? » Puis, reprenant mon souffle : « non mais qu'est-ce que tu crois ? Qu'elle est pas faite comme tout le monde, ta foutue mère ? Tu crois qu'à Creil, le jour que tu m'as raconté, elle faisait tant la fière ? » Je suis partie, après cela. Furieuse. Ah ! oui, pour être furieuse j'étais furieuse ! Car c'est vrai, à la fin : qu'est-ce que c'est que ces façons de me donner du ma reine par-ci, ma muse par-là, et de même pas être fichu de me présenter à sa famille? Monsieur Perrochon faisait pas tant de manières, lui! Ni le baron Calvez! Ni ce pauvre giletier de la rue de Cléry dont je me rappelle plus le nom à la minute mais qui était si fier, lui, de m'amener à Ville-d'Avray. Et Dieu sait que, de ce côté, il y avait rien de rien à gratter. Il y a pas comme les riches pour se conduire comme des malpropres.

23 avril. Oh le méchant! Ce que j'aime le plus, c'est quand il me récite ses vers. Parce que j'ai peut-être pas beaucoup d'instruction. Mais, instruction ou pas, il y a des cadences là-dedans, des sons, des mouvements, qui, vu ce que je sais en plus de la personne qui les inspire, me font plus d'effet qu'une mazurka au Café Tabourey. Ce matin alors (parce qu'il a obtenu ça de moi, j'ai pas eu l'occasion de l'écrire encore : qu'on change nos habitudes et qu'il y ait des matins, maintenant, où je lui permette de venir me voir) j'étais spécialement remuée et il m'est venu une petite idée. « C'est beau, je lui ai répété! C'est tellement beau! Mais ça devrait pas être à toi de les dire! Tu peux pas et les écrire et les dire! Je vais te les réciter, moi, tes poèmes. Tu vas me les apprendre et je vais les réciter. On me mettra un habit de muse. On louera la Tour d'Argent ou le Café Duval. Et avec tout le beau monde que tu connais, on fera imprimer des cartons. » Ça me semblait plaisant, moi, comme idée. Normal. Il vit avec une actrice : pourquoi est-ce qu'il en profiterait pas? pourquoi, avec ce que ça lui coûte, il essaierait pas d'en tirer avantage? Eh bien lui, pas du tout. Et au lieu de me dire « oui, bien sûr, merci, ça sera un joli succès », il a fait celui qui entendait pas, puis qui comprenait pas bien; et comme j'essayais de lui expliquer, de lui raconter comment je ferais, comme je commençais à lui vanter tout le bénéfice qu'il en tirerait, s'est fermé comme une huître et a prétexté une course qui le forçait à sortir. Sa muse... Sa muse... C'est vite dit... Parce que c'est comme pour la famille : moins on la montre, mieux on se porte...

26 avril. Tant pis pour lui ! Ah ça oui, tant pis pour lui ! Car Monsieur me fait surveiller, maintenant. Et il paraîtrait que, ce faisant, il aurait trouvé qu'un jeudi sur deux, de dix à douze, je continue de recevoir mon pauvre baron Calvez. Que le baron soit trop fatigué maintenant pour me faire grand mal n'a rien à faire là-dedans. Et j'ai pas voulu m'abaisser à raconter que j'ai même plus besoin de me déshabiller quand il vient, vu que tout ce qu'il demande c'est de se coucher, de se déboutonner et de pousser ses petits cris de phoque jusqu'à temps que je l'ai soulagé. Ce qui est fort dans tout ça c'est la mentalité que ça révèle. Pire : c'est que ce soit lui qui m'espionne et lui qui, ensuite, vienne pleurnicher. Car il veut quoi, au juste ? Que je reçoive le baron tous les jeudis ? Tous les matins ? Il préférerait que je fasse ça ouvertement, au vu et au su de tout le monde, et notamment de sa famille ? J'ai été parfaite, moi, dans tout ça. Exemplaire. J'ai pris la peine, je dis bien la peine, de lui cacher une affaire qu'il a qu'à s'en prendre qu'à lui d'avoir découverte au grand jour. Et il faudrait, en plus, que, pour le plaisir de lui faire plaisir, j'aille renoncer à ma rente ? D'accord, je lui ai dit... Si, si, j'y renonce après tout... Mais dis voir ce que tu donnes en échange et si tu payes à sa place les corsets à fines baleines que tu es pas le dernier à apprécier. Est-il besoin de préciser que, joignant la lâcheté à l'impudence, il s'est bien gardé de répondre?

3 mai. Comment est-ce que c'est venu cette fois? Une question d'argent à nouveau? De famille? La pauvre Louise qu'il peut décidément plus supporter? L'odeur de violette qu'a osé laisser Bichette sur la taie d'oreiller de Monsieur et qui est, d'après lui, l'odeur des maraîchères? Franchement, je sais plus. Car c'est le genre de bagarres si furieuses qu'une fois qu'elles ont éclaté et qu'elles ont tout chamboulé, plus personne se rappelle par où elles ont commencé. Il est devenu fou en tout cas. Hurleur. Insulteur. Les yeux fixes, lançant des éclairs, comme ceux (Dieu me pardonne!) de feu son père du portrait. Si bien qu'au lieu de lui tenir tête comme je faisais les autres fois, je me suis trouvée tout apeurée, effrayée par les deux grosses veines que je lui voyais gonfler sur le front et ne sachant, face à ces cris, que me pelotonner sur mon divan. Est-ce que ça va le calmer, je me suis dit? Nenni! Ça l'a redoublé de plus belle. Au point de s'emparer d'un tabouret, de le briser contre la cheminée, de casser avec le pied restant mes vases et mes flacons – et, avec le clou qui dépassait, de se déchirer la soie de la chemise, puis le bras et le poignet. « Parle! qu'il disait en se meurtrissant. Parle! Mais est-ce que tu vas parler! » Puis, se meurtrissant de plus belle : « tiens! c'est ça que tu veux, n'est-ce pas? hein, dis-le que c'est ça que tu veux! » Jusqu'à ce que, m'entendant, de plus en plus pelotonnée, lui crier : « arrête! arrête! tu es fou! », il jette son arme à terre et se précipite vers moi avec un hurlement mi de rage mi de triomphe. « Arrête, je lui répète! je t'en supplie, arrête! » Mais lui est déjà là. Et, presque calme tout à coup, me lançant entre ses lèvres : « tu ne comprendras donc jamais rien », il m'assène une gifle si brutale qu'elle me fait tomber du canapé. Autant vaut ça, je me dis, malgré la douleur qui me cuit la joue : je vais pouvoir rester là un moment, à faire l'inanimée et il va croire qu'il m'a tuée. « Hé petite! je l'entends murmurer. Est-ce que ça va? Est-ce que je t'ai fait mal? » Et moi, le sentant qui commence à s'affoler, se lever, revenir, aller chercher un carafon d'eau, un linge, des sels au fond du buffet, appeler Louise, me tapoter une joue, l'autre, je me garde de rien bouger et me dis, par-devers moi : « comme le voilà empêtré! »

7 mai. Il m'a dit que ça peut plus durer, qu'on est en train de se damner. Je lui ai répondu : « hé là! hé là! je te sens venir! crois pas que tu vas t'échapper comme ça! »

8 mai. Il m'a dit que j'ai peut-être raison après tout, qu'il est pas celui qu'il me faut – il y a tant de protecteurs à Paris à la fois plus riches et plus libres. Je lui ai répondu que non, c'est lui que je veux et que, malgré qu'on se déchire, j'ai jamais senti avec un amant des liens si bien serrés.

9 mai. Dispute encore. Mais tout doux... Tout doux... Comme si on savait déjà tout d'avance et qu'on ménageait nos forces pour un long, très long voyage... Tu es mon malheur, qu'il m'a dit, tu es ma malédiction... Et moi je lui ai renvoyé tout à trac – et j'en suis pas mécontente : « je t'ai tout sacrifié moi aussi... tout... Calvez... Perrochon... le giletier... les autres... je t'ai sacrifié ma position... mon avenir... »

4

LE jour est très haut, maintenant. Très glorieux. C'est une belle lumière de midi, soufrée, un peu ocre, qui entre dans la pièce, balaie son pauvre désordre et s'étire jusqu'à l'oreiller. Lui est là, toujours. Les autres – Marcq, Ballotin, la Lepage, toute la troupe... – sont sortis, mais il est là. Il a la tête en arrière. La bouche légèrement ouverte. Le bras droit, celui que la paralysie a frappé, crispé sur la poitrine. La main gauche, ballant en dehors du lit, continue de serrer le cahier. Et sans le frémissement du drap, léger, à peine perceptible, entre le bras et le menton, on pourrait douter qu'il vive et qu'il respire encore. Il faudrait se lever, songe-t-il. Se traîner à nouveau vers le coffre. Il faudrait, avant qu'ils ne reviennent et n'emplissent à nouveau la chambre de leur insupportable caquetage, ramasser les feuillets volants, les rassembler dans le cahier et remettre le tout en place. Hélas, il ne peut pas. Il n'en a littéralement plus la force. La fatigue, sans doute. La souffrance. Ce fichu côté du corps qui obéissait tout à l'heure, juste après le départ de la compagnie quand, à grand-peine, rampant plus que marchant, il est allé jusqu'au coffre aux secrets – mais qui, maintenant, ne répond plus. A moins que ce ne soit cette lecture qui l'ait épuisé et qui, à la façon d'un corps à corps ou d'un choc, l'ait provisoirement anéanti.

Car il le connaît, ce cahier. Il l'a lu. Relu. Tel un amateur de rébus et comme s'il devait y trouver, cachée dans le lacis des mots, la clé de tous les mystères, il y est cent fois revenu depuis bientôt vingt ans. Parfois même, quand il désespérait de rien découvrir, il se contentait de l'ouvrir au hasard, sans lire ni réfléchir, pour le seul plaisir de revoir (mais n'était-ce vraiment qu'un plaisir? n'était-ce pas une autre manière, plus rêveuse, plus légère, de scruter le silence de ses pages?) cette belle écriture sage, dont les fautes mêmes et les ratures semblaient chargées de sens. Et elles ne l'ont pas quitté, ces pages, elles l'ont accompagné de domicile en domicile depuis ce jour lointain où Jeanne, ivre, déchaînée, hurlant qu'il était trop pauvre pour lui payer de quoi se chauffer, jetait dans le poêle tout ce qui lui tombait sous la main et où lui, dans son dos, sans qu'elle y prêtât même attention, sauvait de la fournaise ce qu'il en pouvait tirer : un bijou, une houppette, un volume des *Histoires extraordinaires*, un blaireau, un soulier auquel il tenait et puis ce gros volume, à la couverture cirée rouge, que les flammes tardaient à atteindre. Donc, ce journal, il le connaît. Ses parfums les plus délétères devraient être éventés depuis longtemps. Or l'étrange est qu'il garde à ses yeux l'essentiel de ses pouvoirs et qu'il ne peut toujours pas le lire sans se sentir lui-même brûlé, remué au plus profond. Comme chaque fois surtout, comme la toute première fois et les suivantes, il a le sentiment, plus étrange encore – et c'est, il le sent bien, la vraie source de son malaise –, d'une histoire qui n'est pas la sienne.

Les épisodes, déjà. Il ne reconnaît pas les épisodes. Il revoit bien Louise. Ou Bichette. Il revoit le jour où, mi-fière mi-retorse, sa muse de boulevard lui a présenté sa « chère amie ». Celui, dont elle parle peu, où, pour la première fois, il les regarda s'aimer toutes les deux. Celui encore où c'est toujours elle, l'amie Bichette, qui, de l'air cauteleux de l'amie-qui-vous-veut-du-bien, vint le voir en secret pour lui révéler l'affaire Calvez. Calvez... Il se rappelle même Calvez... Il se rappelle, Dieu sait pourquoi, qu'il avait une femme, tuberculeuse, qui s'appelait Léone... Mais il ne se souvient pas du giletier. Il ne se souvient pas de cet Arsène. Il n'a, même en cherchant, pas le moindre souvenir de ces soirées de filles dont elle semblait faire si grand cas et où il prenait, selon elle, des mines de loup-garou. Et quant à ces « dîners d'artistes » où elle avait l'air de se flatter qu'on la reluque en sa présence, quant à ces histoires de poèmes qu'il lui dictait, de bahuts fermés à clé ou d'odeurs de violette sur l'oreiller, il se les rappelle vaguement – mais pourquoi elles ? pourquoi celles-là ? pourquoi s'étendre sur ces détails quand il y a tant d'événements dont elle ne souffle mot ? pourquoi ce fameux Arsène et leur grotesque nez à nez, et rien, le même jour, sur sa querelle avec sa mère – dont il lui fit, pourtant, le récit bouleversé et qui, parce qu'elle touchait déjà à son futur conseil judiciaire, était un présage bien plus funeste ?

Le ton aussi. C'est le ton de ces pages qui le surprend. Car Jeanne était rude, c'est entendu. Brutale. Calculatrice. Elle le sera de plus en plus à mesure que passeront les années et qu'elle deviendra cette harpie, vieillie avant l'âge, amère, le poursuivant jusque dans ses retraites de ses insultes, de ses cris. Mais là ? Dans ces semaines ? En ces heures éblouies de la découverte, de la rencontre? Ce n'était pas cela, voyons! Ce ne pouvait pas être cela! Aussi fourbe fût-elle, aussi rouée, elle ne pouvait pas le voir de cet œil noir. Et il ne peut imaginer qu'elle ait cru à cette succession de mesquineries, de calculs chiches, de piètres émois qu'elle alignait comme à dessein tout au long de son cahier. Jeanne... Chère Jeanne... De l'antique Vénus le superbe fantôme... Tu étais si belle alors... Quoi que tu prétendes, ma brune, quoi que tu dises et médises, je sais ce que tu pensais... Je sais comme tu étais, comme tu frémissais sous mes caresses... Et je me rappelle ces jours où je ne te caressais plus du tout et où, à demi-mots, de ce simple mouvement de paupières qui, chaque fois, te suffisait, je t'autorisais ce que tu appelais tes « grandes indolences »... O adorable sorcière! O ma frivole, ma terrible passion! Tu étais nue. Tu étais noire. Et nue, et noire, le ventre bien à plat sur le rêche du drap, tu avais des regards qui, grâce au ciel, ne trompaient pas et qui étaient, à mon adresse, de gratitude, de soumission ou de plaisir.

Ces histoires d'argent, encore. Que Jeanne ait monnayé ses charmes, qu'elle en ait parfois vécu, qu'elle l'ait trahi par intérêt plus que par amour ou par désir, sans doute. Sûrement. Et c'est même, à la réflexion, son honneur et son mérite de l'avoir fait ainsi – naïve, innocente, sans se donner la peine de maquiller ni de tricher. Mais de là à se dépeindre comme une fille de profession, de là à se concevoir, se vivre comme une grue, il y a un pas que, lui, dans ce temps-là, n'aurait jamais franchi. De là à apparaître aux yeux du monde, des autres et, notamment, de ses amants, comme quelqu'un que ce nom – « grue » – pouvait définir et résumer, il y a un abîme qui, aujourd'hui encore, lui reste inconcevable. Trop singulière, sa Jeanne. Trop rebelle. Trop étrangère, en fait, à *tous* les types de femme, jusques et y compris celui-là. Trop autre. Trop altière. Idole sans nom, au regard trop absent. Une catin, quelle drôle d'idée! Quelle invraisemblable raccourci! Quelle cruelle, et sotte, façon de résumer un être qui avait ceci de commun avec lui qu'il changeait, chaque matin, de peau et de visage!

Il se rappelle l'histoire du coiffeur. Celle des voisins de la rue Beautreillis. Il se rappelle les commerçants qu'elle achetait. Le petit garçon de course qui, deux, trois fois certains jours, montait se faire « gâter ». Il se rappelle ces bals de quartier où, frénétique, les prunelles ardentes, dansant au rythme du rhum et de ses rêves, elle se vendait, l'aube venue, pour un sol ou une bouteille, à celui dont le regard, humble ou brûlant, l'avait le mieux adorée. Et récemment encore, à Neuilly, alors qu'elle était si malade, qu'elle se déplaçait à grand-peine, alors qu'il ne la voyait plus que le visage plâtré de céruse et de poudre, et qu'il avait la nausée à la seule idée de ce vieux corps livré aux grimaces de l'amour – que faisait donc ce prétendu « frère », toujours à son chevet, qui geignait, quand il le voyait, que « sa sœur et lui étaient à court »? Il vivait d'elle, pardi. Il vivait des pauvres faveurs qu'elle continuait de prodiguer, machinale, inlassable, aux pouilleux qui montaient encore. Il avait beau le savoir, cependant. Il a beau le savoir aujourd'hui. Jamais il n'aurait laissé dire pour autant, avec ce que le mot a de définitif et assassin : « Une putain, Jeanne Duval est une putain. »

Le vrai mystère, bien sûr, serait de savoir pourquoi elle, en revanche, non contente de laisser dire, s'est tant complu, dans son journal, à l'écrire et le répéter. Pourquoi, oui? Par quelle disposition, quelle inclination inavouée? Pourquoi, comment, alors qu'elle savait que c'était faux, alors que c'était faire injure, non seulement à lui, mais à elle et à la complexité de son personnage, avoir donné de ce qu'elle vivait cette accablante peinture? Perversité, a dit Coco, un jour qu'ils en parlaient... Volonté de se réduire, de s'amoindrir... Ce goût de décevoir si fréquent chez certaines femmes et qui serait, d'après lui, la plus perfide des trahisons... Sans parler de cet autre piège, dont elle n'aura mesuré ni le risque ni la portée et qui tenait à la forme même de l'exercice, nouveau pour elle, qu'était cette écriture. Il y a des gens dont on dit que les mots dépassent la pensée. Il y en a d'autres, beaucoup d'autres, dont les mots, à l'inverse, sont en dessous des émotions. Jeanne était de ceux-ci. Instruite certes. Loin de la grisette analphabète que certains l'auraient voulue. Mais peu familière, néanmoins, des ressources du langage! Peu experte, la chère chérie, en artifices et ruses de mots! Et si prompte à tomber alors, faute des tournures appropriées, dans l'ornière des formules qu'une fille de sa condition trouvait toutes faites autour de soi! Pauvre Jeanne... Elle croyait, par ce cahier, révéler son cœur de femme dans sa plus subtile richesse. Alors qu'avec ses petits mots médiocres, usés jusqu'à la corde, elle ne pouvait que l'appauvrir, le rétrécir – et mentir, au fond, comme jamais.

Détruire ce journal, dans ce cas. Le brûler. Rendre aux flammes ce qu'il a tiré des flammes et qu'il aurait dû y abandonner... Souvent il y a pensé. Souvent il s'est dit : pour elle, pour Jeanne, pour l'amour de Jeanne et de sa mémoire, il faudra y venir un jour et faire disparaître ce fatras.

Curieusement, pourtant, il ne l'a pas fait. Et ce n'est pas aujourd'hui, tandis qu'il n'a plus la force de se lever pour le remettre dans sa cachette, qu'il va s'y décider. Le mieux, songe-t-il alors, est peut-être de s'en remettre une fois de plus à ce livre qu'il fomente depuis le début de la matinée et d'imposer, sur ce point aussi, sa propre version des choses. Un livre pour démentir. Un livre pour rétablir. Un livre pour Jeanne, contre Jeanne, qui s'emploiera à donner de Jeanne cet autre visage qui lui revient et qu'elle n'a pas su ni voulu rendre. Il dira les langueurs de Jeanne. Ses indolences canailles. Il dira les poses qu'elle prenait, qui étaient des poses de fille en effet – mais dont il savait bien qu'elle ne les prenait qu'avec lui. Il dira ses jambes. Sa chair. Il dira sa crinière lourde, au parfum de musc et de havane, qu'il a cent fois chantée. Il racontera sa peau, noire comme les nuits, qui suffisait à le mettre en extase. Et il racontera leurs nuits, claires comme ses prunelles, où s'ouvraient, pour eux deux, les portes de l'infini. Il ne brûlera pas les mots de Jeanne. Il les recouvrira, les grattera. Il leur opposera ses mots à lui, et toute la mémoire dont ils sont pleins. Et, de ce palimpseste, il fera la plus belle, la plus somptueuse des statues.

S'il l'aimait, sa Jeanne? Si elle, de son côté, l'aimait? Non, ce n'est pas cela non plus. Il ne faudra surtout pas dire les choses comme cela. Le mot leur allait si mal! La chose tellement plus mal encore! Ils étaient tellement ennemis, chacun à sa façon, de tout ce qui pouvait ressembler à de l'élégie, du sentiment! Ce qu'il veut dire, en fait, c'est qu'ils étaient liés. Attachés l'un à l'autre. Unis et comme enchaînés par un pacte secret, d'âme autant que de chair, qu'ils ne formulèrent jamais mais qu'il fallait être aveugle pour réduire à une affaire de vénalité. Et ce qui n'est pas douteux non plus c'est qu'il était si fort ce lien, si tenace, qu'il a résisté à toutes les disputes, survécu à toutes les ruptures et qu'aujourd'hui encore, dans cette chambre, alors qu'il ne l'a plus vue depuis des années et qu'il est peut-être, lui-même, en train de partir pour de bon, c'est à elle encore qu'il adresse ses dernières pensées. Esclave d'elle. Esclave de lui. Esclaves, tous les deux, et depuis le premier jour, d'une passion terrible et fervente qu'ils n'avaient jamais connue. Et enchaînement de leurs deux êtres à un charme dont ils comprirent – ils le comprirent vraiment! elle autant que lui! – qu'ils ne s'en déprendraient jamais. Ce n'était pas de l'amour. Ça n'avait rien à voir, grâce au ciel, avec ces pâmoisons imbéciles que l'on désigne de ce mot. Mais il faut croire qu'il y a des liens qui ne sont pas ceux de l'amour et qui, plongeant plus loin dans le gouffre des âmes et des sens, aimantent comme nul autre le riche métal du désir.

S'il doit nommer ce lien, s'il décide de le décrire et de le cerner, sans doute sera-t-il conduit à reprendre l'un de ses vieux mots, roui et comme épuisé par l'usage qu'il en a fait mais qui n'en exprime pas moins l'essence de ce pacte. Ce mot c'est celui de « Mal ». Leur goût commun du Mal... L'exercice en commun du même Mal... Le fait, pour être précis, d'être allés de conserve, du même pas et du même élan, au bout de quelques-unes des épreuves qu'il a passé sa vie à vivre, décrire et conjurer. Il dira lesquelles dans le livre. Il le dira dans le détail. Il racontera l'élan, le démoniaque appétit. Et malgré l'horreur qu'il en ressent, malgré le vertige et l'épouvante, il tentera de retracer les étapes de ce voyage. Ce qu'il sait, pour le moment, c'est que la vérité est là. Enfin : une partie de la vérité. La plus trouble sans doute. La plus difficile à accepter. Ce qu'il sait, ce qu'il sent, c'est que ce lien n'aurait jamais été ce qu'il a été s'il n'avait également pris la forme de ce drôle de contrat maléfique – s'il n'avait été scellé dans cette fascination commune du péché, de la faute, de la torture, du crime. Jeanne, sa proche, sa très proche. Sa complice, sa conjurée. Jeanne, sa chère Jeanne, qui n'a pu être « sa muse » que pour autant qu'elle l'accompagnait – et, parfois, le précédait – dans ces paysages de fange et d'infamie, où demeurait sa poésie.

Est-ce qu'il n'est pas en train de se contredire, alors? Est-ce que toutes ces noirceurs qui lui reviennent et qu'il prend plaisir à évoquer ne sont pas l'exact contraire des fastes de tout à l'heure? Et est-ce que ce n'est pas elle, à ce compte, qui avait raison avec ses pauvres récits, ses visions lamentables et sordides? Non! Cent fois non! Car c'est la même chose, bien entendu. Il n'y avait pas le faste d'un côté, l'infamie de l'autre. Mais le faste *et* l'infamie. La gloire *et* l'abjection. L'ivresse enchantée de la chair *et* le dégoût de cette même chair. La fraîcheur d'une haleine, la caresse d'un regard – et puis, dans le même temps, sans délai ni paradoxe, la certitude de faire quelque chose de très sale ou de très coupable. Comme tous les amants? Comme tous les amants. Encore qu'ils auront, eux, vraiment aimé leur dégoût; sincèrement chéri leur misère; encore que, les années venant, ils aient fini par chérir jusqu'au parfum de vice et d'ordure qui envahissait leur vie; encore, oui, qu'il n'y ait pas un couple d'amants qui soit allé, comme eux, jusqu'à couver sa maladie avec son cortège de souillures et d'onguents, de stupre et de pustules. O leurs pauvres chairs vérolées, affublées de dentelle pour lui, de soie et de satin pour elle – et dont la pestilence même leur semblait encore adorable !

Jeanne déchue maintenant. Décatie. Jeanne vaincue par la maladie, ruinée, détruite d'un seul coup – comme souvent ces femmes trop belles qui cassent sans avoir fléchi, s'effondrent sans vraiment vieillir. Il revoit son œil humide. Son teint cadavéreux. Il revoit sa peau cuivrée d'autrefois, couverte de croûtes et desséchée. Il la revoit certains matins, un rictus de haine à la bouche et sa bouteille de rhum à la main, venant le réveiller en fanfare et exiger sa « pension ». Ce qu'il lui trouvait, à cette Jeanne-là ? Ce qu'elle lui inspirait ? Rien, bien sûr. Sauf l'idée, justement, de cette misère. L'image de cette détresse. Rien, vraiment rien de ce qui retient, d'habitude, les amants – sinon le spectacle d'une déchéance qui était comme l'ultime témoignage de leur commerce avec le Mal. Ses amis, quand ils cherchaient à comprendre pourquoi il ne la quittait pas, pensaient que c'était par pitié. Ou, ce qui revient au même, par habitude. Ils avaient tort. Car il savait bien, lui, que s'ils restaient ensemble c'était à cause du « lien » toujours. Du « lien » plus que jamais. Il savait – il sait – que c'était en hommage aux fantômes qu'ils avaient côtoyés et dont elle portait les stigmates. Ils étaient semblables à ces amants de l'Enfer de Dante qu'un maléfique attachement voue à tourner, tourner ensemble, dans la même inlassable spirale. Et comme eux, comme ces maudits entre les maudits, ils étaient condamnés à voir leurs pauvres corps se mêler, s'entrechoquer dans un emballement sans fin.

Où est-elle à présent ? Que fait-elle ? Est-il vrai, comme on le lui a dit, qu'elle serait impotente ? Paralytique ? Est-il exact – ou est-ce la légende qui commence – qu'on l'aurait vue l'autre semaine, idiote déjà, tombée en enfance, se traînant sur des béquilles du côté de la porte de Picpus ? Dieu seul le sait, a dit Nadar d'un geste vague à celui qui leur racontait l'histoire. Oui, certes, Dieu seul le sait. Mais il y a une chose qu'il sait, lui, c'est que où qu'elle soit, quoi qu'elle fasse, et même si elle n'a plus l'esprit de penser ni de s'adresser à lui, le même fil invisible continue de les relier. Lui dans son lit, elle dans le sien. Lui dans son hôtel, elle dans son hospice. Lui malade ici, à Bruxelles, de cette maladie sans nom ni remède – elle malade là-bas, à Paris, d'une maladie qu'il imagine jumelle. Les mêmes symptômes. Les mêmes douleurs. Le même bourdon dans les oreilles. Le même voile devant les yeux. Il imagine qu'elle a autant de peine à marcher, à avaler – autant de plaisir, au réveil, à boire un peu d'absinthe. Il entend le craquement de ses articulations quand elle bouge, comme lui, un peu trop fort. Il sent sa stupeur. Son ahurissement. Il voit ses raidissements, ses étouffements. A croire que le même mal, vraiment le même, travaille leurs corps à distance – et qu'elle continue, sa diabolique, de s'acharner sur lui, de le poursuivre.

5

ET puis voici qu'arrive son père. Le soir est tombé. Le médecin, la logeuse, leur inévitable cortège de curieux et de voyeurs, ont fini par revenir. Et voici qu'arrive dans sa tête ce pauvre père de malheur dont il s'avise que, depuis ce matin, tout au long de ces heures de souvenir et de pensée, il n'a rien évoqué. Pas un mot de l'homme, de ses manières affables, de sa courtoisie si raffinée, du vieux monsieur à cheveux blancs et au pas majestueux que l'on prenait pour son grand-père quand il l'emmenait au Luxembourg. Pas un mot de leurs promenades ni des conversations où il l'initiait à sa passion de la peinture. Pas un mot de sa maladie, puis de sa longue agonie, dans un lit pareil au sien et dans une solitude plus grande encore. Pas un mot de cette solitude ni des nuits de douleur qu'il passa dans sa bibliothèque avec, pour tout secours, une vague garde-malade. Pas un mot des gouaches inachevées, représentant des jeunes femmes en grand émoi de chair, qui traînaient au pied du lit et qui lui avaient fait si peur un matin où, par exception, on l'avait autorisé à l'embrasser. Pas un mot de ce corps décharné, qui flottait dans sa chemise et dégageait de vilaines odeurs de poudre et de pommade quand il s'était levé, était allé en trébuchant jusqu'à sa bibliothèque et, soucieux, aurait-on dit, d'opérer avant de mourir une dernière vérification, avait longuement consulté un volume de son Encyclopédie. Et pas un mot non plus (or c'est tout de même l'essentiel : peut-il, sans cela, imaginer ce livre?) du terrifiant secret que sa mère, bien plus tard, allait lui révéler.

Était-ce un secret, d'ailleurs? Un vrai secret? Était-ce l'une de ces révélations que rien ne laisse présager et qui mettent, quand elles arrivent, une vie sens dessus dessous? Oui, bien sûr... Fatalement... La chose était si grave... On avait mis tant de soin à la lui dissimuler... Aujourd'hui, pourtant, il se demande si, au fond – et à l'insu des adultes autour de lui –, il ne s'en était pas toujours douté. Un mot par-ci... Une allusion par-là... Une conversation interrompue parce qu'il était dans la pièce voisine... « Attention, le petit écoute... – Non, non, il n'entend pas... Il ne peut pas comprendre... » Lui qui, en effet, ne comprenait pas, mais enregistrait néanmoins, quitte à les déchiffrer plus tard, ces minuscules informations... Et puis, du vivant de son père, ces mystères, ces bizarreries, toute cette partie de sa vie dont il ne parlait jamais... Sa démarche... Son maintien... Cette façon qu'il avait de se tenir un peu voûté; de marcher de long en large dans sa chambre, le soir, quand il se retirait; ou bien encore, à table, quand Caroline ne l'observait pas, de rompre le pain à deux mains, d'un air étrangement pénétré...

Qu'est-ce que cela voulait dire? Où avait-il pris ces habitudes? Dans une prison? Une forteresse? Ce papa si digne, si correct, que l'on saluait si bas quand ils passaient devant le Sénat, aurait-il eu, par hasard, un passé inavouable? Il y avait là des signes qui, même s'il était trop petit pour en pénétrer le sens, devaient lui donner l'éveil. Sans parler de son regard enfin, si noir – le regard d'un homme qui a tout vu, tout compris, mais qui, loin, comme on aurait pu s'y attendre, d'en être illuminé, ne semblait en avoir gardé qu'une inguérissable mélancolie. Un regard perçant mais fermé. Pénétrant mais opaque. Le regard de quelqu'un qui aurait élucidé les plus brûlantes énigmes mais qui, désespérant de les transmettre, aurait résolu de se taire à jamais. Un coup d'œil là-haut, au-dessus du lit, en direction du portrait... C'est ça, oui... L'artiste n'était pas très remarquable. Mais le regard, lui, est rendu... C'était bien ce regard sombre, dont on devait aussi bien dire, selon l'humeur ou le moment : « un regard lourd, immémorial, un regard qui a l'âge des plus anciens mystères » ou : « le regard mat, presque terne, d'un homme qui, parvenu au bout d'on ne sait quelle épreuve, y a perdu son âme ». Bien dire comme il l'impressionnait, ce regard. Bien dire qu'il témoignait, lui aussi, pour l'horrible et insaisissable secret.

Horrible est-il le mot, d'ailleurs? Le secret – pour autant, donc, qu'il y eût secret – était-il aussi tragique qu'il aurait, aujourd'hui, tendance à le penser? Là non plus, il ne sait pas. Il n'arrive plus à se rendre compte. Car l'histoire était certes épouvantable. Et sans doute ne pouvait-il rien entendre, à l'époque, de plus évidemment choquant. Mais il y avait dans l'énormité même du crime, dans son incongruité, il y avait dans la singularité du cas que le sort lui soumettait et qui se trouvait être celui, non d'un héros de roman, mais de son père, quelque chose qui, à force, finissait par le flatter. Il se souvient de l'air de sa mère ce matin-là. Il se souvient de sa gêne, de ses précautions. Il se souvient qu'elle l'avait amené, pour lui parler, dans la pièce en principe interdite où se trouvaient, outre un vieil habit couvert de poussière qui « lui » avait appartenu, les quelques rares papiers qu'elle avait, Dieu sait pourquoi, gardés de cette époque. Et il se rappelle comment lui, malgré le choc, et en même temps qu'il le recevait, n'avait pu se retenir de penser qu'il avait un père « unique », une famille « intéressante » et que ses camarades ne manqueraient pas, le lendemain, d'être « jaloux » de son histoire.

Il était en troisième cette année-là... Non, en seconde... (c'est drôle, soit dit en passant, comme il a de la peine, chaque fois, à dater avec précision ses souvenirs déterminants!)... Il y avait dans la classe le petit Adolphe N*** dont on murmurait que le père n'était pas le père. Il y avait Félicien V*** dont le père, conspirateur et républicain, croupissait depuis sa naissance dans un cachot du Mont-Saint-Michel. Eh bien ils étaient trois maintenant. Trois à porter leur malheur comme des héros leurs médailles. Trois à pouvoir afficher, face à la consternante banalité des vies de leurs camarades, un trait extraordinaire. Et le fait est que, des trois – et pour peu que l'on s'en tienne à la gravité du crime qu'ils avaient chacun à porter –, il n'était ni le plus mal loti ni donc le moins singulier. Bien rendre cela aussi. Bien dire sa mine consciencieusement contrite pendant que sa mère faisait son récit. Bien dire qu'il ne pensait déjà, en fait, qu'à savourer le goût de sa nouvelle gloire. Et raconter, le lendemain matin, sa très légère ivresse quand, devant le cercle ébahi de quelques-uns de ses condisciples, il commença de dévoiler un bout de son histoire. Douze ans à peine – et un destin!

Bon. Cela étant dit, ne pas sous-estimer non plus la violence du choc reçu. Son père n'était pas un voleur, c'est entendu. Il n'avait tué personne. Il ne s'était rendu coupable d'aucun des crimes ordinaires que commettent d'ordinaire les hommes. Mais il avait fait pire. Il avait commis un crime qui, pour n'avoir lésé personne, n'en était pas moins, aux yeux de l'enfant qu'il était, la plus impensable des fautes qu'un homme puisse humainement commettre. Et cela dans la mesure où, par-delà ses semblables, leurs intérêts, leurs passions, par-delà le « régime », l'« ordre public » ou les « bonnes mœurs », par-delà les cibles d'occasion que visent les malfaiteurs habituels, c'est à la personne même de Dieu qu'il avait osé, lui, s'attaquer. Un crime absolu. Un crime sans mesure commune. Un crime si monstrueux que, contrairement à tous les autres crimes pour lesquels la justice terrestre avait prévu, lui disait-on, une savante échelle de peines, expiations, puis rémissions, il ne semblait avoir, celui-là, aucun recours prévu. A dater de ce jour, il ne vit plus son père que dans le rôle de ce grand criminel, déicide et non homicide, qui n'avait pas eu assez d'une vie pour remâcher sa punition. Et il passa lui-même des années à tenter de cerner cette faute – dont aujourd'hui encore, à Bruxelles, sur ce lit de souffrances qu'il imagine semblable à celui où son père vécut les dernières affres du dernier remords, il n'est pas vraiment certain d'avoir percé tout le mystère.

Il y avait l'hypothèse « politique » – celle qui ressortait de la matérialité des faits : François B., ordonné sous-diacre en 1782, prêtre en 1784, et rentrant prudemment dans le rang, le 19 novembre 1795, six jours après le décret de la Convention autorisant les hommes de son espèce à jeter le froc aux orties. Il y avait l'hypothèse « savante » qui, lorsqu'il parvenait à y croire, le rassurait également un peu : celle du prêtre libéral, féru d'idées modernes et qui, ayant de plus en plus de mal à concilier sa croyance en la raison avec les articles d'une foi dont il ne ressentait plus l'urgence, profita de la situation pour se mettre en règle avec lui-même. Et puis il y avait l'autre; la pire; celle de l'âme déchirée, en proie au doute et au tourment; il y avait cet homme en soutane, harcelé par le désir, taraudé par la tentation, décidant peut-être, allez savoir! de ruser avec elle, de la tarauder à son tour et de se laisser conduire ainsi, sans céder mais sans résister non plus, à l'extrême bout du chemin, là où le démoniaque et le divin sont si près de se confondre; il y avait le pauvre fol, pris au piège de son orgueil et découvrant un beau matin qu'à force de jouer au plus fin, à force d'aller toujours plus loin dans ce bord à bord avec le péché, il avait fini par aller trop loin, et franchir la ligne sacrée qui, jusque-là, le préservait; il y avait cette âme perdue, égarée, s'avisant que, là où elle était arrivée, il n'y avait plus de place *du tout* pour la religion et le divin. Ce qui l'effrayait – ce qui l'effraie – tant dans cette image? L'idée de son père foudroyé, illuminé comme à rebours. L'idée de ce moment où il s'est senti seul, abandonné – et où il a compris que, dans la zone de grand péril où il s'était aventuré, il n'y avait plus d'autre façon de survivre que de pactiser avec Satan.

L'épouvantait également ce qu'il pouvait reconstituer des réactions autour de son geste. Non pas qu'il les ait vues. Ni que, même indirectement, il ait eu le temps de les soupçonner. Mais il y pensait. Il se les figurait. Et longtemps encore après la mort du vieil homme, il ne se lassait pas de revoir dans ses moindres détails les étapes de son calvaire. Il y avait la gaudriole. Les plaisanteries grasses et gauloises qui devaient tant choquer sa délicatesse de caractère. Il y avait les rumeurs. Les commérages. Les ricanements quand il approchait d'une église. Les regards obliques. Les sourires torves. Toute cette prolifération de délires que libérait cette histoire de robe retirée et qui isolaient le malheureux comme, autrefois, les fous et les lépreux. Et puis il y avait, quand on était en face de lui, la sourde crainte qu'il inspirait et que son âme de petit garçon attribuait à sa prestance et à son ascendant de père. Pensez! Un ancien prêtre! Un homme dont on sentait, même et surtout pour s'en moquer, qu'il était venu au plus près de la plus obscure vérité des âmes! Et qui, par-dessus le marché, comme si cette proximité l'avait lui-même glacé d'effroi, avait fini par reculer et rentrer dans le rang commun! Deux fois terrible. Deux fois maudit. Une fois du côté de Dieu... Une fois du côté du Diable... Et des deux côtés, donc, voué à provoquer le même frémissement d'horreur sacrée...

Ainsi de sa mère. Il ne savait rien, là non plus. Et elle se serait fait damner plutôt que de lever, pour lui, le moindre coin du voile. Mais il rêvait là aussi. Il conjecturait. Il se posait les mille questions, anodines ou scabreuses, que lui semblait imposer une si singulière situation. Quand elle avait appris la chose... Dans quelles circonstances... Si elle savait « déjà » à l'époque où, petite fille, elle voyait venir chez Pierre Perignon, son tuteur, ce vieux monsieur très distingué qui lui pinçait la joue, la faisait sauter sur ses genoux et dînait avec un laquais debout derrière sa chaise... Si l'on a attendu les fiançailles pour l'affranchir... Le mariage... Quelle impression, dans ce cas, de devenir la femme d'un défroqué... Quel effet cela pouvait faire, à la pieuse personne qu'elle était, de se dire que ces lèvres qui l'embrassaient avaient bu le sang du Christ, que ces yeux qui l'adoraient avaient vénéré le corps de la Vierge... Comment elle supportait l'idée, seulement l'idée, que ces mains qui la caressaient avaient béni tant de pécheurs et placé l'hostie dans tant de bouches... L'odeur de cette chair mortifiée... L'idée de ce corps nié, contrarié, qui était si longtemps resté dans une si parfaite obscurité... Ces désirs refrénés... Ces élans inaboutis... Tout ce monde de misères, d'asservissements douloureux et muets où il lui était ordonné d'entrer... Et puis la certitude enfin, délicieuse et odieuse, que c'était pour elle, et pour elle seule, que la soutane était tombée et avait livré ses secrets.

Que cela ne fût pas littéralement exact – puisque l'ancien prêtre en était à ses secondes noces et que la vraie frontière, le pas décisif et coûteux, c'est aux premières, après tout, qu'il l'avait déjà franchi – n'avait pas grande importance. Car c'est ainsi, encore une fois, que le jeune garçon qu'il était se figurait les choses. Ainsi qu'il les voyait. Et de cette première épouse – Rosalie Janin, la femme peintre, celle qui lui avait donné, en guise de demi-frère, cet imbécile d'Alphonse – il ne voulait rien connaître ni savoir. Caroline en première ligne, donc. Aux avant-postes de la faute. Caroline que, aujourd'hui encore, lorsqu'il repense à ces années, il ne peut se figurer que sous les traits tourmentés de la pieuse épouse de Sombreval, le prêtre marié de Barbey. (Tiens, au fait, une idée : si c'était à elle que l'ami Barbey avait songé ? s'il lui avait « pris » sa mère, son histoire, ses tortures ?) Honneur en tout cas, pour elle, de se savoir élue, préférée, venue en quelque sorte en remplacement de Dieu et de ses saints. Mais horreur en même temps, terreur sans pareille et que ne pouvait même plus, cette fois, apaiser une prière, quand, au milieu d'une rêverie ou, pire, des maigres transports que lui procurait ce vieil époux, revenait l'assaillir l'image de la soutane d'antan.

Et puis il y avait lui, enfin. L'enfant. Il y avait sa propre horreur à l'idée d'être le fils de cet homme-là et le fruit, qu'il le voulût ou non, de cet incomparable sacrilège. Sacrilège, son père. Sacrilège, sa mère. Sacrilège, l'accouplement auquel ils se livrèrent pour lui. Et sacrilège, forcément, l'inavouable produit de cette étreinte contre nature. Il était là. Vivant. Parfois joyeux. Il jouait, riait, travaillait et se conduisait comme se conduisent tous les enfants de cet âge et de ce moment. Mais il savait, au fond de lui-même, qu'il n'aurait pas dû. Il savait que sa présence, son existence, étaient indues. Et il ne pouvait pas ne pas penser que s'il était né, simplement né, de cette naissance nauséabonde dont il répugnera, dès lors, à se souvenir, c'était en vertu d'une méprise, d'une perfidie du sort. Oh ces nuits passées à récapituler la perdidie ! Ces cauchemars ! Ces longues imbécillités où l'abîmaient ses réflexions ! L'image de son père couvert de honte ! De sa mère le maudissant ! Cette certitude qu'il avait, et qui ne l'a pas non plus quitté, d'être le visage même de la faute, la propre grimace du Diable ! Et puis tous ces signes qu'il détectait et qui, dans l'homme qu'il devenait, dans son être, son corps, dans ses traits mêmes, attestaient, si besoin était, de la satanique filiation !

Il y avait sa voix, par exemple, dont Mariette disait toujours qu'elle lui « rappelait celle de Monsieur ». Ses mains, trop fines, trop féminines, dont on s'étonnait déjà, sans forcément penser à mal (et c'est, bien évidemment, ce qui l'épouvantait le plus!), que ce fussent des « mains de curé ». Il y avait son regard, noir lui aussi, obscur, où cet âne de Ballotin pensant probablement qu'il était hors d'état de l'entendre, vient encore de s'écrier qu'il a vu « des reflets d'or ». Il y avait sa raideur. Sa gravité « sacerdotale ». Il y avait – il y a toujours – cette onctuosité qui faisait si peur à ses amantes. Qui – Rops? Stevens peut-être? à moins que ce ne fût ce mécréant de Poulet? – a dit l'autre jour, devant lui, que la soutane c'est « la tunique de Nessus des temps modernes »? que lorsqu'on l'a portée une fois, on la porte pour toujours? Lui ne l'a jamais portée. Mais il a eu l'impression, ce jour-là, que c'est à lui qu'on s'adressait; et l'idée l'a traversé que cette robe qu'il n'a pas revêtue lui collait tout de même à la peau – et qu'il était le seul homme au monde dont on voyait, aveuglante, l'absence de soutane. Il a quarante-cinq ans. Il va sans doute mourir. Et s'il devait résumer d'un mot l'idée de lui-même qui le poursuit depuis ce jour lointain du tout premier récit, ce serait celle-ci : démon, fils de démon – car venu, littéralement, à la place de l'amour du Seigneur.

Bien des choses s'expliquent à partir de là. La haine, donc, de sa naissance... Son refus, ensuite, de l'engendrement... Cette répulsion ancienne, mais qui le poursuit toujours (et qui pesa si lourd dans ses relations avec Jeanne), à l'idée de prolonger une race qui aurait dû s'interrompre avant lui... Sa philosophie des femmes... Sa philosophie tout court... Ce « ferment de catholicisme » qui, pour parler comme l'idiot de l'autre jour, travaille en effet ses poèmes... Leur parfum de satanisme en même temps... Le mélange des deux... Leur conflit... L'impossibilité où il fut, à certaines époques de sa vie, ou tout au moins de sa jeunesse, d'entrer dans une église, de soutenir le regard d'un prêtre ou d'entendre sans rougir (et sans jeter autour de lui des petits regards inquiets, histoire de vérifier comme l'autre fois, le jour de la soutane Nessus, si c'était pour lui qu'on les disait) les mots d'« autel », de « parvis », de « bénédiction » ou de « confession »... Et couronnant, enfin, le reste, cette sourde culpabilité, sans objet ni raison, qui, tant avec les femmes qu'avec sa mère, ses amis, ses rivaux ou ses critiques, n'a pas une seule seconde cessé de le hanter et a peut-être, au bout du compte, ruiné son existence.

« Fils de prêtre, fils de prêtre », murmure la voix intérieure depuis cette lointaine enfance. Comme s'il y avait là une faute qui fût la sienne... Un forfait dont il dût répondre... Comme si le crime de son père lui était passé dans le sang et que, par sa vie, par son œuvre, par toutes les fibres de son être et de son existence, il lui appartînt ensuite d'en faire laver l'outrage... Moyennant quoi il tremblait. Battait sa coulpe à grand fracas. Se tordait les mains de contrition. Moyennant quoi, surtout, il ne cessait de se soumettre, par principe et presque par goût, à toutes les autorités susceptibles de lui faire payer un peu de sa dette imaginaire. Ancelle, bien sûr. Sa mère. Mais aussi, et c'était plus grave, les Hugo, les Sainte-Beuve, tous ces doctes dont dépendait son sort et qu'il traitait comme s'il était un pécheur en attente de leur jugement. Une vie comme un remords. Une vie comme une pénitence. Une vie, et une œuvre, tout occupées à se justifier du simple péché d'exister. Malheureux qui, amis ou ennemis, vont chercher dans le général Aupick et dans leurs difficiles rapports l'explication de ses tourments. Il sait, lui, que la piste est fausse. Il sait que c'est chez le prêtre, et dans son crime premier, que sont la plupart des clés. Lâcher l'information ? La révéler aussi crûment ? Il faudra voir. Peser le pour et le contre. Mais l'idée, déjà, lui plaît bien.

Raconter aussi, tant qu'il y sera, l'histoire des funérailles. Longtemps il a incriminé la légèreté de sa mère. Longtemps il s'est dit : « c'est la réaction normale d'une femme pressée de tourner la page et de voler vers des amours heureuses ». Et dans ses pires moments de doute, quand l'image de ce père jeté à la fosse revenait hanter ses nuits, il se disait qu'à cette frivolité de fille était peut-être venu se mêler le vilain, mais véniel, péché de ladrerie. Aujourd'hui, dans l'implacable lumière que diffuse la fièvre dans ses pensées, il voit ce que la thèse pouvait avoir d'insuffisant. Et entre ceci et cela, entre l'inhumain parti de vouer cette chair à la vermine et cet état d'ancien curé qu'ils avaient tous présent à l'esprit, entre l'impiété du jour et celle de la veille ou de l'avant-veille, il ne peut pas ne pas rétablir le lien qui s'imposait. Pas de repos pour le pécheur... Pas plus de séjour pour le corps que pour l'âme du défroqué... Et le supplice éternel pour l'homme qui, en lui, avait supplicié et tué Dieu... Le sort, et Caroline, s'étaient vengés. Fermant le royaume des cieux à l'outrageur suprême, ils avaient laissé autour de lui croître le pire désert. Et à ceux qui, comme lui, auraient eu la tentation d'honorer tout de même sa mémoire, on n'avait laissé nulle dalle, nulle pelouse – nul coin de terre ou de pierre où poser des fleurs et se recueillir.

Il avait à peine six ans quand la décision fut prise. Onze quand, sans que rien y fût changé, expira le délai légal au long duquel une famille a le droit de se reprendre et d'exhumer les restes du mort pour leur donner une sépulture. Et dans aucun des deux cas, par conséquent, il n'avait l'âge de prendre part aux délibérations et discussions qui ne manquèrent pas de se tenir. La responsabilité, pourtant, est là. Il la porte. Il la supporte. De cette offense-ci, qui n'est plus celle de son père mais celle qu'on lui a faite, il se sent encore coupable. Et l'extraordinaire est que cette culpabilité, venant s'ajouter à l'autre, ne fait qu'alourdir le poids de son remords. « Les morts, les pauvres morts, ont de grandes douleurs... vieux squelettes gelés, travaillés par le ver... Certes ils doivent trouver les vivants bien ingrats... » Comment n'ont-ils pas vu, tous, ce que des vers comme ceux-là devaient à cette affaire ? Comment Caroline ne l'a-t-elle pas compris ? Et Alphonse ? Et le Général ? Et lui-même, qui le sent si nettement aujourd'hui : a-t-il pris la mesure de tout ce que ses *Fleurs* devaient à ce vieil homme, maudit, puis interdit de sépulture ? Une œuvre comme une offrande. Une œuvre pour réparer.

Le portrait alors. A nouveau ce vieux portrait, accroché au-dessus de son lit. Il en connaît les moindres détails. Les moindres teintes ou nuances. Il pourrait retrouver de mémoire ses ombres, ses contrastes, ses aplats, ses empâtements. Il sait où sont ses embus. Ses craquelures minuscules. Pas un fil de la chevelure, une expression de l'œil ou de la bouche, dont il n'ait cent fois fait le tour. Or voici que malgré la douleur, malgré la raideur des membres, voici que malgré la paralysie qui gagne et qui lui tétanise la partie droite du corps, un pauvre mais irrésistible élan l'attire vers ce visage et lui fait doucement tourner la nuque comme s'il voulait une dernière fois essayer de croiser son regard. C'est tout ce qu'il a de son père, ce regard. C'est tout ce que lui, et les autres, ont gardé du vieux prêtre jeté à la fosse. Et il est en train de se dire, tandis que la partie valide du corps fait un effort désespéré pour se cambrer, que ce n'est pas un hasard si, de gîte en gîte, de chambre d'hôtel en chambre d'hôtel, il l'a, ce portrait donc, accompagné depuis vingt ans. Portrait stèle. Portrait deuil. Un portrait comme un linceul, à la place du tombeau refusé. Je suis le gardien du tombeau. Je suis le gardien de mon père.

Le médecin, en le voyant se contorsionner, s'est affolé. Les amis se sont agités. Madame Lepage, toujours à la pointe du combat, s'est écriée : « attention ! attention ! vous voyez bien qu'il souffre le damné ! apportez-y un cataplasme ! » Lui, en revanche, n'entend pas. Ne voit pas. Il ne les voit même plus, les uns et les autres – mais seulement, à leur place, ce vieux visage disparu qui lui semble plus présent, tout à coup, que tous les visages autour de lui. Car il est là, maintenant. Vraiment là. Oh ! pas comme un spectre ! Pas comme une apparition ! Il n'est pas dans la pièce, comme dans une vulgaire séance de tables à la manière du clan Hugo ! Il est en lui, plutôt. Au-dedans de lui. Il est – et c'est bien plus terrible – comme un regard dans son regard, une chair dans sa chair. Et il découvre qu'il est, lui, Charles Baudelaire, au terme de cette prodigieuse journée où il a vu défiler tant de scènes de son passé, cet étrange corps d'homme qui sert, depuis trente ans, de séjour à un cadavre. « J'ai tué mon père, et puis je l'ai mangé », disait-il l'autre jour à une sotte de passage. La sotte ne l'a pas cru. Elle a ri. Quelle erreur ! Car c'était vrai, après tout. Strictement vrai. Il n'avait, ce père, pas d'autre repos que dans sa tête. Son père ? Son semblable. Son double. « Je suis un cimetière abhorré de la lune. »

QUATRIÈME PARTIE

1

La nuit a passé. Atroce, comme il se devait. Entrecoupée de fièvres, de cauchemars, de cris qui ne venaient pas, de plaintes muettes. Au petit matin, fourbu, brisé par un sommeil plus accablant que la plus accablante des insomnies, il a appelé la Lepage, s'est inquiété de son médecin, a constaté – non sans une pointe de déception – que le cartel de familiers qui se pressaient la veille à son chevet semblait s'être lassé. A grand-peine, il s'est levé, a noué machinalement sa lavallière, s'est humecté le front avec un peu d'eau, prise à la cuvette d'émail. Les tempes lourdes encore, le geste maladroit, il s'est remis sur le crâne son chiffon de térébenthine. Puis, estimant sa toilette achevée et résolu à mettre à profit la journée qui commençait pour mener à son terme la méditation interrompue, il s'est affalé dans son fauteuil – l'esprit clair.

Il devrait poursuivre, se dit-il. Il devrait revenir à sa mère. A son beau-père. Il devrait, pour que le tableau soit complet, revenir sur la Sabatier, ne pas oublier la Daubrun, évoquer ses velléités de rupture avec Jeanne, ses retours, ses velléités. Il devrait raconter Louchette et sa vérole, Arondel et ses billets. Il devrait dire le poids de la maladie sur sa vie, sa charge maléfique, le caractère assassin qu'avait, par la force des choses, la moindre de ses étreintes. Il devrait dire les dettes. Leur fardeau. La manière dont elles ont obéré, puis de bout en bout orienté, le cours de son existence. Il faudrait un chapitre sur Alphonse. Un autre sur Ancelle et le conseil judiciaire. Un troisième sur le procès et la disgrâce qu'il en ressent jusqu'aujourd'hui. Un quatrième, un cinquième, sur ces moments – l'année des *Fleurs*, celle du *Spleen de Paris* – où la chance lui a souri et où le guignon l'a rattrapé. Bref, ce livre de Mémoires qu'il imaginait hier, il sait qu'il en aurait, à ce stade, juste posé les jalons et qu'il resterait à en mettre en scène la plupart des épisodes. Or l'étrange est qu'il ne le fait pas; il n'en a ni la force ni l'envie; et lui si vaillant, si plein de flamme et de courage, lui qui non seulement voulait ce livre mais y mettait tout son espoir, voici qu'il se surprend à ne plus même le désirer.

Les souvenirs viennent, toujours. Enfin, ils viennent s'il s'y emploie, s'il les sollicite et les appelle. C'est un mince filet d'images qui, goutte à goutte, comme si la source était tarie et qu'il fallait toute son énergie pour puiser dans la nappe ultime, suinte dans son esprit. Mais elles sont, ces images, non seulement poussives mais chétives. Non seulement laborieuses, lentes à se former, ayant perdu leur vivacité, leur imprévisible jaillissement – mais fraigles, moins assurées, comme prêtes à se dissoudre. Elles arrivent floues. Brouillées. C'est à croire que le chemin parcouru, l'immensité des espaces qu'elles ont eu à vaincre et traverser les avaient épuisées par avance. Et il advient ceci surtout, qui ne se passait ni pour son père ni pour Jeanne ni pour ses souvenirs d'enfance ou de jeunesse – mais qui, maintenant, le trouble beaucoup : à peine ont-elles affleuré, à peine commencent-elles de briller sur le fond de sa nuit intérieure, qu'elles clignotent, pâlissent et, sans qu'aucun effort de l'esprit suffise à les retenir, finissent par s'éteindre tout à fait.

D'abord il s'est dit que c'était normal et que c'était, à tout prendre, la plus saine des réactions. Il en a tant vu ! Tant fait ! Il y a tant de choses qu'il n'avait pas dites, peut-être même jamais pensées et qui lui sont revenues depuis le début de cette maudite crise ! Une pause donc... Il s'est dit que c'était une pause... Une trêve dont il avait besoin et qui permettrait à son esprit, comme à la mi-temps d'un long combat, de se ressaisir et de souffler... Il y en aura d'autres, des images. Il y a une foule d'images et de visages qui n'attendent, il le sait, que cette occasion de revenir. Il y faut du temps, simplement. Le temps pour la voix de l'âme, suffoquée par ce qu'elle a déjà articulé, de retrouver son timbre. Il faut le temps des secrets qui veulent se dire, vont se dire, mais commencent par creuser autour d'eux cette longue galerie de silence qui les met en scène et les prépare. Trop de temps ? Oh non, pas trop ! Jamais trop ! Car il sait le funeste présage qu'est, pour un homme, de sentir sa vie qui, d'un coup, sans écart ni temps du tout, se rassemble sur elle-même et se relit d'un seul regard. Prendre le temps, s'est-il dit. Rendre grâce à ce temps qui est la preuve, au fond, qu'il n'est pas en train de mourir. Béni soit ce temps, oui, qui atteste que sa mémoire est encore une mémoire de vivant.

Puis il a pensé que non. Pas si sûr. Qu'il avait peut-être tout dit, au contraire. Levé tous les voiles, tous les tabous. Qu'il n'avait rien de plus à raconter que l'histoire de ce père, de cette maîtresse, de ces années de jeunesse ou de lycée. Et que s'il est exsangue, si sa réserve de souvenirs est manifestement épuisée, c'est à la façon de ces cabots dont on devine, dès le début d'une conversation, qu'ils vous servent leurs meilleurs mots, leurs histoires fétiches, cent fois répétées, et qu'il ne reste rien pour la suite ni pour la fois d'après. Il lui reste, à lui, Louchette? La petite Berthe? Il lui reste ses démêlés avec ses logeuses, ses créanciers, ses juges, ses tuteurs, la société tout entière, ses lecteurs? Il lui reste Honfleur? La mer? Les nuages? Les couleurs? Les aurores? C'est vrai, il reste ça. Il reste mille aventures, parfois surprenantes ou cocasses. Mais ce dont il doute, brusquement, c'est que ces aventures aient de l'importance; qu'elles méritent ce déploiement de style et de souffrance qu'implique le livre auquel il songe; la question qu'il se pose c'est s'il n'aurait pas, lui aussi, tout dit dès le début et si, au regard de ces grands moments qu'il aurait déjà retracés, ces pauvres petites histoires ne feraient pas bien pâle figure. Broutilles. Anecdotes. Et cette idée surtout qui, une fois venue, ne le lâche plus : et si sa vie était ainsi faite que tout s'y était joué d'un coup – et que, passé les premiers drames, rien de neuf n'y était plus advenu?

L'idée, en vérité, n'est pas de lui, mais d'un chroniqueur des *Temps nouveaux* qui, mi-amical mi-perfide, lui avait déclaré, il y a de cela plusieurs années : « comme votre vie est curieuse, cher ami! Moi qui vous suis depuis toujours, j'ai parfois le sentiment que tout ce que vous êtes aujourd'hui vous l'étiez déjà à vingt ans et qu'il ne vous est, depuis ce temps, rien arrivé, comment dire? de véritablement déterminant. Vous aviez mangé votre fortune, écrit la plupart de vos poèmes, vous aviez rencontré Jeanne, contracté votre syphilis, fait ce fameux voyage aux Indes qui n'a cessé de vous inspirer. Tout, en fait, était dit. Tout était joué. Les événements, heureux ou malheureux, qui devaient modeler votre destin s'étaient tous produits, ou presque. Et l'on croirait une vie étale ensuite, incroyablement monotone et stagnante, où vous n'auriez plus fait qu'évider ce fil inaugural – un peu plus vieux simplement, un peu plus sombre et las à mesure que passaient les années et qu'elles ressassaient vos déceptions. » Ce propos, sur le moment, ne l'avait pas frappé. Mais il lui revient maintenant. Il le ravage. Car si le chroniqueur a raison, si tout s'est joué si tôt, s'il est vrai que, dès cet âge, il avait planté le décor où la pièce, toujours la même, allait se donner et se répéter, cela explique bien des choses – à commencer par cette incapacité à écrire, ou penser, sa biographie. La manière de raconter – ce qui s'appelle raconter : avec un début ! une fin ! des épisodes entre les deux ! des renversements ! une tension ! – une vie qui a concentré sur ses prémices son poids d'histoire et de destin et où il ne s'est, ensuite, rigoureusement plus rien passé ?

Et en même temps ce n'est toujours pas cela. L'explication, il le sent, est encore beaucoup trop simple. Et il en vient à se demander si ce n'est pas du côté, sinon de son œuvre, du moins de la façon dont il l'a voulue, vécue et conjuguée à son existence que se trouve la vérité. Il y a des vies littéraires. Romanesques. Il y a des vies qui, stagnantes ou pas, font organiquement partie de l'œuvre et qui sculptées, dès lors, avec un art égal au sien, sont par principe et destination passionnantes à retracer. La vie de Byron, de Chateaubriand. La vie de ces écrivains héroïques qui ne semblent vivre que pour le plaisir d'avoir à se souvenir un jour et raconter – et dont les moindres gestes sont coulés, déjà, dans la légende. Et puis il y a les vies grises. Discrètes. Les vies consciencieusement ternes et modestes qui, loin d'avoir suivi les livres ou posé dans leur sillage, ont tout de suite, au contraire, baissé pavillon devant eux. La vie de Flaubert à Croisset, entre sa vieille mère, ses amours impossibles, ses crises d'épilepsie, son gueuloir. Celle de Stendhal, vrai mélancolique et faux retraité dont la littérature fut, avant tout, un remède à l'échec et à l'ennui. La vie de l'oncle Beuve – si triste, si maussade, avec ses chats, ses vieux papiers, ses amours désenchantées, ses regrets. Et puis la sienne enfin, aussi méticuleusement annihilée, et pour des raisons sans doute voisines.

Elles ne sont pas ratées, ces vies. Ni ruinées. Elles ne sont pas calamiteuses à la façon des vies de bourgeois. Elles sont, ce qui n'est pas la même chose, sacrifiées, immolées. Et il y a dans cette indigence, voulue, dans cet acharnement à les écrêter de tout ce qui leur donnerait un peu de relief et de panache, l'hommage le plus poignant qu'un artiste rende à son art. On ne peut pas tout jouer, semble-t-il dire. On ne peut pas gagner à tous les coups, sur tous les tableaux. Et c'est sur les ruines de la vie, sur le deuil consenti de la gloire, de la fortune, de la passion, que s'édifie ce monument qu'est un recueil de sonnets réussis. Des vies obscures. Non : obscurcies. Des vies presque héroïques elles aussi, à force d'effacement, d'abnégation. Comme si le souci de l'œuvre les avait vidées de leur sens et que sa lumière, pour rayonner, avait mangé celle de leurs jours. Elles ne sont pas, ces vies, impossibles à raconter. Elles sont vaines. Vides. Indignes de la chronique qu'on serait encore tenté, par habitude, de leur consacrer. La littérature? « Le meilleur moyen, disait Flaubert, d'escamoter une existence. »

Emporté par son élan il va jusqu'à regretter d'avoir tardé à le comprendre et d'avoir consacré à ce livre tant de songes et de désirs. Heures perdues, se dit-il! Précieuses, très précieuses heures arrachées au gouffre où il plonge, et si mal utilisées! Ah! la sotte, la piteuse, la beuvienne et mortelle idée d'avoir envisagé, seulement envisagé, ce récit! La criminelle et infâme folie d'avoir songé, seulement songé, à mettre son nom, Charles Baudelaire, au-dessus de ce titre inepte : « Mon cœur mis à nu »! Il se félicite de n'avoir rien dit. Rien écrit. Il se réjouit d'avoir pensé ces histoires de père, de mère, de Jeanne et du reste, mais sans avoir eu la force de les consigner où que ce fût. Et il songe que le vrai devoir d'un écrivain devrait être non de se rappeler mais d'oublier; non de consigner mais d'effacer; il songe que la juste attitude pourrait bien être celle du criminel effaçant derrière lui les traces de son forfait ou de ces poètes élisabéthains qui refusaient de signer leurs livres et de leur donner ainsi le sceau qui les trahirait. Et si c'était parce qu'il l'avait deviné, qu'il avait renoncé à continuer? Si c'était le pressentiment de la fausse piste, du fil trompeur? Si c'était l'écrivain en lui qui, déjouant le piège que l'autre lui tendait, avait délibérément asséché cette inutile mémoire?

Il envisage toutes les formules en fait. Considère toutes les réponses. Il examine une à une, même si elles se recoupent et se recouvrent, les différentes explications possibles tant de cette ankylose du souvenir que du délitement du livre qu'il essayait d'imaginer et auquel, la veille encore, il croyait. Il le fait calmement. Sans hâte ni fièvre excessives. Il le fait comme quelqu'un qui sait que ce délitement est une chance; ce désœuvrement, une providence; il le fait comme un homme qui sent que cette heure où il est et qu'il consacre à ruiner ce projet est non perdue mais gagnée puisque, loin de l'éloigner de soi, elle l'y ramène au contraire et l'installe peu à peu au cœur secret de son être; et ce jusqu'au moment où, ayant pesé, soupesé ces hypothèses diverses et semblables, allant de l'une à l'autre, flottant, hésitant, il finit par admettre que chacune avait, sans doute, sa part de vérité – mais qu'il en est une dernière, plus vertigineuse, plus difficile à formuler et dont il devine pourtant, à un certain nombre de signes, qu'elle est, pour l'heure, la plus certaine.

2

C'EST son visage qui lui a donné l'éveil. Longtemps, à Bruxelles comme à Paris, il a cru et prétendu qu'il n'y avait pas de meilleur guide pour entrer dans le dédale d'une âme que cet enchevêtrement de rides, ridules, plis minuscules, moues, affaissements subtils, rictus, battements de cils qui font une physionomie. Et souvent le matin, au moment de sortir, il allait à son miroir comme d'autres à leur fenêtre pour voir, non le temps qu'il faisait au-dehors, mais celui qu'il faisait au-dedans et qui, pendant la nuit, avait probablement sédimenté autour de sa bouche et de ses yeux. Aujourd'hui donc, il fait de même. Profitant d'un léger mieux dans sa jambe paralysée, il a fini par quitter son fauteuil pour aller au fameux coffre ranger le cahier de Jeanne puis, mû par la vieille habitude, jusqu'au petit miroir au-dessus de la table de toilette. Et là, dans cette glace au cadre ébréché et à la surface si mouchetée qu'il a peine à s'y voir en entier, dans ce tain terni dont il ne peut s'empêcher de penser, comme chaque fois, que le souffle des pensionnaires, à force de reflets, a fini par l'embuer, il découvre une image de lui qui le déroute et l'effraie.

La fatigue sans doute... Le mal qui a progressé... Cette joue figée, comme morte, qui ne lui appartient plus... Mais aussi cette absence... Cette distance... Cet air, plus que douloureux, indifférent... Et puis ce détachement si soudain à l'endroit, non seulement des choses, mais de sa propre image... L'œil est trouble, incernable. Il regarde droit devant lui, bien au centre du miroir, mais avec une fixité dans la pupille qui lui donne l'air de traverser le verre, de regarder très au-delà, pour revenir ensuite et se retourner vers l'intérieur. Et quant à l'ensemble du visage, il a beau être ferme, vigoureux, il a beau avoir retrouvé son dessin et son aplomb, il est impossible, de si près, de n'y pas déceler le subtil allégement qui en a réduit les masses – comme si, à la manière de celui des embaumés, il n'avait plus conservé que ses lignes essentielles. Un visage de mort ? Non, pas un visage de mort. Même pas un visage de mourant. Mais le visage d'un homme qui ne vit plus tout à fait dans les cadres qui, d'habitude, gouvernent la vie des vivants. Un visage éthéré, en suspens – taillé dans une matière qui n'est plus vraiment, ni seulement, de la chair.

Tout de suite après, et tandis qu'il se rassied, se produit, en lui cette fois, au plus intime de sa conscience, un changement plus étrange encore et qui va dans le même sens. C'est un épaississement des heures. Un ralentissement de leur durée. C'est un temps lourd, un peu figé, dont les minutes semblent coller, adhérer les unes aux autres. Un temps mou. Un temps mort. Un temps fluide, liquide comme est toujours le temps, mais à la façon d'une eau stagnante plus que d'une source ou d'un torrent. Un temps étale. Un temps croupi. Un temps où il ne se passe rien, où il ne se passera plus rien et où il a le sentiment, du coup, par une sorte d'effet de rebours – et comme si l'idée qu'il a d'aujourd'hui contaminait celle qu'il conserve d'hier ou d'avant-hier –, qu'il pourrait bien, au fond, ne s'être jamais rien passé. Ce n'est plus que les images tardent à venir. Ni qu'elles soient chétives, poussives, fragiles, etc. Mais elles n'ont plus l'air d'images du tout. Plus l'air de souvenirs. Elles n'ont plus ni cette patine, ni ce halo de nostalgie qui les teintent habituellement, les différencient des autres pensées et disent qu'il était une fois, dans un temps très lointain, et ainsi de suite... Un temps sans lointain, donc. Une sorte de nouveau temps, où les heures et les jours, les âges et les époques, finissent par se confondre. Il baigne dans ce temps. Tel le bon nageur du poème, il « sillonne gaiement l'immensité profonde avec une indicible et mâle volupté ».

Plus grave encore, c'est non plus le temps mais l'espace qu'il voit se métamorphoser entre les murs de sa chambre. Ça commence par une syncope. Une éclipse des objets. C'est comme s'ils s'effritaient, perdaient leur consistance et menaçaient de disparaître de son paysage mental. Puis il les sent qui résistent, retrouvent leur assiette. Il les sent, ces objets familiers (et qui étaient, ces derniers jours, le dernier fil qui le tenait au monde), qui reprennent possession de la chambre et, par là, de son esprit. Il les voit qui frémissent ensuite. S'ébranlent. Il les voit qui profitent de ce retour pour vivre de leur vie propre, danser, glisser, le narguer. Il voudrait les arrêter. Il voudrait trouver le moyen de faire cesser ce remue-ménage qui va, s'il se poursuit, ameuter la Lepage et les voisins. Mais rien n'y fait. La sarabande continue. Elle prend, au fil des minutes, des allures de vrai sabbat. Et il est bien obligé de convenir qu'une force mystérieuse fait apparemment la loi autour de lui – et anime, qu'il le veuille ou non, ces meubles en folie.

La petite table tangue. Le lit se creuse sous son poids. Le coffre, contre le mur, se transforme en sofa et il ne serait pas étonné d'y voir surgir, et lui sourire, la Sabatier ou la Daubrun. La cuvette d'émail tourne sur elle-même. Elle se renverse. Elle va casser. Non! elle se rattrape, reprend son équilibre, mais se retrouve sous le guéridon. Son père a quitté son cadre. Il est cavalièrement assis sur la chaise. Les tringles du rideau se sont muées, entre ses mains, en bâtons cardinalices. Le miroir est un peu plus opaque. La tapisserie plus colorée. Le rideau plus cramoisi, comme dans la chambre mortuaire de ses six ans. La gargouille est revenue dans les fentes du plafond. Son chapeau, son habit sont sur le lit, comme s'il se disposait à sortir. Et, pour orchestrer le tout, c'est une foule de personnages, hauts en couleur, mais familiers, qui, comble d'étrangeté, font irruption dans la pièce, entourent son fauteuil, le harcèlent et prennent enfin position aux places que, hier matin, occupaient le médecin, Madame Lepage, Poulet-Malassis, Neyt.

Voici Rubens debout, dans le renfoncement de la fenêtre où il a installé son chevalet. Maistre à sa table de travail, parcourant les premiers feuillets de *Mon cœur mis à nu.* Beethoven là, couché dans son lit, en train de mourir à sa place. Deroy retouchant les sourcils de son père. Son père, l'œil courroucé, appelant De Quincey à son secours. De Quincey qui dialogue avec Shakespeare, Shakespeare avec le Tasse, le Tasse avec Homère, Homère avec un christ d'Agnolo Bronzino au regard de dément. Voici le marquis de Sade qui l'observe mais qui, au-delà de lui, s'adresse en fait à Jeanne. Jeanne qui pose pour Delacroix. Delacroix qui pose pour Jeanne. Une sorcière du Greco qui brandit le plumeau de la logeuse. Une madone de Giotto qui s'approche pour lui éponger le visage. Voici Poe, sa bouteille de whisky à la main, au seuil d'un bureau de vote de Baltimore, venant déposer son bulletin dans le coffre aux secrets – le testament de Gordon Pym mêlé aux carnets de la muse noire ! C'est un formidable défilé de spectres qui s'autorisent de son accueil pour nouer en sa présence – et qui sait ? sous sa houlette – les liens les plus improbables.

On dira peut-être qu'il rêve. Ou que son mal, dans sa phase ultime, est en train de le rendre fou. N'importe quel médecin parlerait d'« hallucination » et l'expliquerait par un abus de veille ou de laudanum. A moins que ce ne soit le petit groupe d'amis qui, à son insu, serait revenu et auquel il prêterait, dans son délire, les visages de ces « visiteurs ». Quoi qu'il en soit, le fait est là – et il est, ce simple fait, tout ce qui compte pour le moment. Charles Baudelaire a souvent dit qu'il n'écrivait que pour les morts. Il a dit, répété, que la vraie littérature n'était possible que sous le contrôle, le bienveillant regard de ces morts. Eh bien voilà. Il y est. Son vœu est exaucé. Il est non seulement sous le regard mais dans le voisinage, l'intimité de leurs visages. Et c'est le signe, déjà, d'une révolution fondamentale. Pour la première fois, non de sa maladie mais de sa vie, il a rejoint le grand cortège qui le tenait sous sa tutelle; pour la première fois, il voit, non seulement réunies, mais complices, conversant, ces ombres qui, en réalité, ne l'avaient jamais quitté et qui, parce qu'elles n'avaient cessé de gouverner son œuvre, constituaient à l'évidence sa parentèle et sa patrie.

Il est vivant, bien sûr. Contrairement à ce qui se passait lorsqu'il tentait d'arracher à sa mémoire ses tout derniers aveux, il a même, depuis l'arrivée de ces spectres, une activité mentale d'une extraordinaire intensité. Et il n'est pas jusqu'à sa fameuse voix intérieure, étranglée, exténuée, dont tout semblait indiquer qu'elle fût tarie à jamais – qui, mêlée à celle de ces fantômes, tressaillant à leur contact, ne retrouve sa force, sa vitalité. Simplement – et cela change tout – ce n'est plus la même vie. Ce n'est plus le même vivant. Ce n'est plus l'homme parlant, souffrant ou se souvenant, qui dînait avant-hier soir chez Charles Neyt, traînait la veille dans les bordels, ou manquait, l'autre matin, son fameux train pour Paris. Et il se passe ceci alors – plus fort, plus bouleversant encore : sur les dépouilles de ce personnage ancien, portant le même nom que lui, gardant le même visage, usurpant peut-être même quelques-uns de ses traits singuliers, commence de surgir un personnage à la fois moins réel et plus vrai, une sorte d'homme abstrait qui aurait perdu ses anciens lignages et qui, transporté dans l'espace et le temps de ses nouveaux compagnons de détresse, ne serait plus, soudain que le glorieux sosie de l'autre.

Il n'est plus seulement le fils de François. Ni de Caroline. Il n'est plus le beau-fils d'Aupick, l'obligé d'Arondel ou d'Ancelle, l'amant de la Duval. Ses contemporains, les vrais, ceux qui ont compté et comptent encore, ceux qui ont un nom assorti au sien, une voix qui concorde avec la sienne, ceux dont le regard et le sourire semblent (comme des clichés pris le même jour, à la même heure, par le même photographe) exposés à la même lumière, sont Homère et Shakespeare, l'auteur du *Corbeau* ou celui de *La Descente de croix*, autant que

Louchette, Buloz, Silvestre ou même Coco. Voilà pourquoi les images de sa vie ne « prenaient » plus. Voilà pourquoi il était incapable de se rappeler le réquisitoire du substitut Pinard, sa première rencontre avec Vigny ou telle autre péripétie de sa pitoyable biographie. Sa vie normale, celle qu'il voulait raconter mais dont le récit s'est étiolé, s'est détachée de lui comme une peau après la mue. Et c'est une formidable migration spirituelle qui l'emporte dans un univers nouveau en même temps que familier : celui où son Art est né – et où sa vie, comme celle de Flaubert, s'est en effet exténuée.

Un astronome comparerait cela à l'aberration d'une planète qui, lassée de tourner autour de la même étoile, changerait brusquement d'orbite. Un physicien, adepte des théories modernes sur la pesanteur et la matière, dirait que c'est comme un champ de forces qui aurait ses propres lois, ses gravitations, son magnétisme et qui, arrachant l'âme à ses tropismes traditionnels, l'attirerait dans un autre cercle, apparemment vide et aride, mais riche en réalité d'une spiritualité bien supérieure. S'il était peintre et qu'il dût se risquer au rude exercice de l'autoportrait, il serait semblable à Poussin dans le tableau qu'il aimait tant et qu'il opposait volontiers aux autoportraits plus « réalistes » de Goya ou Vélasquez : debout, sans décor d'époque ni costume, sans crayon ni pinceau à la main, figé dans une immobilité qu'accuse la sécheresse des lignes qui le cernent – abstrait donc, toujours abstrait, dépris ici aussi de son trop de chair et de matière. Comme il n'est ni peintre, ni physicien, ni astronome, mais poète, il est simplement dans cet état de béatitude où tous les poètes ont rêvé d'être : écrivain, pur écrivain – Charles Baudelaire n'étant plus que le nom de la tête qui a conçu, et de la main qui a tracé, ce livre singulier qui s'appelle *Les Fleurs du Mal*.

D'habitude, jusqu'à ce jour béni et la révélation qu'il lui apporte, il était ceci et cela. Cet ancien et ce nouveau vivant. Il était ce pur auteur des *Fleurs* – mais une heure par jour, par mois, par an : le reste de ses heures étant occupé ou dévoré par le souci des dettes, celui de l'éditeur à trouver, les persécutions d'Ancelle, les récriminations de Jeanne; et le combat lui paraissait perdu d'avance qui l'opposait à ce monde exigeant, dévorateur, aux prestiges si péremptoires qu'il l'empêchait en général de coïncider avec son texte. Aujourd'hui c'est fini. Rien ne s'oppose à la coïncidence. Rien ne trouble ni ne troublera le face à face. Et pour la première fois, il peut prononcer son propre nom sans rien voir surgir d'autre qu'une succession de pages succédant elles-mêmes à celles de Poe, Maistre, Homère, le Tasse et les autres. Plus de trace. Plus de reste. Plus rien pour, dans les parages du livre, rappeler cet importun qui s'en croyait le père et l'encombrait de ses humeurs. Si l'on interroge les gens, tous disent, n'est-ce pas, que c'est l'écrivain qui vient d'abord, avec ses humeurs, ses émotions, ses sentiments, ses petites passions – et qui est, ensuite, l'auteur des vers. Eh bien lui se sent si proche de ses vers, si exclusivement lié à eux, il a si fort le sentiment de n'être rien de plus que la voix qui dit « je » tout au long de leurs pages, qu'il a envie de renverser la formule et de dire : il y a un livre, *Les Fleurs du Mal*, qui est l'auteur d'un homme, Charles Baudelaire.

Bien voir la portée du changement. Bien prendre la mesure de ce que cette réversion peut impliquer de conséquences. Voilà un homme qui n'est plus un homme mais une voix, qui n'a plus de pensées mais des mots – voilà un poète qui a la sensation d'avoir été éliminé par sa propre œuvre et de n'avoir plus, en guise d'âme, que la collection d'états de conscience suggérés par la collection de ses sonnets. C'est la source de son malaise. L'ultime explication de cette paralysie qui fait que ce livre de Mémoires, jusque-là si désirable, lui apparaissait tout à l'heure inconcevable et impossible. Mais c'est l'origine aussi d'un autre dessein. C'est l'origine d'un second livre, plus singulier encore, plus insolite, dont il se dit, non sans effroi, que nul, pour le coup, ne l'a conçu, imaginé même avant lui, et qui, succédant donc au premier, prenant très logiquement la place et le relais du « Cœur », va mobiliser maintenant ce qui lui reste de forces et d'esprit. Il fallait cette aberration, songe-t-il en se recouchant. Il fallait cette dénaturation. Tel était le prix à payer pour que se profile ce nouveau projet – inouï comme une Révélation, brûlant comme un Évangile. Éblouissement, derechef. Suprême exaltation. Aura-t-il seulement le temps, non de le mener à bien, mais de l'imaginer au moins – et de le voir ?

3

Lettre d'Auguste Poulet-Malassis au narrateur

Paris, le 16 mars 1878.

Monsieur,

J'ai bien reçu votre envoi et j'ai à vous remercier non seulement des mots flatteurs dont vous avez voulu l'accompagner mais de l'attention que vous avez eue en vous souvenant ainsi d'un vieil homme bien fatigué, que la jeune génération n'avait pas habitué, jusqu'à vous, à tant de civilité. Tout ce qui touche à B., à ses derniers instants, à sa mémoire, m'est, vous l'imaginez bien, extraordinairement précieux. Et sans me considérer le moins du monde (ce sont vos mots, pas les miens) comme je ne sais quel « gardien du sanctuaire baudelairien », je ne déteste pas, il est vrai, d'être sollicité ou consulté par ceux qui, comme vous, entendent apporter leur pierre à cet édifice du souvenir. Merci donc, cher monsieur. Le geste, venant de quelqu'un de jeune, que je devine féru d'idées modernes et qui n'a été mêlé que fort tard à toute notre aventure, n'en a que plus de prix. Je voulais vous le dire, d'emblée. Et même si vous prenez plaisir à maintenir un petit mystère autour de votre identité ainsi que sur les circonstances dans lesquelles nous nous serions, dites-vous, « déjà croisés », je tenais à vous saluer, moi, de la manière la plus franche.

Oserai-je vous exprimer après cela les réflexions que m'a inspirées le contenu même de votre projet ? Je n'ai pas idée, quoi que vous pensiez, de la façon dont vous avez rassemblé les informations que vous prétendez détenir. Et vous ne me dites pas non plus, d'ailleurs, à quoi vous les destinez – un livre ? une notice ? un mémoire à votre usage ? à celui des derniers amis, des derniers proches ? Mais enfin, ceci étant précisé, et parce que la confiance que vous me faites mérite contrepartie, je ne puis me dérober à vous livrer mon sentiment. Dans le détail de ces quelques feuilles, il y a certes des choses justes, des notations plutôt bien vues, il y a parfois (et croyez que je le dis sans le moindre sous-entendu) des observations que nous avions déjà pu faire, Messieurs Asselineau, Banville, Gautier, moi-même. Les faits eux-mêmes sont exacts. Leur chronologie respectée. Je confirme la crise de Saint-Loup le 15 mars. Le départ manqué pour Paris le 18. Le goûter chez Adèle Hugo le 21. Le dîner chez Neyt. La nouvelle crise le 22. Le début d'aphasie. L'hémiplégie. Sur le fond cependant, je veux dire : sur la méthode qui consisterait (car telle est bien, n'est-ce pas, votre idée ?) à vous introduire ainsi, comme par effraction, dans la tête d'un poète que vous avez à peine connu, puis à le faire parler par votre bouche, avec vos mots et vos préoccupations, souffrez que je vous dise mon extrême perplexité – doublée, et c'est plus grave, des plus expresses réserves quant aux idées d'ensemble que, chemin faisant, vous développez.

Si je devais faire la part entre ces idées, je dirais que j'en vois, grossièrement parlant, deux sortes. D'un côté des idées justes, mais qui ne concernent ni directement ni exclusivement notre ami : c'est le cas, par exemple, de cette théorie de la vie étale, tout entière jouée dans ses débuts et dont l'œuvre ne ferait qu'évider ensuite les conséquences – quel est le grand écrivain à qui vous ne l'appliqueriez pas? quel est celui (je parle des *très* grands) dont on n'ait le sentiment qu'il est tout de suite, dès sa toute première apparition, le génie qu'il va devenir? De l'autre des choses qui lui appartiennent en propre, qu'on ne dirait en effet de personne, mais qui, sous réserve, cela va de soi, d'informations supplémentaires que vous auriez gardées par-devers vous, me semblent bien gratuites : ce cortège de spectres, notamment, que vous faites défiler dans sa cervelle avec, soit dit en passant, de flagrantes erreurs sur Beethoven dont la musique grandiose, mais emphatique, était à l'opposé de ce qu'il aimait; ou sur Rubens dont vous devriez savoir que, depuis son arrivée à Bruxelles, il s'était pris à le détester. Et quant à votre thèse centrale enfin qui est, si je vous ai bien suivi, de séparer l'œuvre de la vie pour lui prêter un auteur idéal, supérieur à l'homme de tous les jours et qui n'aurait plus qu'un lointain rapport avec le très concret héros de la très concrète biographie, je vois bien d'où elle vous vient et sous quelle influence vous la soutenez; mais si l'idée est, comment dites-vous? *mallarméenne*, je puis vous assurer qu'elle n'est ni de près ni de loin baudelairienne et qu'elle buterait, si elle l'était, sur un événement très précis qu'un mélange de discrétion, de respect de la mémoire d'un ami mort, de hasard peut-être aussi, m'avait interdit jusqu'à présent de rappeler mais qui suffit, me semble-t-il, à détruire toute votre thèse : à savoir que ce grand « détaché », cet homme que vous nous dépeignez perdu dans ses pensées, à jamais retiré du monde et de ses vains incidents, a quand même, le lendemain du jour auquel vous faites allusion – soit, pour être précis, trois jours après la grande crise du 22 – trouvé la force de se lever, de se rhabiller en dandy et de partir avec moi pour une pénible équipée à travers la ville dont le but était (je le cite) de *vérifier Les Fleurs du Mal.*

Laissez-moi vous expliquer cela. Il était, vous le savez comme moi, ce que l'on pourrait appeler un poète de l'intelligence, pour ne pas dire de l'abstraction. Il parlait des choses sans les voir. Il les mettait en vers sans les avoir toujours ni touchées ni rencontrées. Tout, en lui, était si puissamment pétri de pensée qu'il n'est pas jusqu'à sa veine « indienne » dont ses plus fidèles amis se sont toujours demandé si elle était vraiment le fruit d'un voyage de jeunesse ou si elle n'était pas, au contraire, le pur produit de son invention. Il était comme un artiste (mettons, pour fixer les choses, Daumier) qui dessinerait de mémoire plutôt que d'après modèle. Et quand il parlait lui-même de peinture, d'ailleurs, c'était sur catalogue et descriptions, sans avoir forcément vu, visité l'exposition. Les choses, pour lui, étaient des idées. Elles étaient conçues par l'œil de l'âme avant de l'être par celui des sens. Et tout se passe comme si cet homme étrange, qui avait donné vingt ans de sa vie à parler des odeurs, des couleurs, du corps des femmes, des sons, du spectacle ou de la clameur de la ville sans sortir de son cabinet, était soudain saisi d'une sorte de dernier scrupule : le monde est-il bien tel que j'ai dit? ressemble-t-il à ma peinture? mes vers, mon œuvre entière, ne reposeraient-ils pas, après tout, sur un malentendu considérable? Vous me direz que ce remords est encore un autre signe de ce primat de l'œuvre que vous soulignez dans votre mémoire. Soit. N'empêche (et c'est, pardonnez-moi, le principal) qu'il y a loin de votre poète prostré, douloureusement retranché du monde et des aléas du temps qui passe, à ce personnage ardent, presque fébrile, que j'ai la surprise de retrouver ce matin-là dans la chambre du Grand-Miroir, seul cette fois, toute la foule du premier jour s'étant décidément lassée du spectacle – et qui va consacrer les forces qui lui restent, non pas à fabriquer des dialogues imaginaires entre le Tasse, Dante et Homère, mais à revenir le plus concrètement qu'il est possible à la rencontre d'un monde où il n'est pas loin de voir le juge ultime de ses livres.

Je revois la scène. Il est neuf ou dix heures. La logeuse, dès l'escalier, m'a annoncé que « Monsieur allait un peu mieux vu qu'elle l'a entendu dès son réveil recommencer son chambard ». Et je le trouve assis en effet, prêt à sortir, avec son chapeau sur la tête, sa canne à portée de la main, son gilet de tussor gris, ses escarpins, le costume de cérémonie que je ne lui avais plus jamais vu depuis sa conférence chez l'agent de change Crabbe et un air, sur le visage, de détermination butée qui me semble de mauvais augure. « Nous sortons, me dit-il, de cette drôle de voix lente, traînant un peu sur les syllabes, qu'il a depuis deux jours et dont aucun de nous n'a mesuré, encore, de quel ramollissement elle est le signe annonciateur. Oui, Poulet, nous sortons. Nous avons une rude journée devant nous. Où étiez-vous passé? Voilà deux heures que je vous attends. » Et comme j'essaie de répliquer, comme je bégaie, outre quelques mots d'excuse, que cette sortie n'est pas raisonnable, qu'il vaudrait mieux consulter le docteur Marcq et, pour l'instant, se recoucher, je vois son œil qui se plisse, la commissure des lèvres qui se durcit; je le vois qui, sans m'écouter davantage, prend appui sur mon bras de tout le poids de son corps malade et se redresse d'autorité. Ai-je eu tort? Aurais-je dû insister, tenir bon, peut-être même le planter là et descendre guetter Marcq au rez-de-chaussée? Le fait est là : je n'ai pas osé; et, soit docilité excessive, soit inconscience, soit idée, au fond de moi-même, que c'était le devoir de ses amis de lui rendre aussi doux que possible les moments qu'il traversait, j'ai cédé à sa demande. Nous descendons – enfin je le descends – dans la rue. Nous arrêtons un fiacre. Et nous voilà partis, lui à demi impotent, moi avec ma goutte qui ne m'avantage pas non plus beaucoup, à la recherche, donc, de ses « vérifications » des *Fleurs du Mal.*

D'abord, l'histoire des portiques. Vous connaissez sa fascination des portiques, n'est-ce pas? J'ai longtemps habité sous de vastes portiques... Du fond des portiques où jasent les ruisseaux... La nature est un temple où, etc., etc. Eh bien voilà notre fine équipe (car dès l'instant où je le suivais, il fallait bien que, d'une manière ou d'une autre, j'acceptasse de *faire équipe*) qui, confondant allégrement la Belgique et Calcutta, se met à courir de la place Quatelet à la rue Ducale, de l'ancien marché aux grains au nouveau, de l'Hôtel des Boulevards-et-Boël aux terrasses de la porte de Louvain – tout cela dans l'idée (vaine, bien entendu, mais aussi ardemment poursuivie que si son sort, sa vie, sa survie en dépendaient) de trouver un vrai portique en plein Bruxelles et de s'assurer ainsi de tel ou tel détail, avancé sans précaution dans un sonnet.

Les chats, ensuite. C'est une autre de ses passions, les chats. Et ce n'est pas à vous que j'apprendrai la place qu'ils occupent dans ses poèmes. Or là aussi il s'agite. Il s'enfièvre. A chacun des chats que nous croisons c'est un sursaut, un cri de triomphe et de joie. A un moment même, place de la Vieille-Halle-aux-Blés, devant l'arrêt de la diligence, comme le fiacre, lancé à toute allure, manque en écraser un, il proteste qu'il veut descendre et attraper la pauvre bête. Et cela, à nouveau pourquoi? Oui, pourquoi, lui demandé-je, faillir ainsi se rompre le cou? Même réponse. Même souci. Il a besoin, me dit-il, de « caresser à loisir la tête d'un chat » et de vérifier, dans ses « beaux yeux », s'il peut effectivement s'y trouver, mêlés comme il l'a écrit, du « métal » et de l'« agate ».

Ensuite cet hôpital pour filles où nous faisons halte et où, sous un prétexte rocambolesque, il demande – et obtient – d'être porté dans le pavillon spécial où, vêtues de bure grise et coiffées d'un petit calot blanc censé les distinguer, vaquent les grandes vérolées. « C'est ça, murmure-t-il... C'était donc ça... Vous voyez bien, Poulet... Est-ce que vous voyez bien? » Et il opine devant chacune, longuement, déterminément, fixant les bubons de l'une, les croûtes brunâtres de l'autre, examinant la bouche édentée de la troisième, le trou purulent de la quatrième à la place d'un œil qui dut être beau – et marmottant entre chacune, comme si leurs rythmes et leurs mots résonnaient d'un son neuf, des vers admirables que nous connaissons vous et moi fort bien : « Et vous femmes, hélas, pâles comme des cierges, que ronge et nourrit la débauche... »

Il y eut les quartiers de plaisir, avec leurs carrefours infects, leurs tripots malodorants, les petites maisons borgnes aux persiennes déjà fermées où la luxure et le crime battaient déjà leur plein. Il y a eu ces rues trop étroites où le fiacre, peinant à passer, devait aller au pas et où nous eûmes tout le loisir, et de voir, et d'être vus. Avouerai-je que c'est moi, cette fois, qui me surprenais à chercher, ici la « Malabaraise aux grands yeux de velours », là une « petite Berthe aux ténèbres léthargiques », là encore l'ombre furtive de la « femme aux paupières livides » qui nous a tant fait rêver – et là, un peu plus loin, vantant ses charmes à la criée devant la porte d'un taudis, sa « Dorothée de trottoir » dont j'observai, en effet, qu'« elle balayait l'air de ses jupes larges »?

Il y eut notre quête du diable. Non, je ne raille pas. Nous avons bien cherché le diable. Nous nous sommes mis en chasse (je dis sans affectation : en chasse) de toutes les traces de son passage dans cette ville qui, à ses yeux, en était le repaire d'élection. Et la vérité m'oblige à dire qu'elle a été bien piteuse, cette quête – chaque expérience que nous tentions tournant cette fois en sens inverse et prouvant, non sa présence, mais sa désespérante inexistence : une jolie petite fête, pleine d'insouciance et de gaieté, sur le site que nous croyions maudit de la place Poelaert; un monsieur qui ôte son chapeau sur notre passage alors que B. l'a foudroyé du regard; un gamin qui lui sourit; une vieille courtisane à l'œil rêveur; une mendiante rousse, tas de chair malodorant, jetée à même le pavé comme une grosse ordure et qui, sortant de vagues mains du haillon qui lui sert de robe, fait sur notre passage le geste de nous bénir; et jusqu'à son inévitable logeuse qui, le soir venu, quand nous rentrerons de notre équipée, manifestera une amabilité étrange, presque inquiétante, qu'il ne pourra interpréter, derechef, que comme une ruse du Malin.

Et puis ce fut l'histoire du cygne. Nous sommes quai aux Briques, sur les berges de la Senne, à l'endroit où la rivière charrie le plus de détritus. Et je l'entends tout à coup qui, avisant une forme noire contre le parapet, se met à réciter : « un cygne, Poulet ! un cygne... ! il s'est évadé de sa cage et, de ses pieds palmés frottant le pavé sec, sur le sol raboteux traîne son noir plumage... » Persuadé qu'il se trompe, qu'il doit s'agir d'un meuble abandonné, d'un bâton, d'un débris que des gamins auront sorti de l'eau pour jouer, persuadé que je tiens le moyen de le confondre en lui remontrant une fois pour toutes, sur un incontestable cas, que son manège est absurde et que la plupart des rencontres dont il s'émerveille depuis une heure n'existent que dans ses songes, j'accepte d'arrêter le fiacre et d'aller, pour lui, jusqu'à la berge. Et là, ô surprise ! ce n'est ni un meuble, ni un bâton, ni le détritus que je pensais, mais bel et bien un cygne ! et noir, s'il vous plaît ! et frottant en effet, de ses pieds palmés, etc. ! C'est le seul cygne de la ville. Probablement même le premier qui, de mémoire de Bruxellois, se soit jamais aventuré là. Accablement pour moi. Triomphe bruyant pour lui. Vais-je enfin comprendre, gronde-t-il, que la ville, le monde, la réalité tout entière ne sont là que pour nous parler des *Fleurs du Mal* ?

Je pourrais continuer longtemps sur ce ton. Je pourrais raconter sa façon de guetter les petites vieilles, de dévisager les chiffonniers, de héler une passante éberluée pour lui demander de mieux « balancer son feston ». Je pourrais dire sa recherche éperdue, pêle-mêle, d'une Juive, d'un balcon voilé de vapeurs roses, d'une chevelure moutonnant sur l'encolure, d'une statue aux yeux de jais, d'une pipe, d'un ange à l'œil fauve. Je pourrais, je *devrais,* dire son air non plus « éperdu », le mot serait mal choisi, mais tatillon, presque maniaque : si je ne le connaissais pas, si je ne savais pas quel merveilleux poète il est, je l'aurais volontiers pris pour une sorte d'arpenteur procédant à je ne sais quels dénombrements ou relevés. Tantôt ce sont des signes qu'il recherche. Tantôt des confirmations ou des preuves. Tantôt, quand la coïncidence est trop flagrante, il ne cherche plus rien mais trouve – et c'est la merveilleuse sensation, non pas qu'il a rejoint la réalité, mais que c'est la réalité qui, à l'inverse, l'a rattrapé.

J'insiste sur ce dernier point. Vous aviez deux façons très différentes de concevoir à ce moment-là les rapports entre le monde et l'œuvre d'un écrivain. Vous aviez les réalistes, c'est-à-dire tous ceux qui, sous une forme ou sous une autre, et quelles que soient par ailleurs les divergences de leurs doctrines, croient que l'art copie le réel, qu'il s'en inspire ou le reflète. Et puis vous aviez les autres. Les rares autres, comme vous diriez. A commencer par lui, Charles Baudelaire, l'un des premiers à croire (et c'est peut-être en cela déjà qu'il est, pour parler comme aujourd'hui, « moderne ») que le contraire est également vrai. Il arrive que ce soit le réel qui copie l'art. Le monde qui s'inspire des livres. Il arrive que ce soit le génie des grandes œuvres que de déformer la réalité, de lui donner un nouveau visage, de faire qu'on ne la voie plus après comme on la voyait avant. Et leurs auteurs ont fatalement le droit, alors, non pas seulement, ce qui serait banal, d'aller voir si la rose qu'ils ont chantée est bien conforme à celle qui existait –

mais si celle qui existe, qui pousse et éclôt en dehors d'eux, a bien fini par ressembler à ce qu'ils avaient prédit. Voilà ce qu'il se murmure. Voilà, voix intérieure pour voix intérieure, les pensées qui le hantent. Et ce, jusqu'à cette dernière histoire, assez effrayante vous allez voir, mais que je voudrais rapporter tant elle me semble illustrer l'état d'esprit où il se trouve.

Il est tard. L'après-midi est bien engagé. J'ai réussi à le convaincre, avec force diplomatie, que nous referions le lendemain une vraie promenade de conversation mais qu'il est fatigué, que je le suis, que cette équipée ne rime à rien, qu'il y perd le peu de santé qui lui est revenu pendant la nuit. Et nous sommes chez moi, faubourg d'Ixelles, dans ce quartier de religieuses et de petits rentiers où j'ai fini par le ramener – attablés tels de vieux complices autour d'un carafon d'eau à la fleur d'oranger que nous buvons lentement, à petites gorgées, dans des gobelets de faïence que je sais qu'il aime beaucoup. J'essaie de parler. De plaisanter. Je lui propose de jouer, comme au bon vieux temps, au jeu de lui-jésuite et de moi-athée dont je sais qu'il raffole également. Mais il ne me répond pas. La bouche vague, les yeux levés vers le ciel et pleins, comme ceux du Quichotte, d'une tristesse confiée à la seule complicité de la nuit, il semble perdu dans un monde où ni moi ni personne ne pouvons plus l'accompagner. Et je ne suis pas loin de penser qu'il a oublié jusqu'à ma présence quand, se redressant, grinçant des dents et me lançant, à moi, son ami, un regard où je ne sais ce qui l'emporte de la colère ou de la haine, il me dit que non, ce n'est pas fini, que j'ai eu tort, grand tort, de l'interrompre : il lui restait une vérification à faire, une toute dernière – et il a besoin, pour cela, que je lui trouve séance tenante une belle et vraie... négresse!

Pourquoi une négresse? La question, vous l'imaginez bien, n'était pas là et ce n'est pas à vous que j'apprendrai la place qu'occupait la chose non seulement dans sa vie mais dans les songes et les images qui nourrissaient son œuvre. L'important, pour le quart d'heure, c'est qu'il me demandait cela sur un tel ton, avec tant de prière et de colère dans la voix, l'important c'est qu'il avait tellement l'air de suspendre son sort et celui de son œuvre à la satisfaction donnée ou non à sa requête, que je n'ai pas eu le cœur, là non plus, de ne pas obtempérer. Et me voilà dans la redoutable situation – de plus en plus scabreuse, convenez-en, pour l'éditeur et ami que je suis – d'avoir à chercher dans Bruxelles, et dare-dare, quelque chose d'à peu près aussi rare que le cygne du matin.

Gertrude P., une bonne dame de mes amies, voisine de surcroît et qui a l'habitude de me pourvoir, m'indique qu'il y en a trois, en tout, recensées à la police des mœurs. Une qui est à l'hôpital de Louvain, trop malade, peut-être même agonisante, et dont il vaut mieux ne pas parler. Une autre, perdue depuis plusieurs mois et que la rumeur, selon les jours, prétend morte, mariée ou partie à Paris se faire radier. Une troisième, bien vivante, bien vaillante, mais qu'une tenace malchance rend introuvable. Tant et si bien que dame Gertrude, voyant mon embarras et soucieuse aussi, sans doute, d'honorer sa réputation de grande arrangeuse devant l'Éternel, m'explique que, exotisme pour exotisme, « il faut pas se fixer sur une négresse... qu'est-ce que c'est que ces idées toutes faites...? elle a une Hollandaise, si je veux, fille de Javanais... une Italienne qui parle russe... une authentique mahométane qui se dit cousine du dey d'Alger... une Flamande au teint mat... et puis oui, voilà, où est-ce que j'avais la tête? pour sûr que c'est l'idée : Kazir, une Turque vraie de vraie que je mets ma main au feu qu'elle fera l'affaire de votre ami... ». Va pour la Turque, lui dis-je. Sur quoi je rappelle un fiacre. Direction le Grand-Miroir. La chambre de nouveau. Lui tout habillé sur son lit, moi sur la chaise qui lui fait face. Ordres stricts à la Lepage pour qu'elle ne laisse entrer aucun fâcheux. Et, au bout d'une heure, une belle grande fille nous arrive, brune en effet et qui, avec ses yeux charbonnés de khôl, son casque de faux cheveux, sa peau grasse enduite d'huile de coco, me semble assez particulière pour contenter le caprice le plus exigeant.

B., le premier moment de surprise – de déception? – passé, semble s'en satisfaire. Il l'accueille. Lui fait son sourire grimaçant, d'un côté du visage seulement. Il essaie même de se lever, gauche, la jambe raide, sa main valide serrant son bras malade contre le torse comme si cela pouvait suffire à cacher son infirmité. Voyant qu'il n'y arrivera pas et qu'il risque, s'il persévère, de tomber du lit, il se ravise, tâtonne un peu, puis finit par s'effondrer dans un vilain désordre de gestes, de tressaillements, de maladresses. Et une fois calmé, d'un air de cérémonie que sa gaucherie a rendu plus inquiétant encore, il demande à la fille de bien vouloir prendre place près de lui. « Voilà, dit-il... Voilà... Vous êtes là, n'est-ce pas... On va pouvoir inspecter tout ça... » Après quoi, sans prendre garde à son air abasourdi, il entame en effet l'inspection : du regard d'abord, rien que du regard – l'un de ces regards scrutateurs qui, ne s'embarrassant plus de la moindre retenue, sont le plus éloquent des outrages; puis, avisant sa canne à la tête du lit, il la saisit, la tend à bout de bras vers la jupe de taffetas qui bouffe sur la couverture; comme la fille recule, il avance; comme elle recule encore, il avance lui aussi davantage; et comme elle est à l'extrême du lit, me lançant un regard où se mêlent incrédulité et appel au secours, il ajuste sa prise et, sans plus trembler, le geste bien assuré, avec un air de triomphe rayonnant sur le visage, il soulève d'un coup la masse de jupes et de jupons – dégageant au passage une odeur de moisissure et de vice que je n'oublierai, je crois, jamais.

Est-ce ce geste qui effarouche la belle? Est-ce son audace? Sa brutalité? Sont-ce les questions qu'il lui pose (car j'ai oublié de dire qu'il lui a d'abord posé des questions) qui lui semblent trop étranges? Est-ce leur ton? Leur crudité? Est-ce sa façon, plus inquisitoriale que ses regards, de lui demander ce qu'elle pense de l'enfer? du péché originel? si elle croit que les amants sont des bourreaux? comment elle explique que la chose ne puisse se faire qu'à travers les organes les plus sales, les plus excrémentiels du corps humain? Est-ce ma présence qui la trouble? Devrais-je, malgré les ordres de mon ami, m'éclipser, les laisser seuls? Toujours est-il que sur le visage de cette fille se peint une expression de terreur endiablée. Elle ouvre la bouche. La referme. Étouffe un petit cri, une protestation inarticulée. Elle qui n'ignore sans doute rien des perversités humaines prend, face à ce singulier client, un air de rosière effarouchée ramenant ses jupes sur les genoux. Puis, retrouvant un peu de ses esprits, elle bredouille que « non, il y a erreur, c'est un docteur qu'il faut à ce fou, pas une fille – on n'a qu'à lui payer son déplacement, pour le solde elle s'assiéra dessus et partira sans faire d'histoires ». Et sans demander son reste, avec la même mine d'épouvante que si elle avait croisé Satan en personne, elle prend les deux francs que je lui donne, ramasse sa houppelande et, trop bouleversée pour entendre le glacial éclat de rire dont B. salue sa simagrée, se précipite dans l'escalier non sans m'avoir, au passage, adressé les deux ou trois insultes que, ma foi, je méritais.

Voilà. Que vous dire d'autre ? La Turque partie, mon pauvre ami s'est recouché. Et il a passé la fin de l'après-midi plus calme, les yeux mi-clos, apparemment content du résultat de ses « inspections » et marmottant une fois encore les sonnets que nous avions vérifiés. Je n'entendais pas tout, certes. Mais un mot par-ci. Un mot par-là. Je voyais ses lèvres bouger, parfois en grand silence, à la façon d'un moribond disant sa dernière patenôtre. Et je le voyais, de temps en temps, comme si l'intuition d'un mot fautif, d'une rime pauvre ou douteuse, le tirait de sa torpeur, qui se relevait à grand-peine et me priait de le soutenir jusqu'à sa table. Là, il prenait sa vieille édition des *Fleurs du Mal,* la compulsait d'un geste nerveux et trouvait presque aussitôt le vers qu'il recherchait. Il le lisait. Le relisait. Il le récitait à voix haute et le corrigeait en pensée ou d'un grand coup de crayon bleu.

Il y a des vers qu'il trouve faibles. D'autres répétitifs. Il ne supporte plus cette « crinière lourde » par exemple, qui revient dans « La chevelure » et « Le Léthé ». Ni ces « cocotiers absents » dans « Le cygne » et « La Malabaraise ». Ni ce même couple de rimes, au demeurant bien pauvres (« climats » et « mâts »), dans « La chevelure » encore et dans « Parfum exotique ». Il trouve son « Albatros » enfantin. Son « Recueillement » raté. Il se demande si les plus achevés ne manquent pas d'audace et si, rapportée à celle des jeunes gens dont on lui dit qu'ils tiennent les lettres parisiennes, sa rhétorique ne paraîtra pas un jour beaucoup trop traditionnelle. Il se dit que ses meilleurs poèmes sont trop clairs. Et il songe que s'il en a le temps, si la force lui en est donnée, il devra en reprendre quelques-uns pour y introduire, non certes de l'obscurité, mais ce soupçon d'ambiguïté qui donne aux vrais chefs-d'œuvre leur halo de mystère, de perplexité. L'aura-t-il, cette force? Toute la question est là. Et c'est avec des accents d'infinie lassitude qu'il me fait part de ses doutes.

Il a une autre obsession, ô certes pas nouvelle puisque c'est elle, aussi bien, qui l'a conduit jusqu'à Bruxelles, mais qui prend cet après-midi-là une intensité particulière : celle de trouver un éditeur, un vrai, non seulement pour ses *Fleurs* mais pour l'ensemble de ses œuvres, si tragiquement disséminées. Il en a chez moi. Mais aussi chez Dentu, Hetzel, Lemerre, Pincebourde. Il a des myriades de petits textes, dont il a lui-même perdu la trace, dispersés aux quatre vents, dans des revues épuisées ou disparues. Et l'idée le hante de collecter tous ces fragments, de les rassembler, de leur donner leur ordre et leur sens, de ne pas quitter ce monde sans avoir doté son œuvre d'un séjour digne d'elle. Chacun connaît, n'est-ce pas, l'histoire de son père, le prêtre défroqué, qu'un mélange de légèreté féminine et, disait-on, de punition du ciel, avait privé de sépulture. Eh bien je crois que, dans sa tête malade, les choses n'étaient pas sans rapport et que là, entre sa table et son lit, son coffre sous les yeux et ses *Fleurs du Mal* à la main, il ne pouvait pas s'empêcher d'associer ceci à cela, le destin de ses livres à celui du cadavre offensé, la négligence d'Ancelle aujourd'hui à celle de Caroline autrefois – je crois que l'image de cette œuvre laissée (ce furent ses propres mots) « sans sépulture » lui était aussi intolérable que celle du squelette abandonné aux vers et aux chiens. De cela aussi nous avons parlé. Longuement. Posément. J'ai essayé de lui expliquer les chances de la solution Michel Lévy. Je lui ai raconté comment Albert de La Fizelière avait déjà commencé la grande enquête bibliographique préalable à toute édition. Mais rien ne l'apaisait, je le voyais. Il aurait donné les mois qui lui restaient à vivre en échange de la garantie, formelle, d'un tombeau pour *Les Fleurs du Mal*.

Il y avait également le problème des brouillons. B. m'avait souvent dit qu'il y avait, à ce propos, deux attitudes possibles. D'un côté ceux qui gardent tout, conservent la moindre de leurs esquisses et, loin d'être hostiles à l'idée de les voir un jour publiées, sont au contraire enchantés de donner ainsi le spectacle du cheminement de leur génie : c'est le cas de Delacroix par exemple dont il savait mieux que personne avec quelle insistance il avait souhaité que l'on conservât ses croquis, que l'on vendît jusqu'à ses dessins les plus informes – et cela pour, encore une fois, laisser le témoignage d'une œuvre dans tous ses états. Et puis, de l'autre, il y a ceux qui, soucieux d'effacer de l'entour des livres achevés tout ce qui pourrait attester de leur part de hasard et de circonstance, exigent que l'on brûle leurs notes, leurs ébauches : c'est le cas, tout près de nous, de ce musicien qu'il n'a pas pu connaître mais qui recommanda, comme vous savez, et avec quelle bouleversante insistance! que l'on détruisît ce qu'il laissait d'évidemment inachevé. Il était de ce parti-ci. Il l'était, j'allais dire *forcément*. Toute son idée de la littérature allait fatalement dans ce sens. Et nous passâmes un autre grand moment, lui à récapituler les brouillons qui pouvaient rester, les variantes les plus diverses qui pouvaient traîner ici ou là – et moi à noter les noms, les adresses, les simples prénoms parfois quand il s'agissait d'une fille à peine croisée, aussi vite délaissée, mais chez qui il avait pu laisser l'attaque d'un article ou d'un sonnet. J'étais chargé, le jour venu, de circonvenir tout ce joli monde et de remettre ainsi la main, pour les faire disparaître, sur ces débris.

A propos de circonvenir, un dernier détail me revient qui, je crois, vous intéressera. Nous avions donc parlé des brouillons. Nous nous étions mis d'accord sur la marche à suivre pour l'éditeur. Il m'avait donné ses consignes concernant ses *Épaves,* ses notes belges et ses tout derniers poèmes. Et voilà que, à nouveau saisi d'un frémissement très inquiétant, il me dit qu'il y a pire encore, danger plus redoutable – et qu'il voit bien comment un homme (qui, il ne sait pas) pourrait me circonvenir après sa mort ou, sans même passer par moi, approcher l'éditeur que je lui aurais trouvé pour, subrepticement, à la manière d'un faussaire truquant une perspective de Mantegna ou rajoutant un vernis au bleu d'un ciel de Giotto, induire dans l'un de ses sonnets une microscopique mais décisive modification. J'ai beau lui expliquer que l'idée est absurde, j'ai beau lui répéter qu'en trente ans de métier je n'ai jamais rien vu de tel, l'idée l'inquiète quand même. Il voit la scène. Il voit le clan Hugo mettant le stratagème au point. Il devine l'imprimeur, le typographe peut-être, que l'on charge de la mission. Il l'imagine rôdant autour des placards. Guettant son heure. Il l'imagine saisi d'un dernier remords avant de commettre son forfait – et puis, se souvenant des ordres, et des mille bonnes raisons qu'on lui a données, il le voit inoculant à l'un des vers la fatale correction qui roulera alors, d'édition en édition, pour le défigurer à jamais.

Je pourrais ajouter encore, si je ne craignais d'abuser de votre patience, l'histoire de ses plagiats. Baudelaire n'était certes pas un plagiaire. Il l'était moins que Stendhal par exemple. Moins que l'auteur du *Voyage en Amérique* ou du *Dernier Abencérage*. Il ne l'était pas à la manière de Pascal paraphrasant Montaigne, de Montaigne recopiant Plutarque ou de La Fontaine démarquant Ésope. Mais enfin c'était un liseur. Un très grand liseur. Et comme tous les grands liseurs, comme tous ceux qui croient que les livres viennent, non de la vie, mais des livres qui les ont précédés, il avait une fâcheuse tendance à amalgamer à ses textes des fragments qui n'étaient pas de lui et qu'il ne prenait pas toujours le temps de recouvrir de cette patine qui, en général, les dissimule. Un épisode de *La Fanfarlo* venu de Mérimée... Le thème du *Jeune Enchanteur* inspiré d'un keepsake anglais... Des articles américains recopiés dans sa première étude sur Poe... Un bout de *L'Histoire de la peinture en Italie* de Stendhal repris dans son second *Salon*... Sans parler de ces innombrables emprunts à Lamartine, Longfellow, Aloysius Bertrand, d'autres, qui faisaient de certaines de ses pages de véritables pots-pourris... B. savait tout cela. Il l'avait d'une certaine manière toujours su. Mais il s'était conduit à la manière d'un malfaiteur qui, connaissant qu'il a laissé derrière lui l'empreinte de son forfait, aurait passé sa vie à se dire qu'il serait toujours temps de l'effacer. Là, tout à coup, il n'a plus le temps. Il songe que le moment est venu et qu'il ne reviendra jamais plus. Et j'ai beau lui dire, là encore, qu'il a tort, que tous les écrivains font ainsi, j'ai beau lui répéter que le vrai nom du poète est rhapsode et que la littérature n'a jamais rien été d'autre qu'une intarissable citation, c'est à nouveau plus fort que lui et le voilà reparti dans un dernier monologue, plus halluciné s'il se peut, où il me somme de noter ses volontés. Il y a les plagiats qu'il veut effacer. Ceux qu'il compte déclarer. Il y a de *faux* plagiats qu'il voudrait avouer pour mieux brouiller les pistes et dissimuler les vrais. Lesquels ? Comment ? Tout cela, vous le savez, aurait dû faire l'objet de cette fameuse « Note sur les plagiats » qui devait clore la réédition des *Fleurs du Mal* et qu'il n'a jamais achevée. Le sujet est trop délicat, l'histoire trop incertaine et j'en sais peut-être trop moi-même pour que vous ne m'autorisiez pas, sur ce point, à respecter un silence que le hasard, la providence – à moins que ce ne fût une obscure et ultime volonté de sa part – ont choisi de sceller.

Cette fois je m'arrête, cher monsieur. Tout ceci présageait mal, en tout cas, du temps que mon ami avait à vivre. Et il était clair qu'un homme pour qui le monde n'avait plus d'autre raison d'être que de confirmer ou contrarier *Les Fleurs du Mal*, entrer dans leur logique ou en sortir, n'était plus vraiment des nôtres. Je vous ai livré ces souvenirs sans fard et en confiance – alors que j'ignore, encore une fois, qui se cache exactement derrière les pages que vous m'avez transmises. Gardez cette lettre. Faites-en usage. Publiez-la si vous voulez. Je compte seulement que vous saurez en réserver ce qu'il vous semblera séant de n'en pas révéler. Pour le reste, je suis votre serviteur pour toute information complémentaire que je serais susceptible de vous donner. Je vous dis adieu, monsieur. Baudelairien jusqu'au bout, je ne vous serre pas les mains.

Auguste Poulet-Malassis.

4

Plus de dix ans se sont écoulés entre les événements que relate Poulet dans cette lettre et le moment où il la rédige. L'homme a vieilli. Sa mémoire sans doute aussi. Peut-être a-t-il tendance, comme souvent en pareil cas, à enjoliver ses souvenirs, à exagérer son rôle et son importance. Et il y a tant de scènes dans son récit, tant de péripéties et aventures, qu'il est difficile de croire qu'elles se soient toutes passées ce même jour – et qu'il n'ait pas été tenté d'enchaîner des épisodes ou des rencontres qui s'étalaient, en réalité, sur une période un peu plus longue. Il faut faire la part de l'amertume également. Il faut avoir vu cet éditeur déchu, courant les bouquinistes, dont on murmurait que, depuis son retour en France, il ne vivait plus que d'expédients et de trafics. Il faut avoir connu le baudelairien de la première heure que sa nostalgie des années glorieuses ne pouvait que rendre méfiant à l'endroit de toute entreprise visant à tirer le destin de son ami dans le sens de la « modernité ». Mais enfin, l'esprit de son témoignage est là. Il confirme, et c'est l'essentiel, cet incontestable repli sur l'œuvre qui est l'événement majeur des quelques jours écoulés depuis le dîner chez Charles Neyt et la nuit qui a suivi. Et s'il ne souffle mot – on comprendra bientôt pourquoi – de cet énigmatique nouveau projet qui succédait dans la tête du malade à celui du *Cœur mis à nu,* reste que dans son style à lui, avec ses erreurs, ses insuffisances, ses contradictions ou approximations, il n'en dessine pas moins le paysage où ledit projet devait – et va maintenant – pouvoir s'inscrire.

S'il fallait résumer en effet cette entreprise, s'il fallait trouver les mots simples pour définir et décrire cette seconde hallucination littéraire, peut-être suffirait-il d'évoquer ce repli et d'en mesurer surtout la vertigineuse amplitude. Charles Baudelaire n'est plus qu'un nom ? Une voix ? Il vit dans un autre monde, un autre temps ? Soit. Un livre s'annonce alors, profilé sur cet autre monde, ordonné à ce nouveau temps, accordé à cette voix, à ce nom – et qui, impérieux, prend la relève. Le livre de l'œuvre en quelque sorte. Le récit de ses états. L'histoire jamais dite, jamais conçue, et à côté de laquelle les *Confessions* de Jean-Jacques Rousseau paraîtront pour le coup bien prudentes, non plus de l'écrivain de chair, mais de l'homme de papier, abstrait et comme excarné, dont le nom s'est confondu avec les titres de ses poèmes et qui, possédant l'autre, le dévorant, a fini par dire « je » à sa place. Il ne l'écrit pas, ce livre. Il l'écrit moins que jamais. Plus encore que pour le premier, il sent la démarche si osée, si incongrue, que le papier, s'il essayait, « se recroquevillerait au bout de sa plume enflammée ». Mais il le voit. Il le conçoit. Il distingue une série de moments qui ne sont plus ceux de la vie, mais des pages en train de s'écrire. Et c'est un grand album imaginaire, plus irréel encore que l'autre, qui enchaîne ces moments les uns aux autres comme s'ils constituaient le fil d'une existence. Traiter les *Fleurs* comme un homme, la vie de leurs vers comme une vie tout court, porter sur la création et sa chronique le regard habituellement dévolu au maître et à ses secrets – tel est l'incroyable dessein qu'il commence de nourrir.

Les autobiographies traditionnelles s'ouvrent toujours sur la naissance. Eh bien celle-là aussi commencera par une naissance. Mais l'autre. La vraie. Celle qui l'a fait entrer, non dans le monde des hommes, mais dans celui, plus essentiel, de la littérature. Comment devient-on un écrivain ? Pourquoi? Y a-t-il un moment où cela arrive? Une heure où cela se décide ? Y a-t-il une frontière, une démarcation précise et claire, entre cet énigmatique état et celui dont il se détache ? Et si oui, si la limite existe, que peut-il bien se passer dans la tête de celui qui la franchit et qui, à ses risques et périls, malgré le désaveu et la réprobation presque unanimes, choisit de se retrancher du cercle de ses semblables ? Quelqu'un – La Madelène peut-être – parlait l'année passée, dans une quelconque feuille belge, de « l'art fils du malheur » et arguait que c'est pour échapper à ce malheur, pour en conjurer l'horreur, que les écrivains écrivent des livres. Lui ne croit pas. Non, il ne croit pas à cette idée de la douleur féconde et de la littérature réparatrice. Il la trouve naïve. Niaise. Il la trouve trop compromise avec ce romantisme de pacotille dont il a tant voulu se détacher. Le salut par la littérature? Pouah! Le salut, fût-il littéraire, est une idée pour Madame Sand. Il pense, lui, qu'on se perd en écrivant. Loin qu'écrire délivre le poète de cette part sombre qu'il porte en lui, cela ne fait que l'exposer à une nuit plus sombre encore. A preuve Borel, devenu fou. Nerval à la lanterne. Goya de plus en plus torturé, possédé, à mesure que l'œuvre avance. Et cela ne fait que rendre plus mystérieuse encore cette décision d'être écrivain.

Les autobiographies traditionnelles enchaînent toujours sur la famille. Graves, pesantes, avec un luxe de détails à faire pâlir d'envie le plus méticuleux des romanciers, elles scrutent ce formidable nœud de passions, d'intérêts, de désirs contradictoires, de rivalités, que l'on appelle une famille et où l'on trouvera, se dit-on, la clé de toute la suite. Eh bien là aussi il le fera. Il se pliera à la discipline. Sauf que ce ne sera plus la même famille. Plus la même filiation. Sauf que ce ne seront plus ces vulgaires appartenances naturelles et mammifères qui retiennent l'écrivain, tant qu'elles prévalent, dans le rang des humains ordinaires. Des filiations nouvelles. Des affinités inattendues. Tout un réseau d'appartenances non pas irréelles – car depuis le point de vue qui est maintenant le sien, elles sont presque plus réelles, plus vraies que les premières – mais abstraites, immatérielles, interrompant les liens du sang, du sol, du clan, de la société, au profit de ces liens plus subtils qu'il pressentait il y a un moment, quand le fameux cortège de spectres faisait irruption dans sa chambre. Frère d'Homère. Fils du Tasse. Petit-fils, arrière-petit-fils, de Shakespeare ou du Greco. Et entre les uns et les autres, entre ces frères improbables et ces cousins parfois ennemis, toute une trame de croisements, appariements, mariages d'amour ou de raison qui l'occupaient en secret depuis vingt ans. Depuis le temps qu'il rêve de « se refaire une famille »! Depuis le temps qu'il réclame le droit de « choisir ses frères »! Il y est à présent. Le moment est arrivé. Et cette généalogie qui était le souci le plus constant, quoique le plus obscur, de son œuvre – voici que, pour la première fois, il l'opère en pleine lumière.

Les autobiographies passent alors à l'enfance. Elles s'attardent, comme il le faisait lui-même, sur cet état intermédiaire où l'on devient ce que l'on est sans l'être encore tout à fait. Et elles s'extasient volontiers sur ces divines prémonitions qui pointent dans le visage en gestation et que reconnaît aussitôt l'œil exercé du biographe. Là encore il le fera. Il sacrifiera de bonne grâce au rite. Mais en choisissant cet équivalent d'enfance qu'est, pour un écrivain, l'étrange plage de silence qui sépare sa décision d'écrire du moment où il publie. Il y a maintes sortes de silences. Il y a le silence exsangue. Le silence mystique. Il y a le silence de Racine qui se tait après *Phèdre* et reprend la parole pour *Esther* et *Athalie.* Il y a celui de Joubert qui rôda, lui, sa vie durant, aux confins de l'acte d'écrire sans parvenir à le consommer. Et puis il y a celui, à la fois plus normal, plus constant et plus énigmatique, de *tous* les écrivains qui, ayant franchi le pas, ayant clairement, nettement pris leur parti, n'en cheminent pas moins cinq, dix ou parfois vingt ans encore, avant d'arriver à l'air libre. Pourquoi ce silence? A quoi rime-t-il? De quel travail discret, mais essentiel, est-il le prétexte ou l'occasion? Et que se passe-t-il, derechef, dans la tête d'un homme qui se sait, se sent, se veut pleinement écrivain mais attend, comme lui, dix-sept ans pour publier son premier vrai livre? Il est l'enfance de l'œuvre, ce silence. C'est cette enfance qu'il racontera.

Certains disent : c'est de la timidité, c'est une appréhension ultime face au mystère de l'œuvre; ils disent : c'est un effroi, une terreur sacrée qui s'empare de l'écrivain au bord du gouffre qui va s'ouvrir. Lui n'aime pas cette idée. Il la trouve trop simple à nouveau. Trop romantique. Et il craindrait, s'il l'adoptait, de retomber dans l'ornière de la littérature doloriste, qu'il écartait tout à l'heure. D'autres disent : c'est comme une gésine, une maturation; ils disent qu'il est, ce silence des débuts, le temps pour la voix de se poser, pour les mots de se chercher, ils y voient ce temps d'attente et de latence où l'œuvre se dit sans se dire, se forme sans se figurer et attend l'heure où elle pourra, mûre enfin, s'affirmer dans toute sa gloire. Il n'aime pas non plus cette image. Il la trouve facile. Fausse. N'avait-il pas, dès vingt ans, écrit quelques-uns de ses plus beaux vers? trouvé le meilleur de sa manière? l'œuvre n'était-elle pas là, déjà là, identique à elle-même, dès les premiers bouts-rimés qu'il échangeait, plus tôt encore, avec son camarade de lycée Deschanel? et si elle a une particularité, cette histoire, n'est-elle pas dans cette extraordinaire précocité – semblable, se disait-il, à celle d'un Napoléon maître, dès sa première bataille, de tout son art militaire? Ce qu'il croit – et qu'il racontera – c'est que, loin de s'être tu pour laisser mûrir ses livres, il s'est installé dans son mutisme alors qu'ils étaient déjà mûrs. Il se souvient d'un silence avare, presque crispé, comme s'il avait été maître d'un trésor qu'il ne fallait pas entamer. Il se souvient d'une source vive qui était comme la source de tous les livres passés, présents et à venir et dont il ne fallait à aucun prix – fût-ce en publiant – dilapider ou détourner le cours.

Il racontera, une fois le silence brisé, les principaux événements qui rythment et jalonnent son trajet. Les moments de perte, d'abord. De damnation. Ces grands moments de faiblesse et de vertige auxquels il pensait à l'instant et qui sont à cette histoire ce que les chagrins étaient à l'autre – ou bien (il faudra trancher!) ce que lui étaient au contraire les plus grandes exaltations. Il racontera les gouffres. Il racontera – il tentera de raconter – les vertiges qui le prenaient à chaque beau vers qu'il écrivait. Et il décrira, d'un vertige à l'autre, courant au-dessus des abîmes comme un fil de funambule, le rude chemin de la poésie. Insupportable? Oui, bien sûr, insupportable. Enfin : insupportable non pour le poète lui-même dont ce chemin était la voie royale, mais pour l'homme de chair qui l'accompagnait. Et c'est probablement, d'ailleurs, la vraie raison de ces démarches étranges, inexplicables sans cela, que furent la candidature à l'Académie, l'épisode de la Légion d'honneur, le désir fou, grotesque parfois, de cette fameuse reconnaissance qu'on lui marchanda si constamment – à croire qu'il fallait cela, ces amarrages, ces retours au monde, pour supporter le choc de ses grandes commotions. Il racontera – et là, sur ce point, les deux histoires convergeront – qu'un écrivain ne peut se tenir, au-delà du temps de ses livres, à la hauteur de ses exigences; et que c'est parce qu'il ne le peut pas, parce que le face à face avec ses monstres serait à la longue insoutenable, qu'il lui arrive de jouer, de composer avec le monde.

Il racontera les autres moments de l'histoire. Les humbles. Les petits. Il racontera toute cette succession de moments, mineurs ou minuscules, que la biographie proprement dite n'aurait pas, le plus souvent, pris la peine d'enregistrer mais qui, dans cette perspective nouvelle, à la lumière réfléchie des livres achevés, prennent un relief égal à celui des grands vertiges. Une phrase. Une image. Une gravure fantastique. Un souvenir. La folle histoire d'un mot. L'aventure bouleversante d'une rime. Cette manière d'attaquer un poème, de couper un vers, de le répéter comme un refrain, qui n'appartient qu'à lui et qui fera plus pour son renom que l'invention d'une idée ou d'une doctrine. Cette trouvaille de vocabulaire. Cette particularité grammaticale. Le moment – car il y a toujours un moment – où il a décidé de ce titre, de ce tour, de cette fantaisie dans la syntaxe. Le cheminement – car il y a toujours un cheminement – qui l'a conduit à écrire la série des « Vins » (des chiffonniers, de l'assassin, du solitaire, des amants), des « Morts » (des amants, des pauvres, des artistes), ou à inventer le poème en prose. Bref toute une succession d'épisodes à peine repérables, encore une fois, à l'œil du biographe mais qui ont ce point commun, décisif, de s'être conjurés pour que les livres adviennent. C'est le cas de tous les épisodes de la vie ? Tous, à un degré ou à un autre, participent de cette chimie qui fait un livre réussi ? Il y a des incidents, il le répétera une nouvelle fois, qui comptent dans la vie mais n'ont aucun effet sur l'œuvre. Et il y en a, à l'inverse, qui comptent dans l'œuvre mais n'ont pas d'incidence sur la vie. Pour ceux qui ont les deux visages et valent aux deux titres, eh bien il fera le tri et se livrera au redoutable exercice qui consiste à séparer ce qui se rapporte à la vie et que, donc, il faut rejeter – et ce qui se rapporte à l'œuvre et que, donc, il faut retenir.

Ainsi, par exemple, de sa rencontre avec Poe. Elle tient dans son existence une place importante. Éminente même. Mais plus modeste que, mettons, la rencontre avec Jeanne ou la mort du Général. Qu'il prenne le point de vue de la littérature en revanche, qu'il ne songe plus, l'espace d'un instant, qu'à l'alchimie du livre ou des mots – et alors tout se renverse et il n'y a plus femme ni beau-père qui aient autant pesé que l'auteur de *Gordon Pym* ou des *Histoires extraordinaires.* Journées avec Poe. Nuits avec Poe. Dialogue par-delà les années, les océans, les sphères célestes et infernales, avec Poe. Colères de Jeanne, qui avait tout compris. Disputes. Ruptures. Folles jalousies d'une femme qui, lorsqu'elle le voyait ainsi, des soirées et des semaines entières, abîmé dans ses dictionnaires, savait qu'elle avait là le plus redoutable des rivaux. Disputes avec le rival aussi. Révoltes. Récriminations, certains jours, contre ce vampire qui, non content de lui prendre son temps, de le brouiller avec ses femmes, non content de se servir de son nom pour accéder au succès et à la gloire, était peut-être en train de lui voler ses propres livres. Et puis larmes ensuite, excuses, humbles implorations adressées au grand bafoué – pardon, bohème génial ! mille pardons ! il faut pardonner à ton disciple cette humeur, cette arrogance ! il faut, même s'il lui arrive de se rebeller, de perdre un instant patience, croire à sa dévotion. Poe ? mieux qu'une source, un maître. Mieux qu'un maître, un moment. Mieux, même, qu'*un* moment, *le* moment décisif où, rompant une fois pour toutes avec la chansonnette des romantiques, il a choisi cette poésie froide, calculée, déduite des règles de l'esprit plus que de celles du cœur ou des sens, où sont trempées *Les Fleurs du Mal.*

Ainsi – autre exemple – de ses rapports avec Joseph de Maistre. Discrets, eux. Secrets. Une relation sourde, étouffée, comme s'il ne pouvait ni ne devait l'assumer à ciel ouvert. « Dans le monde où je vis on sait bien ce que c'est que de Maistre », avait grondé Nadar la première fois qu'ils en avaient parlé – exprimant par ces mots l'opinion la plus commune dans les cercles artistiques et littéraires qu'ils fréquentaient. Entendant cela, il n'avait certes pas changé d'avis, mais il avait jugé prudent de battre en retraite et de garder par-devers lui un goût, un attachement, qui ne pouvaient qu'aggraver les malentendus autour de lui. Moins d'importance, du coup? Moins d'influence? Sur le cours de sa vie oui, puisque leur relation passa dans la clandestinité et qu'il évita désormais d'en trop publiquement parler. Sur le destin de l'œuvre non, puisque *Les Soirées de Saint-Pétersbourg,* reléguées dans une nuit propice aux liaisons coupables et intimes, n'en continuèrent pas moins de se frayer leur route dans le maquis des *Fleurs du Mal.* Maistre le catholique. Maistre le politique. Maistre qui lui enseigna – entre autres – la haine de la nature, le goût du châtiment, la certitude du péché, les ridicules du progrès. Maistre qui, lorsqu'il lui arriva, perdu au cœur du maquis, de croiser l'ombre de Poe, eut cette ultime vertu de lui apprendre à le lire autrement que comme un théosophe illuministe, disciple d'Esquiros ou de l'abbé Constant. Et puis l'homme Maistre enfin, grand haïsseur, grand insulteur, homme de vie et de mauvaise foi, de foudre et d'imprécation, dont toute la philosophie aurait pu tenir en un juron – Maistre le furieux, qu'il s'est toujours figuré sous les admirables traits d'une « Colère » de Vinci. Maistre : l'exemple même d'un événement d'autant plus fondamental qu'il ne le fut, d'apparence, pas. Il rit; oui, sur son lit de songes et de souffrances, il rit comme il n'a pas ri depuis longtemps à l'idée que le jour viendra où l'on écrira des livres sur lui sans dire un mot, ou presque, de la lecture de celui qui lui apprit à *raisonner.*

La lecture. Il parlera de la lecture en général. Tous les écrivains lisent. Et tous, Poulet-Malassis le disait bien, en font des feuilletons dans les gazettes. Mais ils le font en passant. Distraitement. Il y a leurs livres d'un côté et, de l'autre, les feuilletons. Et la plupart, au fond d'eux-mêmes, souscrivent au jugement désabusé de Théophile disant que la critique est à l'art ce que le frelon est à l'abeille, le cheval hongre à l'étalon, l'eunuque au grand vizir. Lui ne croit pas cela. Il ne l'a jamais cru. Mais là, dans la lumière de ce nouveau récit, il le croit moins que jamais et il a conscience, au contraire, d'être le premier de son espèce à avoir fait de la lecture un genre littéraire à part entière. Comme Sainte-Beuve? Si l'on veut, comme Sainte-Beuve. Ce qui, par parenthèse, expliquerait pour partie l'obscure rancune que celui-ci nourrissait à l'endroit de son « cher enfant ». Mais Sainte-Beuve n'était pas poète. Ou, pour être précis, il n'était *plus* poète quand il se vouait à ses *Lundis.* Et ils se dressaient, ces *Lundis,* sur un véritable renoncement à ses rêves poétiques d'autrefois. Lui, à l'inverse, restait poète quand il devenait critique. La critique était un autre moment, une autre étape de son chemin. Et c'était comme une « stratégie » d'ensemble, terriblement rouée, dont la guerre poétique était l'enjeu et où chaque geste critique avait son rôle et le tenait. Pour Gautier contre Hugo. Pour Hugo contre Gautier. Pour Ingres contre Courbet. Pour Delacroix contre Ingres. Un hommage à Dumas quand ce « farceur » défendait Delacroix. Un salut à Champfleury lorsqu'il saluait *Tannhäuser.* Et dans chacun de ces saluts, dans le moindre de ces articles, un souci, toujours le même, qui était non seulement, comme il le croyait l'autre nuit, porte de Hal, de briguer et intriguer mais de défendre ses propres couleurs et d'illustrer, sur le fond, sa propre façon de faire de la poésie. « J'ai essayé d'écrire sans avoir rien lu ni rien appris », disait Marceline Desbordes-Valmore. Lui aurait dit l'inverse. Il ne pouvait écrire qu'en lisant et apprenant. Il n'y a pas de livre qu'il ait lu, de feuilleton qu'il ait écrit sans qu'il y reconnaisse aujourd'hui une infinité d'actes de l'esprit, infiniment complexes et subtils, qui appartiennent de plein droit, eux aussi, à l'histoire des *Fleurs du Mal.*

De même encore pour les traductions. Il n'était pas le premier, là, en revanche. Il y a eu Saint-Évremond. Diderot. Chateaubriand. Rousseau traduisant Tacite. Hölderlin, sur le point de sombrer dans la folie, adaptant *Antigone* et *Œdipe*. Il a eu toute une foule de prédécesseurs s'exerçant avec autant d'ardeur que lui à la tâche de convertir dans leur langue la langue d'un autre écrivain. Ce qu'il croit, cependant, c'est qu'il est à nouveau le premier à avoir eu conscience de l'extrême gravité de ce geste. Ce qu'il croit c'est que personne avant lui n'avait pris la mesure de cette entreprise étrange, qui consiste d'abord à briser les sceaux d'un livre, à le forcer, le pénétrer; puis à se laisser pénétrer à son tour, investir, envahir par ce livre; ensuite à se retourner à nouveau sur soi pour, fort de cette investiture et devenu semblable à l'un de ces corps sans âme où s'est introduite une âme errante, s'approprier l'âme en question, la faire brutalement sienne; enfin, une fois le travail achevé, une fois le livre refermé et l'âme rendue à son errance, constater dans le corps qui reste, c'est-à-dire dans sa langue de poète, les inévitables ravages que l'opération a provoqués. « Que faites-vous donc? demandaient ses amis quand ils le voyaient pâlir sur des pages qui n'étaient pas les siennes. Poe, passe encore. Mais De Quincey? mais Longfellow? Mais tout ce temps que vous perdez à traduire l'œuvre des autres? » Ah! malheureux qui ne savaient pas qu'il travaillait, en traduisant, à ravager sa propre langue! Lui-même, d'ailleurs, ne le savait pas. Il le faisait, mais sans le savoir. Aujourd'hui, il le sait et compte le dire. De la traduction considérée comme un moyen de faire trembler ses mots, de les voir vaciller ou trébucher – de la traduction conçue comme un fabuleux système de mise à l'épreuve, et donc d'enrichissement, de la langue d'un écrivain.

La peinture enfin. Il ne pourra clore ce récit sans dire un mot au moins de la peinture. Oh pas son goût de la peinture en soi ! Pas sa grande, sa folle, sa primitive passion des images qui aurait eu sa place, elle, dans la biographie abandonnée. Mais l'effet, là encore, de ce goût sur sa langue. Son emprise sur ses poèmes. S'il écrit ce livre, ce sera pour dire qu'il a autant appris dans les musées que dans les bibliothèques. Dans les petites toiles des petits maîtres que dans les purs chefs-d'œuvre de Rembrandt ou de Tiepolo. Autant, parfois plus, dans telle abside d'église pauvre, tel retable de campagne découvert avec sa mère un après-midi de promenade à la ferme Saint-Siméon, près de Honfleur, que dans les solitudes cirées du Louvre. S'il l'écrit, et s'il y parle de peinture, ce sera pour raconter, indifféremment, ce que « A une Madone » devait à un ex-voto espagnol, « Le Masque » et « Danse macabre » à une statue d'Ernest Christophe, « Le Squelette laboureur » à une eau-forte de Vésale, « Le Vampire » à une toile de Goya – ce sera pour essayer de voir clair dans cette dernière transmutation, la moins visible, qui n'a cessé, sa vie durant, de convertir en phrases des images. Delacroix ne prétendait-il pas illustrer Byron ou Goethe ? Cet âne de Courbet n'a-t-il pas tenté, avec son *Bouquet d'asters,* de commenter un de ses sonnets ? Eh bien, qui sait si lui aussi n'aura pas consacré son existence à commenter cette tête du Corrège, ce paysage de Poussin et cette *Madeleine* de Zuccari que lui avait vendus Arondel, pour son malheur, à l'époque de l'hôtel Pimodan ? Loin que ces tableaux soient la « source » de ses poèmes, ce sont ses poèmes qui sont comme des gloses autour des tableaux qu'il a aimés. Une chose est sûre : les regards qui l'ont frappé, les sourires qu'il a rendus, les corps de filles ou de vieilles femmes qu'il a si souvent chantés – c'est chez Zurbarán ou le Greco qu'il les a pris, plus que chez Louchette, la Sabatier ou Jeanne.

Le soir est tombé, de nouveau. Très vite. Plongeant la petite chambre dans une pénombre qu'atténue à peine la clarté du réverbère du coin de la rue du Singe. Il ne l'a pas vue venir, cette pénombre. Il n'a entendu ni les bruits de la rue qui se préparait comme chaque soir à la nuit, ni les effusions de Madame Lepage accueillant, dans le couloir, les clients du dernier train. Il ne sent pas l'odeur de pois et de beurre rance, caractéristique elle aussi, qui monte des cuisines. Il ne prête même pas attention au petit salut codé que Monsieur Henrotin, reprenant ses habitudes, lui adresse de l'autre côté du mur. Sourd, aveugle, habitant sa voix intérieure comme un caveau ou un suaire, il est dans un état d'indifférence au monde que rien n'a pu ni ne pourra troubler. A sa façon, il est heureux. Presque allègre. Pour la première fois, malgré la souffrance qui, bien entendu, ne l'a pas déserté pour autant, il a le sentiment d'une lumière, à la fois légère et crue, qui baigne ces régions essentielles où il a établi sa poésie. Tout est là. Tout est en ordre et à sa place. Toutes les manipulations, combinaisons, coagulations, concentrations qui s'opéraient depuis tant d'années dans le creuset de ses sonnets, commencent de se décanter. Les mystères vont se dissiper. Les questions se résoudre. Il songe que c'est peut-être bien, en effet, le fameux livre d'Edgar Poe qu'il est en train d'envisager d'écrire : ce livre des livres, insoutenable, à la vision duquel nul ne devait, selon le poète de Baltimore, survivre ni résister – et qui lui apparaît pourtant dans une foudroyante netteté.

5

Et puis il s'assombrit et cette euphorie qui l'a gagné se teinte de mélancolie. La vision s'affine en effet. Elle se précise. C'est comme si une lunette optique, le rapprochant de l'histoire qu'il recompose, lui en révélait d'autres figures. Ou bien : comme une encre sympathique qui, à la chaleur d'un regard rendu un peu plus aigu par un surcroît d'urgence et d'insistance, livrerait un réseau d'images auparavant dissimulées. La nuit est toujours aussi épaisse. Son âme toujours aussi sourde. Il n'est pas moins présent, au contraire, à son murmure intime. Mais au contact de ces images, à l'appel de ces figures, d'autres pensées lui viennent qui, sans effacer les précédentes, sans même les démentir ni d'aucune façon les contredire, les corrigent, s'y surimpriment et en altèrent finalement la rassurante ordonnance. Mettons que ce soient les regrets et remords qu'évoquait Poulet dans sa lettre. Mettons qu'il soit hanté par l'image désolante et fatale de toutes les menues fautes qu'il n'aura plus le temps d'amender. Par-delà ces fautes cependant, par-delà ces reprises de forme et de détail, ce sont des nouvelles questions qui l'assaillent, plus graves, plus dramatiques – et dont il sent bien qu'il ne pourra plus, sans imposture, prétendre faire l'économie.

Ce qui le frappe par exemple, quand il va au bout des choses, c'est le poids dans ses livres de ce qu'il faut bien appeler la Circonstance. Il a beau dire en effet, il a beau parler d'abstraction, d'idéalité, d'irréalité, etc., il a beau répéter que l'art vient de l'art, les livres des autres livres et que le monde a, dans tout ça, une part bien plus congrue qu'il n'y paraît, il est bien forcé d'admettre qu'il y a un visage au moins de ce monde qui n'a cessé de le poursuivre et qui était celui – le pire! le plus humiliant! le plus servile et asservissant! – de la Nécessité. Besoins d'argent... Commandes... Hommage à celui-ci... Dédicace à celui-là... Toutes ces transactions avec le siècle dont il faisait mentalement la liste, l'autre nuit, tandis qu'il déambulait dans les faubourgs de Bruxelles... Un autre que lui dirait : ceci n'empêche pas cela; il montrerait comme la littérature, la vraie, est toujours à mi-chemin de la Contingence et de l'Idée; et les modernes savent, en tout cas, la place que le plus abstrait, le plus impeccable des poètes a bel et bien tenu à faire à cette loi de la circonstance. Lui, pourtant, ne le sait pas. Il ne peut pas le savoir. Tout dans sa vision, non seulement de l'art, mais du monde, l'empêche de le concevoir. Et l'idée de ces livres soumis à l'événement, l'idée de ces poèmes dont il n'est pas une rime ni une ligne qui ne portent, même invisible, le sceau de leur conjoncture, est l'exact contraire – comment ne le verrait-il pas? – de ce qu'il se raconte depuis des heures. Échec. Déroute. Il croyait, ou voulait croire, à une littérature pure, séparée, éthérée : il aura été, de tous les littérateurs, le plus impur, le plus compromis.

Pire : quand il pense à ces événements, quand il regarde cette succession de circonstances et de hasard qui jalonnent son histoire depuis vingt ans, il ne peut s'empêcher de voir l'inextricable désordre induit dans le plan même de son œuvre. Les vrais écrivains font leur œuvre, se dit-il. Ils la bâtissent, ils la fomentent. Ils ne font jamais un pas, ils n'ajoutent pas une touche au tableau, sans que la touche soit calculée, le pas mesuré au but et au trajet. Et il se demande si les plus vrais d'entre les vrais ne sont pas ceux qui, dès le premier jour, dans une sorte de vision panoramique et inaugurale, ont vu l'ensemble du chemin tracé pour l'essentiel – et, magnifiquement rangés, déjà, dans l'ordre qui sera le leur, la succession des livres que leur assigne le destin. Lui, donc, n'a rien vu. Rien conçu. Quand bien même l'aurait-il fait, quand bien même aurait-il eu sa vision fondamentale et primordiale, la suite se serait empressée de l'effacer. Et par la force, non des choses, mais de l'imbécile nécessité qui n'a plus cessé de lui imposer sa loi, il a dû aller à l'aveugle, jour après jour, comme si chaque vers était le premier, comme s'il pouvait être le dernier. S'il a fait œuvre, c'est sans le savoir. S'il s'agit d'une œuvre, vraiment, et non d'une théorie de textes désœuvrés, c'est au hasard qu'il le doit ou, ce qui revient au même, à la Providence. Quelle honte quand il y songe! Quel déshonneur! Lui l'architecte impeccable, le parfait calculateur ès lettres, lui qui avait tant rêvé d'une littérature raisonnée, maîtrisée, être privé de cette toute première maîtrise qu'est le pouvoir de *composer*! L'idée, là aussi, le désespère.

Qu'est-elle, d'ailleurs, cette œuvre? Et comment, finalement, se présente-t-elle? Tout ne se vaut pas, il le sait. Toutes les pages, toutes les pensées signées d'un écrivain ou d'un artiste ne méritent pas au même titre d'y figurer. Et c'est l'un des devoirs du signataire, à l'heure du dernier jugement, de faire le soigneux partage entre, d'un côté, ces écrits mineurs qui, même s'il n'est pas question, comme les brouillons, de les brûler, sont des sortes d'accessoires, de hors-d'œuvre, de laissés-pour-compte inévitables – et puis, de l'autre, ces monuments grandioses qui, seuls, accéderont à la dignité des textes canoniques. Or lui, s'il fait ce tri, s'il retire les articles de pure commande, s'il retire les *Salons* qui étaient des études ou des essais, s'il retire le *Wagner* trop bâclé, le *Gautier* trop imparfait, s'il exclut les *Paradis* qui n'étaient, tout bien pesé, qu'une adaptation de De Quincey, s'il met de côté ses traductions de Poe qui, pour importantes qu'elles fussent, étaient d'abord, se répète-t-il, des manières d'entamer, d'exercer, de mettre à l'épreuve sa propre langue, s'il oublie cette traduction de Longfellow qu'il avait, du reste, en son temps, longuement hésité à signer (devinait-il déjà qu'il ne pourrait rassembler sous le même nom les « Phares » ou les « Correspondances » et cette imitation d'une légende indienne, merveilleuse mais classique ?), bref, s'il essaie d'isoler le cœur de ce qui, après lui, méritera d'être appelé « son œuvre », il reste les *Poèmes en prose* dont il n'est pas non plus très sûr et puis ces pauvres *Fleurs*, maigres, chétives – cent petites pages à peine dont, l'autre jour encore, gêné par leur minceur, il demandait à Poulet de veiller à gonfler le volume. Et si ce petit recueil était son seul titre à l'assomption ? Et si, après avoir tant lu, parlé, écrit, après avoir lutté sur tous les fronts, couru en tous sens et à tous vents, il se révélait, au bout du compte, l'écrivain d'un seul livre ?

Il y a des écrivains d'un seul livre. Il y a des écrivains qui, dès le commencement, quelles que soient la pression ou la tentation, ont su qu'ils n'écriraient que ce livre et qu'il serait tout leur apport à l'histoire de la pensée ou de la beauté. La Rochefoucauld. Madame de Lafayette. Montaigne et ses *Essais*. L'admirable La Bruyère. Saint-Simon. Senancour. Joubert, ce pur héros, qui poussa la rareté jusqu'à ne pas écrire du tout le livre dont il était porteur. Et lui-même, par principe autant que par inclination, a toujours préféré ce pari sur la rareté, ce dandysme extrême, ce goût de la concentration poussée aux limites de la stérilité, à l'obscène fécondité de ces écrivains prodigieux, pléthoriques, qui, à l'instar de Hugo ou de Balzac, aiment faire étalage de leur tempérament, de leur santé. Seulement voilà : étalage ou pas, il se trouve qu'il avait, lui, d'autres livres à écrire. Il le sait. Il l'a toujours su. De tout temps lui aussi, depuis le tout premier temps de son tout premier silence, il a su qu'aussi dandy fût-il, aussi féru de densité, d'intensité et de perfection, il n'était pas l'un de ces monographes austères concentrant en une bible l'intégralité de leur message. En sorte qu'ici, sur ce lit, en ce jour sans recours qui semble suspendu à la perspective d'une mort soudain possible, il ne peut pas ne pas songer à l'énorme part de son œuvre qui ne verra jamais le jour.

Il y a des poèmes d'abord. D'autres poèmes. Il y a tous ces poèmes de lui que la prudence, la bienséance, la négligence peut-être ou le hasard ont empêché de figurer à l'intérieur des *Fleurs du Mal*. Quelques-uns sont là, dans son coffre, rangés avec les notes belges, mal ponctués, pas achevés – se trouvera-t-il une bonne âme pour s'en soucier après lui? Quelques autres – ces « Épigraphes », « Galanteries », « Bouffonneries » et « Pièces condamnées » diverses que Coco vient d'éditer, à l'enseigne d'une maison d'Amsterdam, sous le titre peu engageant des *Épaves* – semblent être assurés d'un début de sauf-conduit contre la perte ou l'oubli. Mais le reste? Tout le reste? Tous ces poèmes invisibles, secrets ceux-là, qu'il a formés dans sa tête, presque écrits, qu'il a roulés parfois dans sa mémoire depuis des années et des années, mais qu'il avait omis, hélas, de coucher sur le papier? Un jour, se disait-il... Oui, un jour, il les consignerait... La vie est si longue... Les mots sont de si fidèles compagnons... Il était loin d'imaginer qu'ils puissent un jour trahir, se dérober. Eh bien voilà, le jour est venu. Les mots vont se dérober. Et ils sont, ces poèmes essentiels, comme ces âmes d'enfants mort-nés, sans nom ni vraie figure, qui errent pour les siècles et les siècles dans les limbes éternels.

Il y a ses récits. Il a écrit une nouvelle dans sa jeunesse : *La Fanfarlo*. Une autre : *Le Jeune Enchanteur*. Mais c'étaient des récits ratés, mort-nés à leur façon, qui ne lui ont laissé que le regret de celui qu'il aurait pu réussir. Et cela fait un quart de siècle, du coup, qu'il tourne et retourne aussi les vingt nouveaux sujets qui rachèteraient ces premières erreurs. Il en parlait à sa mère en 1847. A Poulet l'année du coup d'État. A Gautier plus tard encore, au risque d'essuyer ses sarcasmes. Pourquoi n'a-t-il rien fait? Pourquoi ne les a-t-il pas écrits, ces romans qui comptaient, pour lui, autant que les *Fleurs* ou les *Poèmes en prose?* Les dettes toujours. La misère. Ces éternels soucis d'argent qui ne lui ont pas laissé, depuis ce temps, les quelques semaines de paix indispensables. A moins que ce ne fût la conviction, issue d'il ne sait quelle fantaisie, qu'il en irait du roman à la fin de ce siècle-ci comme du sermon au précédent, de la fable à celui d'avant : un genre épuisé, mourant déjà, voué à s'éteindre à jamais. Aujourd'hui, il sait que c'est faux. Il prend la mesure de son erreur. Mais il le fait tard, hélas; et il sait que son œuvre n'aura sa forme, son allure définitives que s'il développe, non pas les vingt, mais l'un au moins de ces sujets qui le poursuit de manière singulière : l'histoire de ce poète, fatigué de poétiser, qui part un jour pour l'Orient, s'enrichit dans le commerce des épices et des parfums, devient une sorte de sultan acclamé par des foules de mahométans et puis tombe alors malade, rencontre un marchand lyonnais qui le secourt et finit misérablement sa vie dans une maison de santé parisienne.

Il y a le théâtre. Là aussi les sujets sont prêts. Physiquement prêts. Ce ne sont pas de simples sujets, d'ailleurs. Ce ne sont pas de ces projets vagues, à peine esquissés, comme en gardent dans leurs cartons les écrivains qu'il connaît. Ce ne sont pas non plus de ces faux livres qui sont faits pour n'être pas écrits et dont l'intention, réduite à un mémoire ou un article, vaut à elle seule réalité. Non. C'est un texte précis, *Idéolus,* écrit à vingt-deux ans avec Prarond. C'est un autre canevas. *L'Ivrogne,* qui devait reprendre, en les approfondissant, les thèmes du « Vin de l'assassin ». C'est sa version de *Don Juan.* C'est, enfin, cette fabuleuse histoire du *Marquis du 1er housards* où il comptait fondre l'élement littéraire avec le plaisir des grands spectacles et s'en donner à cœur joie dans les mises en scène rocambolesques, les situations outrées, la peinture des grands sentiments, les passions déchaînées. A cela aussi, il tenait. C'était – c'est toujours – une part essentielle de lui-même qui devait passer à travers ces pièces. Son goût de l'effet. Son attirance pour la foule. Cette imagination odéonienne qui séduisait tant ses amis acteurs, mais qui n'a jamais, jusqu'ici, trouvé prétexte à s'illustrer. Tout un côté « populaire » qui lui appartient autant que les autres, qui méritait d'avoir sa place dans le paysage final – mais auquel, faute de temps, il sera forcé de renoncer. Il ne jouera plus son théâtre. Il ne finira même pas de l'écrire. Et c'est plus qu'une lacune ou un défaut : un formidable déséquilibre dans ce qu'aurait dû être – dans ce qu'était en réalité – l'œuvre qu'il s'apprête à laisser.

Il y a son journal qu'il n'a pas classé. Ses « Fusées » à peine ébauchées. Il y a ses livres sur la peinture. Son essai sur les dandies. Cette autobiographie qui devait le réhabiliter. Cette histoire de son œuvre, ou de son âme, qu'il sent prête à jaillir et qui devrait être son livre phare – éclairant, à contre-jour, l'ensemble du trajet. Sa traduction du *Satiricon*. Son traité de rhétorique. Il y a toute cette avalanche de livres, possibles et impossibles, qui submergent *Les Fleurs du Mal* et lui donnent le sentiment que ce qu'il a fait jusqu'ici n'était qu'une longue introduction. Promesses non tenues... Appels sans écho... Paris perdus, défis à jamais différés... Une œuvre qui n'a fait qu'un bout de son chemin, qui n'a su remplir qu'une part de son contrat... Tous ces livres, encore une fois, n'étaient pas seulement possibles mais nécessaires. Ce n'étaient pas des livres « en plus », qui pouvaient ou non s'écrire – mais des livres essentiels, inscrits dans le noyau de son art. Et il a presque le sentiment, quand il repense à certains d'entre eux, qu'ils avaient à ce point leur site dans l'architecture prévue de l'ensemble que leur absence y est visible – et fait comme une grande ombre, portée sur l'édifice. Vides. Brèches. Toute une aile du temple – et non la moindre – dont on devine à peine les fondations. J'ai le souvenir de ces colonnes nues... Comme de grands portiques toujours inachevés...

Ainsi de Donatien de Sade, dont on dit que les trois quarts de l'œuvre ont été perdus ou détruits. Ainsi de ces auteurs anciens dont la postérité n'a conservé qu'une toute petite partie des livres et se trouve réduite à rêver, supputer, déduire parfois, l'inimaginable autre partie. Il aime cette image. Il aime cette idée d'être un Ancien dont les livres auraient brûlé. Il se dit même, et cela le console un instant ! qu'il suffit dans ce cas d'attendre un peu, quelques siècles, un millénaire – et que le jour viendra où, à la façon de ces paléontologues qui recomposent un animal à partir de ses fossiles, de pieux et zélés disciples retrouveront les pièces et les romans qu'il n'a en réalité jamais écrits. Pourquoi, d'ailleurs, tant qu'il y est, ne pas aller au fond des choses ? Pourquoi ne pas jouer jusqu'au bout ce jeu de l'archéologie fictive ? Pourquoi ne pas inventer ces traces ? Produire lui-même ces fossiles ? Pourquoi ne disposerait-il pas, à l'intention des *happy few* des temps futurs, les signes qu'ils guetteront et qui seront leur nourriture ? Un mot ici... Un fragment là... Un semblant de source, « oublié » dans les papiers de Coco... Un faux vestige laissé en compte dans les caves du Grand-Miroir... Et tous ces érudits qu'il imagine rivalisant d'intelligence et de science pour reconstituer, sur ces ruines, le monument baudelairien... A vous de jouer, messieurs ! A vous la gloire, le plaisir ! A vous les rébus grandioses, les labyrinthes infinis ! Pour moi, à l'heure qu'il est et en attendant votre renfort, rien que ce corps qui lâche – et ces livres qui, désespérément, font et feront défaut.

En somme, observe-t-il encore, il y a plusieurs façons de mourir pour un écrivain de son espèce. Il y a ceux qui meurent au jour dit, leur œuvre terminée, après avoir écrit le dernier mot de la dernière phrase de la toute dernière page de leur tout dernier livre : c'est la situation de Poe murmurant son « je n'ai plus le désir de vivre puisque j'ai écrit *Eureka* ». Il y a ceux, plus heureux encore, qui survivent à leurs livres, débordent sur leur histoire et continuent de s'affairer tandis qu'ils sont littérairement morts : c'est le cas de tous ces maîtres de jadis, rebelles de génie, romantiques flamboyants, que l'on voit, l'âge venu, s'endormir sur leurs chefs-d'œuvre et gérer leur chère gloire. Et puis il y a ceux qui meurent alors que les choses sont en suspens; il y a ceux qui, comme lui, savent que leur œuvre publiée n'est, au mieux, qu'un exercice et qu'elle s'interrompt beaucoup trop tôt. On meurt toujours trop tôt? Oui et non. Goethe meurt à son heure. Chateaubriand et Voltaire aussi. Gérard lui-même, le pauvre Gérard, savait qu'il avait honoré l'essentiel de son contrat. Tandis que lui, si malade fût-il, si évidemment poursuivi par le malheur et les épreuves, croyait, en arrivant ici, que son exil n'était qu'une retraite, un indispensable repli tactique, et qu'il avait dix, vingt ans peut-être devant lui pour vivre, finir et donner à son œuvre son visage. Quelle erreur! Quel malheur! Quel suprême malentendu! Il sait maintenant qu'il n'en était rien et qu'il quittera ce monde en laissant après lui le plus fragile des héritages.

Y avait-il lieu, dans ce cas, de se risquer à l'inventaire? Y avait-il matière à ce grand bilan solennel qu'il prévoyait hier? Et n'y avait-il pas quelque absurdité à prétendre écrire l'histoire et la chronique de quelque chose dont la réalité se révèle, en fait, aussi mince? Au point où il en est, il ne peut éluder la question. Et fort de ce qu'il sait, éclairé – et désarmé – par tout ce qu'il vient de s'avouer, il ne peut pas ne pas répondre que le projet n'avait en effet pas grand sens et que ce serait, s'il s'obstinait, comme un miroir sans reflet, une enveloppe sans substance ou la biographie d'une vie arrêtée à l'enfance. A la réflexion, il juge l'idée ridicule. Il trouve presque grotesques cette fièvre qui l'a saisi, puis la pompe avec laquelle il a osé décrire ce qui lui apparaissait comme « le livre des livres ». Il rêvait d'une « Œuvre mise à nu » prenant le relais d'un « Cœur » dont il mesurait l'impasse : force est d'admettre à présent que l'impasse est partout et que cet autre songe doit mourir à son tour. Amertume. Désespoir. Une nouvelle journée s'achève, la pire : n'est-il pas clair désormais qu'il n'y a pas de sursis, pas d'issue – et que la dernière heure n'a pas plus de raison qu'une autre de rendre à une vie manquée la vérité qui, jusqu'au bout, se dérobe.

CINQUIÈME PARTIE

1

Je crois que l'heure est venue de dire qui je suis, quel fut exactement mon rôle dans l'aventure – et comment j'ai été conduit, surtout, à écrire et publier ce livre.

Pendant que cette histoire se déroule, j'ai un peu plus de vingt-deux ans. Je suis frais. Encore svelte. L'abus de l'opium et de la vie n'a pas encore accompli en moi ses ravages. Et bien qu'il se trouve des perspicaces pour s'étonner déjà de mon teint gris, de mes joues un peu trop creuses ou de mes tempes prématurément dégarnies, je garde l'allure et la prestance d'un honnête fils de famille qui entre dans la vie. Je suis de toutes les fêtes. De tous les dîners de garçons. Je ne manquerais pour rien au monde la soirée annuelle des O'Connel ni le bal du 18 janvier. Et je pousse le raffinement jusqu'à me sentir aussi à l'aise dans un vulgaire souper de grisettes que dans les salons de Madame de Solms ou d'Anaïs Segalas. Je suis gai. Raisonnablement frivole. J'ai gardé de mes années de Sorbonne un goût de la facétie qui me rend aussi précieux à mes amis que sympathique aux jolies filles. J'aime le plaisir. Je crois qu'il me le rend.

Quant aux femmes, elles apprécient, je pense, mon infatigable propension à considérer leurs émois, leurs moindres états d'âme. Et j'ai la chance enfin – dont j'ignore, à l'époque, le prix – d'avoir ce corps ferme, infaillible, dévoué, dont elles sont loin d'imaginer l'étonnante disposition au mensonge. Tout va donc pour le mieux. La vie est plutôt belle. Rien, dans mon personnage d'alors, ne laisse encore présager la catastrophe qui se prépare.

Côté littérature le tableau n'est, en apparence, ni moins rieur ni moins flatteur. Et sans être forcément le plus brillant je suis, à n'en pas douter, le plus précoce des jeunes poètes qui débutent dans ces années. J'ai publié un article sur Gautier dans *Le Parnasse.* Une charge contre Hugo dans *L'Art.* J'ai écrit sur la mode. Défendu Manet et Méryon. J'ai, sous le pseudonyme de Georges Marcy, signé *Dix Petites Gloses pour servir l'idée de modernité* qui n'ont pas manqué de produire leur effet dans les cercles les plus avancés. Et j'ai donné les premiers chants d'un long poème en prose – *Le Rêve d'Aristote* – qui m'a permis de démontrer que les genres dits majeurs ne me faisaient pas non plus trop peur. J'écris dans les bons journaux. Je choisis bien mes sujets. J'ai juste assez d'insolence pour plaire à la jeune garde, assez de rouerie pour ne pas froisser les gloires établies. Et sans être d'aucune coterie, je suis assez habile pour qu'il ne s'en trouve pas une qui me croie son ennemi. Ma position, autrement dit, est là aussi parfaite. Débutant de rêve, disciple exemplaire et méthodique, ce n'est pas moi qui courtise les grands, mais les grands qui veulent m'attacher. Aussi invraisemblable que cela puisse paraître aujourd'hui (les choses vont si vite, n'est-ce pas! et un début d'œuvre a si tôt fait, quand les fruits ne tiennent pas les promesses des fleurs, de retourner à l'anonymat dont il avait failli sortir!) c'est mon nom qui revient le plus souvent, aux côtés de celui d'un autre jeune inconnu qui ne s'appelle pas encore Stéphane Mallarmé, lorsque l'on évoque dans ces années les « espoirs littéraires de demain ».

Si je regarde les choses d'un peu plus près cependant, si j'observe non seulement ma situation mais mon « tempérament » d'alors, j'y trouve une obsession, je devrais peut-être dire une maladie, qui ne pouvait, elle, en revanche, qu'être fatale à un écrivain : autant Paris me fête, autant mes pairs ou mes aînés s'appliquent à me célébrer – autant je ne parviens pas, moi, à croire tout à fait en moi; ou plus exactement, si j'ai foi en mon talent, en ma virtuosité, en mes dons, je ne suis certain ni de l'urgence ni de la nécessité de ce que j'écris. Les vers viennent. Ils sont beaux. Je devine, *je sais*, qu'ils ne dépareraient pas la plus exigeante des anthologies. Mais, à tort ou à raison, je ne peux me défaire de l'idée qu'aussi réussis soient-ils, aussi pleins de rythmes et de couleurs, ils auraient pu ne pas venir, que d'autres seraient venus à leur place et qu'ils sont donc marqués d'une gratuité de principe qui, à mes yeux du moins, les déprécie. La maladie est banale? Sans doute. Sauf qu'elle prend, chez moi, des proportions exceptionnelles et que je vois venir le jour où elle m'empêchera tout simplement d'écrire. Parfois je n'y pense pas. Je me dis : tous les écrivains doivent être ainsi, il faut s'y faire et passer outre. Mais parfois, je souffre; ce secret, connu de moi seul, mais dont je pense qu'un jour ou l'autre il apparaîtra en pleine lumière, suffit à me ravager; et je sens ma langue, si infaillible elle aussi, si sûre, qui s'effrite, se délite et menace de ne plus « prendre ». Langue friable. Mots liquides. Toutes ces pages, tous ces livres, qui pourraient, si je le voulais, couler à profusion, mais auxquels manque à jamais ce poids de légitimité qui est, dans mon esprit, l'irrécusable sceau des chefs-d'œuvre. J'en pleure, certains soirs.

A quoi ressemble-t-elle, cette légitimité? Quelle en est la forme? La nature? Nous sommes, ne l'oublions pas, au milieu des années 60. L'époque romantique s'est close – laissant à ses nostalgiques le regret d'une littérature sacrée, aux prestiges quasi religieux. L'époque Mallarmé commence – soufflant à ses premiers adeptes le rêve d'un Livre absolu, au chiffre énigmatique, dont seule une poignée d'élus aurait à connaître les arcanes. Eh bien, disons que je suis et de ceux-ci et de ceux-là. Mettons que, dans ma jeune ardeur, je noue ces deux fils, à bien des égards opposés, mais qui convergent vers la même idée d'un « secret » poétique qu'il nous appartiendrait de percer. Et mettons que j'en tire la certitude d'un véritable « mystère » auquel les uns seraient admis tandis que les autres – dont moi – n'y auraient hélas pas accès. Tout cela semble naïf aujourd'hui. Mais telle est pourtant la vérité. Je crois en l'existence d'un trésor très ancien, inégalement réparti entre les poètes. Je crois en une substance littéraire, une essence, une quintessence – élixir mirobolant qui donne à ses détenteurs la grâce et le génie et dont le défaut provoque, à l'inverse, ce sentiment d'inutilité qui m'accable la plupart du temps. Et puis, comme je ne suis encore qu'à demi baudelairien et que je crois, moi, l'âme perfectible et la damnation jamais fatale, je pense *aussi* que l'élixir peut s'acquérir, le secret poétique se transmettre et s'approprier – et ceci à condition de se tenir à l'écoute ou au contact des vrais grands qui le détiennent. Je dis « les » vrais grands. On aura compris, j'imagine, qu'il n'y en a, à mes yeux, qu'un – mon maître, mon modèle, objet de ma fascination et de toute ma convoitise.

Dans mon adolescence déjà, alors que je n'écrivais pas, je me souviens d'avoir passé des après-midi entiers attablé à l'entrée du Café Robespierre, rue Notre-Dame-des-Petits-Champs, dans le seul but d'apercevoir celui que je tenais pour le plus grand d'entre les grands. Je ne lui parlais pas. Je n'osais pas l'accoster. Mais je le regardais. J'observais ses mines, ses manières, ses insolences avec les flatteurs, ses impatiences avec les serveurs. Et je crois qu'avant de songer à apprendre par cœur ses *Fleurs du Mal*, j'ai dû étudier ses manières de marcher, de s'asseoir, de tenir sa jambe droite négligemment allongée, la gauche légèrement repliée, de rire, de parler, de poser des questions, de répondre ou de ne pas répondre à celles qu'on lui posait. Non pas que je fusse assez sot pour penser qu'un écrivain portait sur son visage la preuve de son génie. Mais je croyais que ce génie, étant un « secret », une « essence », etc., ne pouvait qu'irradier l'ensemble de la personne et se trahir, par conséquent, à mille minuscules signes et marques. Un jour, me disais-je... Un jour j'oserai... Je l'approcherai pour de bon... Et il me livrera bien, ce jour-là, le secret qui me subjugue... On jugera de mon trouble quand je sus que celui dont j'avais toujours pensé qu'il serait mon Initiateur était parti pour Bruxelles; puis, de mon désespoir quand j'appris qu'il était malade, peut-être à l'agonie. Je n'hésitai pas une seconde. Sentant que ma vie, mon œuvre, mon destin même étaient en jeu, je filai à *L'Artiste* où je négociai une chronique; et, prenant juste le temps de régler mes affaires et de faire mes adieux, je me trouvai, le lendemain, à Bruxelles.

Je me revois ce matin-là, à peine descendu du train, errant dans les rues de cette ville que je connaissais un peu et où j'ai toujours beaucoup aimé me promener. Je suis allé à la Taverne Royale. A la Brasserie du Globe. J'ai, sans plus de succès, fait toutes les académies de billard, tous les lupanars possibles. J'ai poussé jusqu'à la Maison du Roy où je savais qu'il avait fait ses causeries et où l'on m'a répondu que s'il fallait, « en plus », suivre les conférenciers de passage... C'est à la nuit tombée que, harassé, découragé, de plus en plus étonné, aussi, d'une si tenace indifférence autour d'un si grand homme, j'ai fini par tomber sur une vieille lorette en maraude qui savait, elle, de qui je parlais et où il était installé. Émotion devant la façade de cet hôtel à l'enseigne pour moi légendaire. Merveille de ce portique où il a pris le frais, de ce perron où il s'est tenu. Ivresse de ce petit escalier aux marches cirées jaunes et brunes dont je ne peux m'empêcher d'imaginer le nombre de fois qu'il a dû les gravir. Et jusqu'à cette grosse Picarde avinée qui défend son vestibule tel Minotaure son labyrinthe – sans supposer un instant, l'idiote, de quel inestimable trésor elle se trouve la dépositaire : comme j'aimerais pouvoir lui crier, au lieu de ce plat « auriez-vous parmi vos clients etc., etc. », qu'ici même, à ma place, devant ce haut comptoir de chêne où elle me reçoit, est passé tous les jours, trois fois par jour, depuis des semaines et peut-être des mois, le plus extraordinaire des écrivains !

« Si fait, m'interrompt-elle du ton déjà revêche de la mégère harcelée de soucis qui ne va pas perdre son temps avec un curieux de passage... Si fait, la personne est là, mais interdiction de monter... Les docteurs sont formalisés : votre monsieur est pas en état, et que vous veniez de France, de Navarre ou de Tombouctou, c'est pas ce qui changera les choses. – Qu'à cela ne tienne, rétorqué-je, choqué par une nouvelle qui semble confirmer mes pires appréhensions... Je suis un parent, chère madame... Enfin, quelqu'un de proche... Et je préférerais être sur place quand mon ami sera visible... Une chambre, même sur cour, m'obligerait infiniment... » Elle commence par dire non. Bougonne : « complet, je vous dis... puisque je vous dis qu'on est complet... c'est une pension ici, faut retenir d'une semaine sur l'autre... essayez donc l'hôtel de la Poste : ça vaut pas mon service, mais c'est à deux pas ». Puis, voyant ma déception et flairant peut-être le pigeon, elle me lance comme à regret : « j'aurais bien quelque chose au rez-de-chaussée... sais pas si ça vous plaira vu que c'est ma chambre d'appoint et que c'est mitoyen des cuisines... n'importe comment c'est le même prix : trente francs la nuit, huit nuits d'avance, à prendre ou à laisser ». Faut-il préciser que je « prends » et que, non content d'opiner, je me confonds en remerciements qui sidèrent la vaurienne ? Je suis dans la place et c'est l'essentiel – même si je démêle mal aujourd'hui ce qui l'emporte en moi de la joie de le savoir là, sous le même toit, dans une si troublante proximité, ou de la peur d'être arrivé trop tard, bêtement trop tard, alors qu'il est peut-être sur le point de rendre le dernier soupir.

Deux jours passent ainsi, où mon incertitude ne fait que croître. Je dois supporter la tyrannie d'une logeuse qui, forte du pouvoir que lui donne la situation et trouvant probablement son compte à la voir se prolonger, prend plaisir à me faire attendre, espérer, désespérer, espérer encore. Je fais la connaissance de Ballotin qui, me sachant dans les murs, vient rôder lui aussi et prendre des airs importants – « qui je suis... ce que je veux... s'il y a un message à faire passer... une commission dont il peut se charger... puisqu'il est l'ami de mon ami, qu'il occupe la chambre voisine... à moins que ce ne soit une affaire d'argent : ce pauvre homme a tant de dettes qu'il préférerait, dans ce cas, ne pas se charger de la tractation »... Louvoyant entre les deux, veillant à ne pas les froisser, j'écoute l'une me dire que l'autre est un hâbleur, que rien ne se fera sans elle; l'autre, que l'une est une vieille folle, que c'est à lui qu'il faut faire confiance; et le temps passant, à force de guetter, écouter, surveiller les allées et venues qui, manifestement, « lui » sont destinées, je parviens même à localiser – deux étages plus haut, sur la rue, à la diagonale de ma chambre – l'endroit exact où il se trouve. Tout cela jusqu'à ce que dame Lepage, comprenant qu'elle ne pourra pas indéfiniment me tenir ainsi en haleine et que le petit Ballotin risque de profiter d'une de ses absences pour m'affranchir et en tirer avantage, me convoque dans son vestibule : « j'ai de bonnes nouvelles pour vous, je crois que vos affaires s'arrangent... il a reçu son barbier tantôt... paraît qu'il irait mieux et serait pas contre vous recevoir... »

La chambre est sombre. Sans bec ni chandelles. Elle n'est éclairée que par la lueur du feu de bois, beaucoup trop chaud, que l'on a allumé pour assainir l'atmosphère autour du malade. L'air est lourd. Il flotte de vilaines odeurs de camphre et de cataplasmes que le feu n'a pas dissipées. C'est le portrait que j'ai vu d'abord. Puis la petite table, où j'ai reconnu un volume des *Fleurs du Mal* et un vieux traité de rhétorique. Puis la cuvette près du lit, où marinent des pansements. Puis le rideau tiré, la chaise, l'ombre du coffre, le coffre, tous ces meubles et objets qui, à mon regard émerveillé, sont déjà les reliques du génie. Et c'est en dernier lieu que, mon œil s'habituant à la pénombre et la mère Lepage me le désignant d'un geste ostentatoire, je finis par distinguer le lit – puis, sur le lit, noyée dans un amas de linges et de coussins, une drôle de forme immobile qui n'a pas bougé à mon entrée et que j'ai, même en venant très près, le plus grand mal à reconnaître. C'est lui. Pas de doute, c'est bien lui. Mais tellement plus petit que dans mon souvenir! tellement plus fragile! plus chétif! avec un visage amoindri lui aussi, ravagé, dont la substance même semble s'être évaporée! J'attends cet instant depuis des mois. Des années. Je sais que va s'y jouer rien de moins que mon salut. Mais la vérité m'oblige à dire que l'homme que j'ai là, face à moi, et que je vais pouvoir regarder, écouter, interroger tout mon soûl, n'est plus que l'ombre très lointaine de celui qui me faisait rêver au temps du Café Robespierre.

Comme il ne bouge décidément pas, qu'il ne dit rien, ne fait rien et n'a pas réagi quand, très fort pourtant, à la façon d'un aboyeur dans un bal de comédie, la Lepage m'a annoncé, c'est moi qui parle le premier. Comment je m'appelle... D'où je viens... Mes difficultés à le trouver... Bruxelles... La vieille grisette (j'ai dû dire : la-vieille-dame-providentiellement-rencontrée) qui m'a mis sur le chemin... Ma notice... Mon journal... S'il veut des nouvelles de Paris? du Salon? s'il sait qu'on a refusé Manet? qu'on a refusé les refusés? s'il sait, oui, que la police interdit cette année toute espèce de manifestation parallèle? *Le Fifre* au pilori... Les pompiers au paradis... Rosa Bonheur décorée... Jules Heltzapffel désespéré et, dit-on, au bord du suicide... L'article de Claretie au *Figaro*... Celui de Joseph Lardin dans *Le Courrier*... Sainte-Beuve qui va mieux... Banville qui le salue... Gautier qui coule des jours tranquilles à Genève auprès de Carlotta Grisi tandis que Philoxène, vieilli, presque ruiné, n'ayant plus un sou vaillant pour organiser ses dîners de lecture, va, dit-on, se résigner à faire éditer ses poèmes... Mille nouvelles, mille informations grandes et petites qui sont censées briser la glace et lui montrer, d'entrée de jeu, que nous sommes du même monde... Je les ai mûries, ces nouvelles. Préparées. J'ai eu le loisir, depuis deux jours, de me les jouer et répéter. Mais l'émotion est si forte qu'elles m'arrivent en grand désordre, décousues, mal formulées... Et le grand écrivain, sur le lit, n'y prête aucune attention.

Pensant qu'il faut poursuivre et lui indiquer que son œuvre m'est elle aussi familière, je me mets à lui parler de lui; de ses *Fleurs;* des *Nouvelles Fleurs* que va éditer Mendès; de ses traductions de Poe; des *Épaves* que je sais qu'il vient de faire paraître; des *Litanies* que j'adore; des *Yeux de Berthe* que je préfère; du merveilleux frontispice qu'il a cent fois raison d'avoir commandé à son ami Rops; du courage de Poulet; de la lâcheté des éditeurs français; de ce livre sur la Belgique dont tout Paris parle déjà et qu'il a su – est-ce exprès? est-ce « de la haute stratégie »? – rendre si énigmatique. Sur la Belgique vraiment? Sur ses villes? Ses églises? Ses architectures? Sa peinture? J'aime bien ce pays, moi. Je m'y suis toujours senti à l'aise. Est-il sensible, lui aussi, au charme de Bruxelles? à celui de ses kermesses? des élégantes de la rue Chair-et-Pain? des marchandes d'huîtres de la Grand-Place? Connaît-il la maison de Bruegel rue Haute? l'obélisque de la place de la Fontaine? les serres du jardin botanique, artificielles à souhait? A-t-il vu les collections d'Henri Van Cutsen? Et sait-il qu'on entend à Notre-Dame-de-la-Chapelle la plus belle musique d'orgue du monde? Là non plus, pas de réaction. Un soupir tout au plus. Un vague haussement d'épaules. Un mouvement de la tête, imperceptible, qui peut vouloir dire quelque chose comme : « mes livres, vous savez... est-ce que ça compte tellement, les livres... » Et puis un geste de la main, plus vif, presque rageur, comme s'il écartait de sa vue un objet indésirable. J'ai toujours cru aux vertus de la flatterie. J'ai toujours été convaincu qu'il n'y a pas de grand homme qui ne soit soucieux de séduire – et qu'on ne se trompe jamais tout à fait en tablant sur sa vanité. A l'évidence ce n'est pas le cas. Force est de constater que je suis en présence de quelqu'un qui se moque éperdument de tous ces rituels où je suis, moi, expert.

Ne désarmant toujours pas, et feignant de voir dans ses gestes des bribes de réponses qu'il me fait et auxquelles je suis, en quelque sorte, invité à répondre à mon tour, j'essaie de protester que « non, c'est un crime, il n'a pas le droit de parler ainsi... ses livres sont si beaux... si supérieurs... l'École Baudelaire existe, le sait-il? c'est comme un clan... une famille... c'est une congrégation de gens qui se comptent, se reconnaissent... une "tribu", comme dit le jeune Mallarmé... une société secrète, une vraie, qui a ses rites, ses fidèles, ses catacombes, ses prêtres... ah! s'il savait comme on l'aime... comme on voudrait lui rendre justice... s'il savait combien nous sommes nombreux à nous indigner du traitement que ses contemporains lui ont réservé... j'aimerais tant qu'il connaisse Cladel! et Villiers! j'aimerais tant pouvoir lui montrer les choses que ce Mallarmé, justement, lui a dédiées ou consacrées... ». Je n'ai pas achevé mon petit discours que, ô surprise : pour la première fois depuis mon arrivée, il semble bouger, réagir, peut-être même vouloir parler. Va-t-il ouvrir les yeux ? S'animer ? Vais-je entendre le son de sa voix ? Oui, oui, c'est cela. C'est bien l'auguste bouche qui daigne enfin se manifester. Mais elle va le faire sur un tel ton, il y aura tant de colère et d'exaspération dans ses mots, que je regretterai presque aussitôt de m'être ainsi aventuré.

« Je me fiche de vos sociétés secrètes ! s'écrie-t-il en substance... Je n'en veux pas... Je n'en voudrai jamais... Me connaissez-vous donc si mal que vous ignoriez ce que je pense des églises ? M'avez-vous trop mal lu, vous qui prétendez m'admirer, pour savoir que rien ne m'est plus étranger que cette idée de disciples venant mimer et compromettre la liberté de leur modèle ? La littérature est comme le dandysme : stérile... Les écrivains sont comme les lesbiennes : sans enfants ni rejetons... L'artiste, le vrai, ne cautionne que lui-même... Il ne promet rien, n'annonce personne... Il est ce phare isolé, intermittent, dont la lumière, traversant la nuit, ne revient jamais qu'à la nuit... Il est une fin, pas un début... Une arrivée, pas une source... Il n'ouvre jamais la voie, mais la ferme... Et rien ne me semble plus bête, plus répugnant que cette idée d'un artiste engendrant un autre artiste, le formant, le reproduisant – pourquoi, tant que vous y êtes, ne pas concevoir, comme les Hugo, de vastes manufactures fabriquant le génie en série... ? J'ajoute qu'il est tard, monsieur... Beaucoup trop tard... La gloire est faite pour les jeunes gens... Elle est comme la fleur de cet âge et des promesses qui s'y attachent... Elle ne me serait plus, aujourd'hui, qu'une navrante et indécente faribole... » Je ne garantis pas les mots, bien sûr. Mais c'était leur esprit. C'était surtout leur ton. Et je me rappelle avoir été partagé, en l'écoutant, entre la joie de le sentir revivre et le regret d'avoir commis la plus définitive des bévues.

Que se passe-t-il alors? Quel bon génie – ou quelle folie – m'inspire-t-il? Au comble de l'embarras, pensant que le sort en est jeté et qu'il ne peut plus, de toute façon, que me mettre dehors, je m'entends plaider : « Si, si, je vous demande pardon... Giotto est bien le disciple de Cimabue... Greco du Tintoret... L'*Olympia* de Manet est bien, si vous préférez, le rejeton de la *Vénus d'Urbino* du Titien... Et tenez : pas plus tard que l'autre jour, chez un agent de change du nom de Crabbe, j'ai vu une *Chasse au tigre* de Delacroix qu'on ne pouvait pas regarder sans penser à une scène de chasse de Rubens. » Puis, de plus en plus audacieux, presque insolent, mais fort du sentiment que, perdu pour perdu, je ne perdais rien à exprimer le fond de ma pensée : « d'ailleurs non, l'exemple n'est pas bon... car pardon pour le coq-à-l'âne, mais cette *Chasse au tigre* m'a déçu... ce n'est pas le sujet qui est en cause... ni le talent de l'artiste... ce sont les croûtes de Diaz et Meissonier que cet idiot d'agent de change a accrochées à côté et qui l'ont contaminée... Je vais peut-être vous choquer, mais j'ai toujours pensé qu'une toile pouvait être dénaturée, je dis bien dénaturée, par les toiles qui voisinent avec elle... en sorte que... » Là non plus, je ne termine pas. Car à ce moment précis, le miracle se produit : au lieu de continuer sur sa lancée et de me jeter dehors, mon interlocuteur se radoucit, change instantanément de visage et, comme si j'avais dit une chose extraordinaire qui suffisait à faire oublier ma bourde de tout à l'heure, me lance son premier vrai regard – attentif, pensif et presque bienveillant.

C'est lui qui prend la parole alors. D'une voix calme, posée, il me dit que c'est étrange que je lui dise cela... que personne ne l'a remarqué... non, il n'a encore rencontré personne qui ait osé s'apercevoir – ni surtout dire – que cette *Chasse au tigre* est défigurée par ce qu'on a mis autour... un entourage peut être fatal, c'est vrai... et entourer un Delacroix, comme l'a fait cet âne de Crabbe, de tant de médiocres artistes relève du péché... Il me parle de Crabbe alors... Enchaîne sur sa bêtise... Il me raconte la conférence, organisée dans ses salons, qui a si mal tourné... Il me raconte les Belges en général, leur lourdeur, leur esprit de conformité... Il me dit ses autres conférences, ses autres échecs... De fil en aiguille, une image chassant l'autre, un souvenir appelant le suivant, il commence à évoquer cette humiliation ininterrompue qu'ont été ces mois passés ici... Ses espoirs, ses désespoirs... Ses aspirations, ses désillusions... L'histoire du bordel, rue de la Putterie... Celle de la réunion chez les Hugo... Les démêlés avec sa logeuse, ses éditeurs, ses amis... Tout se passe comme si cette petite allusion à Delacroix avait détendu en lui je ne sais quel ressort. Et voici cet homme sévère, presque odieux, qui, une minute auparavant, semblait ne me donner à choisir qu'entre le silence le plus méprisant ou le congé le plus brutal – qui se met à parler, parler encore, avec cette volubilité un peu fiévreuse des gens qui se sont tus trop longtemps; tant et si bien que j'en apprends davantage en quelques heures sur la vie de mon exilé que pendant les longs mois d'une enquête méticuleuse et passionnée.

La matinée passe ainsi. Puis le déjeuner, qu'il contraint la Lepage à me servir ici, dans sa chambre, comme si nous étions des amis de toujours.

Puis un après-midi délicieux, de plus en plus confiant, où nous restons figés dans la même attitude – lui dans son lit, dressé sur son séant, moi sur ma chaise, un peu en retrait, le visage noyé dans une pénombre qui me permet d'écouter sans trop me montrer. Stupeur, bien sûr. Éblouissement. Sentiment d'assister à l'événement, que dis-je ? à la *révélation* la plus bouleversante. Et un seul souci pendant ces heures : que ce jaillissement incroyable – et dont je renonce à chercher la source – ne se tarisse à aucun prix. Tantôt je retiens mon souffle; je me dis que le moindre bruit, le moindre frémissement irrégulier pourraient rompre le charme. Parfois, à l'inverse, quand je sens venir un silence qui va lui permettre de réfléchir et de se reprendre – « mais oui, au fond, suis-je fou ? ai-je complètement perdu la tête pour me livrer à un inconnu ? » –, je lance un mot, une exclamation de circonstance, je pose une question vague qui n'a d'autre vertu, dans mon esprit, que de relancer son monologue. Très vite, pourtant, je comprends que ces précautions sont inutiles. Car il sait manifestement ce qu'il fait. Il mesure l'incongruité de la situation. Et c'est en pleine conscience qu'il se livre à ces confidences extraordinaires. Le soir venu, après qu'il m'a raconté toutes les scènes qui, développées et orchestrées, ont fait le récit qu'on vient de lire, il en arrive à la question clé de ce qu'il appelle son dernier livre.

Tous les écrivains, me dit-il, ont un livre « recteur ». Pour certains c'est le premier. Pour d'autres le dernier. Pour tous, c'est ce livre magique et majeur autour duquel ils rôdent depuis qu'ils ont commencé d'écrire; c'est ce livre qui, même s'il est invisible, occulte, ou impossible, même si l'on meurt parfois sans avoir eu le temps de l'écrire, était la source vraie de tout ce qu'on publiait. Lui, bien sûr, y pense. Il ne pense même, depuis huit jours, qu'à cela. D'abord il s'est dit que c'était les *Fleurs*. Puis : *Mon cœur mis à nu*. Puis encore : cette autre forme d'autobiographie dont l'objet devait être son œuvre. Jusqu'au jour où il a compris que ce n'était ni l'un ni l'autre, mais un livre plus étrange, plus terrible, qui devrait presque, en bonne logique, tenir en une formule mais auquel il a déjà consacré des centaines de feuillets de brouillon. Ils sont là, ces feuillets... Dans le coffre... Je n'ai qu'à les prendre, si je veux... Si, si, je n'ai qu'à ouvrir le coffre et les prendre... Ce sont ces layettes de papier, serrées dans des rubans violets, où je vais tout de suite reconnaître l'ébauche de cet essai sur la Belgique dont je lui parlais... Voilà, insiste-t-il... Probable que ça semblera curieux à beaucoup... Lui-même a mis du temps à le comprendre... Il a tardé à s'apercevoir, oui, qu'il y a dans ce catalogue d'humeurs, d'invectives et de fureurs l'ébauche de son grand livre... Mais maintenant il en est certain... Il sait que la pauvre Belgique n'était que le prétexte à une méditation autrement plus ample et que toutes ces notes, jetées sur le papier, étaient l'amorce ou la promesse de sa plus haute pensée... Tout est là... Vraiment tout... Sauf qu'il faudrait écrire à présent... Donner forme à cette pensée... Et qu'il en est hélas incapable... N'est-ce pas le comble pour un écrivain de voir son plus beau livre, de le voir comme il n'en a jamais vu aucun autre – mais au moment même où il sait qu'il n'est plus en état de tenir une plume?

Sur ce, il me regarde à nouveau. Et, comme s'il ne m'avait pas encore vraiment vu ou qu'il découvrait dans ma physionomie un détail, capital, qui lui avait échappé jusqu'alors, il me dévisage longuement, sans se soucier le moins du monde de la gêne où il me met. Est-ce la fin? va-t-il me tenir rigueur cette fois de la folle confiance qu'il m'a faite? Non. Car son investigation achevée, il m'adresse un sourire très doux, de plus en plus rêveur et pensif, et murmure qu'il a été content de me voir... que de me parler lui a finalement fait du bien... il est si seul ici... si étrangement incompris... il y a bien Neyt, mais c'est un sot... Coco, mais il l'a trahi... il y a Nadar, Rops, les frères Stevens, tous ces amis, ou prétendus tels, qui ne comprennent rien à rien, et notamment pas à ce livre belge... moi non plus, d'ailleurs, je n'y comprendrai peut-être rien... ne lui ai-je pas dit du bien de Bruxelles ce matin, en arrivant?... non?... vraiment non?... ah bon... il a sans doute mal entendu... il se sentait si mal... si absent... combien de temps resterai-je à Bruxelles dans ce cas?... je n'ai pas de plan?... pas du tout de plan?... bien... très bien... me plairait-il de revenir, alors... demain, oui... pas après-demain, demain... car il a peut-être une idée... une toute petite idée... puisque je suis là, après tout... que la Providence m'a mis sur son chemin... il y a quelque chose, dans ma figure, qui lui dit que je ferai aussi bien l'affaire qu'un autre... n'ai-je pas compris, le même jour, et l'affaire de *La Chasse au tigre* et celle de la métaphysique belge?

Cette « petite idée », quand il entreprend de la formuler, me paraît d'abord si cocasse, si différente de tout ce que j'ai pu concevoir, que je la lui fais répéter avant de la bien comprendre. J'avais conçu de lui parler, certes. De l'interroger. J'avais prévu qu'avec un peu de chance il me répondrait; qu'avec un peu plus de chance il me répondrait un peu plus; je m'étais dit que, dans le meilleur des cas, nous aurions un début de discussion sur l'art, la peinture, la poésie et que, en cas de miracle, j'emporterais avec moi un bout de son secret. Mais jamais, au grand jamais, même dans mes rêves les plus fous et mes projets les plus audacieux, je n'avais envisagé pareille bénédiction. Car ce qu'il me propose, en fait, c'est ni plus ni moins que de devenir son secrétaire et de prendre sous la dictée ce livre qu'il a en tête. En clair : entrer, moi, petit disciple, dans l'intimité de mon modèle et être là, physiquement et mentalement là, au moment où naîtraient, hésiteraient, s'effaceraient ou se formeraient ces phrases admirables que je ne lisais d'habitude qu'achevées. Coulisses du génie. Sources vives du beau. Littérature à l'état naissant, et moi témoin de cette naissance. Je ne pouvais, encore une fois, rêver meilleure approche de mon fameux « mystère » et j'accepte sans hésiter le rôle prodigieux qui m'est proposé. Je suis à cent lieues de me douter, bien sûr, que j'arme, ce faisant, le piège qui va me perdre.

2

LE lendemain matin, à l'heure dite, je sortis, la tête lourde, de la remise qui me servait de chambre. J'avais passé une nuit agitée, pleine d'appréhensions et de doutes. L'histoire était trop belle. Ma fortune trop insolente. Il avait dû réfléchir après mon départ, regretter sa proposition. Qui sait s'il n'avait pas reçu la visite d'un ami, d'un parent, qui l'avaient convaincu, derrière mon dos, de ce que cette rencontre avait d'absurde, cet engagement de rocambolesque ? Je désirais toujours ce face à face, bien sûr. Mais je n'y croyais plus qu'à demi et m'étais intérieurement préparé à retrouver une Madame Lepage plus cerbère que jamais, m'interdisant, définitivement cette fois, l'accès au second étage.

A ma grande surprise, il n'en fut rien. Et si la drôlesse était au rendez-vous, si elle m'attendait, comme je le craignais, au milieu de son vestibule, je compris à son air empressé que c'était moins pour me barrer la route que pour manifester qu'elle était là, toujours là, inévitable truchement de tout ce qui se passait chez elle – et qu'elle entendait bien, surtout, rester partie prenante de la fête (de la tractation?) qu'elle devinait. « Vite, vite, il vous attend », me souffla-t-elle d'un air si ouvertement complice qu'il en devenait indécent. Puis, au milieu de l'escalier, à la hauteur du premier étage et comme si on lui avait apporté, pendant la nuit, l'information déterminante qui changeait l'idée qu'elle se faisait de lui, de moi et de la situation en général : « alors comme ça, vous êtes parents? fallait le dire tout de suite que vous étiez parents! »

Une fois dans la chambre, j'eus une autre surprise. L'homme que j'avais quitté pantelant, presque mourant, s'était levé. Il avait disposé autour de lui, sur son lit, les layettes de papier qu'il m'avait montrées la veille et dont le minutieux classement semblait indiquer qu'il m'attendait, en effet, pour travailler. Je n'osai croiser son regard, peur qu'il ne lût dans le mien le signe de mon trouble et peur aussi, sans doute, qu'un excès de « présence » de ma part rompît le charme qui, avec un peu de chance, s'était installé en mon absence. Mais même ainsi, de biais, je voyais qu'il avait l'œil vif, la lèvre volontaire; alors que j'avais été si déçu, la veille, de le découvrir plus petit que je n'imaginais, je le retrouvais conforme, cette fois, au souvenir que j'en avais gardé; et n'eût été cette raideur qui continuait de lui déformer la moitié droite du visage, il n'aurait plus été très loin de l'impressionnant modèle du temps du Café Robespierre.

« Entrez, me dit-il sans trop me regarder lui non plus. Je vous attendais. » Puis, indiquant du geste la table où il avait fait préparer une série de cahiers vierges, des plumes, un traité de littérature latine, un livre sur les églises belges, un dictionnaire : « vous n'avez pas l'habitude... moi non plus... alors ne perdons pas de temps, voulez-vous? j'espère que nous nous entendrons. » Après quoi, sans préambule ni cérémonie, il entreprit de compulser ses paquets de notes; puis, la voix ferme, bien timbrée, s'appliquant à détacher les syllabes, il se mit à me dicter ce qu'il appelait ses « têtes de chapitre » suivies, tout de suite après, des développements qu'elles inspiraient. L'aventure commençait. Et, trop content d'être dispensé, moi aussi, de préambules et mots convenus, je m'absorbai dans la redoutable tâche de noter aussi précisément que possible ces amples et belles phrases, parfaites, bien d'aplomb, comme sont souvent les phrases anciennes, longuement et patiemment mûries. Le génie était là. En effervescence et majesté. Au bord de proférer ces vérités qui modèleraient le visage de notre chère « modernité ». Et j'étais, moi, humble auteur des *Dix Petites Gloses*, celui qu'il avait élu pour porter la nouvelle au monde. Son scribe. Son apôtre.

*

Il commença, je m'en souviens, par une question, écrite en gros caractères sur le premier de ses feuillets et qui était ainsi formulée : « dois-je remercier Dieu de m'avoir fait français et non belge? » Il répondit que non, bien sûr; qu'il n'y avait aucune raison de remercier; que la Belgique était une petite France; la France le modèle de la Belgique; et que s'il s'en prenait à l'une c'était en attendant d'avoir assez d'autorité pour dire ce qu'il pensait de l'autre – « ce livre sur la Belgique est un essayage de mes griffes, c'est une étape, seulement une étape, dans ma guerre prolongée contre la France et les Français ».

Il enchaîna sur une seconde question, tirée d'une seconde layette et qu'il avait entourée d'un trait de crayon rouge : « dirons-nous que le monde est devenu pour nous inhabitable? » Il répondit cette fois que oui; que non seulement la France mais le monde était en train de devenir belge c'est-à-dire, en effet, irrespirable; et que tout ce qu'il dirait des uns, des autres, devrait s'entendre en général, dans l'acception la plus large, comme un formidable cri de haine lancé, non contre telle ou telle nation, mais contre l'espèce humaine tout entière – « ah, je rêve de trouver une phrase, un mot, qui mette contre moi le genre humain ».

Puis encore, et comme si ce n'était pas assez, il me dicta une longue note, terrible mais drôle, où il s'en prenait à la façon belge de ne penser, pisser, rire ou s'aimer qu'« en bandes ». Mais en précisant, là encore, que lorsqu'il parlait des « bandes belges » c'est à toutes les bandes du monde qu'il pensait – et que lorsqu'il se moquait de l'amour des Belges pour « les sociétés, les demi-sociétés, les quarts de sociétés » c'est à une tendance constante, et universelle, de l'esprit humain qu'il s'en prenait. Bêtise des sociétés... Misère de l'instinct grégaire... Énigme de ces grands troupeaux d'hommes qui font don de leur pensée à des « associations » qui vont ensuite les dévorer... Le ton était donné. La première thèse assenée. Il était clair que, pour lui, toutes les communautés étaient mauvaises; tous les rassemblements tyranniques; il était clair que non seulement les nations, mais les familles, les sectes, les écoles, les groupes, les églises même, faisaient peser sur les êtres une accablante conformité. Il se lança, à partir de là, dans des considérations passionnées sur le pouvoir accordé à l'artiste de rompre cette logique, de refuser cette pression, ce chantage. Il me brossa le portrait d'un artiste solitaire et libre dont le devoir était de secouer ce joug, de s'excepter de ce manège et, une fois l'exception faite, une fois solennellement rappelé qu'il n'était membre d'aucune tribu, n'adhérait à aucun parti, ne se sentait solidaire d'aucune espèce de rite ou de religion collectifs, de proclamer non moins solennellement son imprescriptible droit à se contredire, s'en aller, changer d'avis ou de doctrine dans le seul but de constater le plaisir qu'il trouverait à embrasser la doctrine adverse.

L'artiste seulement? Non, pas seulement. Mais d'abord. En éclaireur. Quitte à donner au commun des hommes l'image de cette légèreté – et à prouver, par l'exemple, qu'il n'était pas impossible de refuser au monde la servile dévotion qu'il exigeait. Elle ne lui ressemble guère, je le sais, cette image de l'artiste-éclaireur chargé de montrer la voie à la façon d'un mage hugolien. N'empêche. C'est, grossièrement résumé, l'esprit de ce qu'il me dit dans ce premier temps de cette première conversation – comme s'il était prêt à tous les risques de confusion pourvu que s'impose cette première idée : l'homme libre est celui qui est à la fois là et ici, dans le monde et hors du monde, appartenant à ses groupes mais ne s'y donnant jamais tout à fait; l'homme libre est le plus impie, le plus canaille des croyants – participant quand il le faut aux liturgies de la communauté, mais pour mieux la trahir, la moquer et insuffler dans ses blessures un peu de son sang empoisonné.

A ce moment de l'exposé, Madame Lepage entra. Elle était porteuse d'un pli qui, nous annonça-t-elle d'un ton plein de sous-entendus, venait de la place des Barricades. « Ah oui? fit-il en lui jetant un regard assassin. Et c'est pour cela qu'on nous dérange? Pour ces bêtises qu'on interrompt deux bons et vieux amis qui devisent sur le fond des choses? » Après quoi il prit le pli. En fit sauter le cachet. Manqua le déchirer, tant était grand son agacement. Et devant la dame ébahie que l'on pût si cavalièrement traiter une lettre de la famille Hugo, me la lança sur la table sans prendre la peine de la lire. « Bande belge, maugréa-t-il... Prototype de la bande belge... A vous de répondre, monsieur le secrétaire... Trois petites phrases, et bien le bonjour. »

*

La Lepage partie, il me laissa tout juste le temps de parcourir la lettre. Il y était question de médecins, de remèdes, de la campagne qui lui ferait du bien, de sa mère qu'il devrait appeler auprès de lui, de son tuteur, de son repos. A l'évidence, il s'en moquait. M'invitait à m'en moquer à mon tour. Et reprit, comme si de rien n'était, le fil de sa dictée.

Attention, gronda-t-il en choisissant un second paquet de notes et en me priant de bien vouloir, moi aussi, prendre un nouveau cahier! Oui, attention à ne pas conclure qu'en refusant la dictature des bandes, il plaidait pour un homme seul, asocial, qui renouerait avec la pureté d'un prétendu état de nature. La nature, à ses yeux, ne valait pas mieux que les bandes. Elle était même, à tout prendre, plus perverse et maligne encore. Et s'il détestait Voltaire, s'il haïssait en lui – je le cite – « l'anti-poète, l'anti-artiste, le prédicateur des concierges, le roi des badauds », il tenait à ce que je susse qu'il n'en bataillait pas moins sur le front d'en face : celui de Jean-Jacques Rousseau, auteur – je cite toujours – « sentimental et infect » qui incarnait, lui, à merveille, la dévotion naturaliste.

Il prit l'exemple des femmes belges qui ne sont aussi « laides » que parce qu'elles sont « naturelles » – à preuve cette horrible scène, consignée sur un de ses feuillets, où on voyait « la mère belge sur ses latrines jouant avec son enfant et souriant avec ses voisins »; ou bien, sur la même page, l'image de cette rue avec « ses six dames belges pissant qui barrent le passage, les unes debout, les autres accroupies, toutes en grande toilette ».

Il prit celui de l'amour belge, naturel donc bestial, bestial donc répugnant – il considéra cette « pure gymnastique animale » qu'il s'interdisait de décrire dans le manuscrit de référence mais dont il ne m'épargna, en le développant, aucun détail scabreux. Il ne faisait pas de doute à ses yeux que les Belges – c'est-à-dire, encore une fois, l'humanité en général – se trompaient lorsqu'ils voyaient un acte heureux, voire harmonieux, dans ce qui était, en réalité, l'une des occupations les plus noires, les plus ouvertement criminelles et cruelles, auxquelles les hommes pouvaient se livrer.

Il me dicta enfin une longue note sur les enfants et la grotesque pédophilie – oui, il disait bien « pédophilie » – où la littérature moderne semblait se complaire. Purs, les chérubins? Innocents? Candides? Si l'on veut. Mais loin que cette pureté soit gage de douceur ou de bonté, elle était à nouveau source, selon lui, de malignité. « Il faut voir les quartiers pauvres de Bruxelles, déchiffra-t-il, et la façon dont les enfants se roulent dans les excréments. » Puis : « il faut voir la barbarie de leurs divertissements – les oiseaux attachés par une patte à une ficelle, nouée autour d'un bâton ». Puis encore : il faut aller, une fois au moins, « rue aux

Pinsons, à Namur, là où les pinsons ont eu les yeux crevés ».

Ici aussi, nature rimait avec souillure. Naïveté avec méchanceté. Spontanéité avec instinct, démon de perversité. Et alors que, pour l'« esprit belge », plus on est proche du « naturel », plus on a de chance de toucher à une bonté fondamentale, il croyait – et criait – précisément le contraire : à savoir que l'on n'est jamais si près de l'horreur, jamais si proche de l'inhumanité et de ses manifestations les plus hideuses (le crime, l'inceste, le cannibalisme, le parricide...) que lorsqu'on remonte aux sources de cette fameuse nature humaine.

Il y a des gens qui nous flattent, nous dorlotent. Il y a des écrivains qui ne se lassent pas de nous complimenter sur notre bon fond, notre heureux tempérament. Lui n'était pas de cette espèce. Il ne se sentait pas prêt, mais alors pas prêt du tout, à cajoler la grosse bête, à l'aduler, à l'embellir. Et il semblait résolu, au contraire, à insulter, outrager, diffamer le genre humain et ses pieuses illusions. S'il ne prenait pas des risques, ce faisant? Si, bien sûr, il prenait des risques. Peut-être même inconsidérés. Car s'il est un crime que l'homme ne pardonne pas à l'homme c'est bien cette atteinte à son image, son idéal. Mais qu'importe! C'était sa thèse. Sa conviction. C'était l'une des rares opinions sur quoi il n'avait jamais cédé. Et n'en déplaise aux imbéciles qui lui reprochaient naguère de « pétrarquiser sur l'horrible » il a toujours cru que l'art n'a qu'un objet : le Mal; qu'un souci : dire le Mal; qu'un enjeu : l'exploration des mille et un visages, parfois surprenants ou effarants, que prend ce Mal dans le monde. Il entendait profiter de ce dernier livre pour réaffirmer cette vérité et appronfondir sa réflexion sur le fond catastrophique où se déploie, disait-il, l'aventure du genre humain. « Savez-vous pourquoi cette " Pauvre Belgique ! " va me mettre au ban de mon pays ? C'est que... »

La phrase s'arrêta là. Car à peine avait-il posé la question qu'il se mit à bredouiller. Il reprit son « c'est que ». Le reprit encore. Émit un vilain bruit, semblable à un jappement. Claqua des dents. Hoqueta. Comme s'il voulait retrouver son élan pour mieux franchir l'obstacle, il recommença depuis le début mais dit « sauvez-vous » au lieu de « savez-vous », « rang » au lieu de « ban », et puis ne dit plus rien du tout – son effort s'achevant dans un galimatias lui-même suivi d'un silence accablé. Quand, n'entendant plus rien, j'osai lever le nez de mon cahier, je le découvris hagard, le visage congestionné, le cou bleui par l'effort et la saillie des veines, les lèvres soudées, les narines frémissantes comme s'il tentait de reprendre souffle, l'œil écarquillé, incrédule – et un petit geste de la main qui semblait vouloir dire : « ce n'est rien... ça va passer... restez assis, ça va passer... »

*

Il resta une minute ainsi, sans que je susse si je devais bouger, parler, appeler quelqu'un, lui proposer un verre d'eau ou du café. Et puis il revint à lui, comme si de rien n'était, retrouvant d'un seul coup son ton et son aplomb – poussant l'élégance jusqu'à paraître exaspéré de l'inquiétude que je ne pouvais, moi, dissimuler. Où en était-il ? Le Mal, oui... Le péché... Que l'amour est toujours coupable... L'enfance toujours criminelle... Que tout ce qui touche à la nature est, par nature, nauséabond... Doucement, posément, la voix tout juste un peu cassée, le débit un peu ralenti, il renouait le fil que la crise avait rompu. Avisant un quatrième paquet de feuilles, furieusement annotées celles-là, il m'annonça un nouveau chapitre, consécutif au précédent, et dont la formule aurait pu être : « Mal pour mal, les plus méchants, les plus féroces, ne sont pas ceux que vous croyez. »

Il y a des gens, me dit-il à peu près, qui nient cette part de mal. Ou plus exactement : il y a des gens qui aiment si absolument, si dévotement le genre humain, qu'ils ne peuvent se faire à l'idée d'un Mal qui lui soit essentiel. Alors ils protestent. Ils s'insurgent. Ils croient – c'était une phrase d'un des feuillets – que « l'homme peut tout et que la vapeur, le chemin de fer, l'éclairage au gaz prouvent l'éternel progrès de l'humanité ». Et quand la preuve ne suffit pas, que le progrès tarde à venir, quand le mal ne disparaît pas et que les faits, par conséquent, font mentir la théorie, ils préfèrent, ces beaux esprits, faire céder ces méchants faits plutôt que voir leurs idées battues en brèche. Parfois ce n'est que grotesque : et c'est le cas de « la femme Sand », grosse et suave « latrine », persuadée qu'elle saura bien, à elle seule et avec ses livres, récurer l'espèce humaine de toute sa « cochonnerie ». Mais parfois c'est criminel : et c'est le cas de ces puristes qui, décidant d'obliger les hommes à ressembler à l'idée qu'ils s'en font, effacent de nos visages ou de nos sociétés tout ce qui prétend y résister. Marat était « l'ami du peuple ». Robespierre aimait, oui il aimait d'un fol amour cette « humanité » qu'il enrageait de ne pas voir conforme à ses schémas. Et ce n'est pas en dépit, mais *à cause* de cet amour qu'ils ont été l'un et l'autre les plus sanglants bouchers de l'histoire récente. « Que le peuple surveille les gens à la parole dorée, écrivait-il jadis, au lendemain d'une autre révolution qui empruntait à la première la plupart de ses symboles. Qu'il se méfie de ces gens qui arrivent les mains pleines de panacées et vous lancent : " Allons, vite, à l'œuvre ou je vous tue. " » Vingt ans ont passé depuis ces phrases. Et cette folie de pureté ne lui apparaît plus que sous la forme belge – donc caricaturale – des petites filles frottant les trottoirs au savon noir, pendant des heures, alors qu'il pleut à verse. Sur le fond, cependant, sa position restait la même. Il continuait de voir dans la croyance au progrès, à l'amélioration de la race humaine, à la naissance d'un nouveau monde, débarrassé de sa part de faute et de malheur, le moyen le plus efficace de faire marcher les guillotines.

De l'autre côté, poursuivit-il, il y a les gens comme lui. Réalistes ceux-là. Oui, Dieu sait qu'il n'aimait pas le mot : mais c'est tout de même « réalistes » qu'il fallait dire. Car ils s'en tiennent ceux-là, à la réalité du Mal. Ils savent, et ils admettent, que l'Homme est une sale bête; que sa saleté est éternelle; qu'aussi soucieux soit-on de bonheur, aussi épris de luxe, de volupté, de beauté, il faut se faire à l'idée que son mal est incurable. Ils ne se font pas d'illusions. Ils ne promettent ni n'attendent rien. Sachant qu'aujourd'hui ressemblera à demain comme il ressemblait à hier, ils sont nécessairement plus tristes, pour ne pas dire plus ingrats, que les bonimenteurs qui nous annoncent, eux, le bonheur. Mais voilà : n'attendant rien, ils n'exigent rien; n'exigeant rien, ils n'ont plus la tentation de la contrainte, de la violence; et la contrepartie de leur pessimisme c'est qu'au lieu de nous mener, à coups de trique ou de fusil, sur le chemin d'une pureté dont ils savent les impasses, ils n'ont qu'indulgence et compassion pour les petites ou grandes tares qui nous défigurent à tout jamais. Gloire aux hommes à la parole de cendre, ce n'est jamais chez eux que se recruteront les fusilleurs! Cas de De Maistre que l'on peut caractériser au choix comme le plus noir des hommes (celui qui voit ses semblables sous leur jour sombre, désespéré) et comme le plus aimable (celui qui, du coup, sera le plus enclin à les accepter tels qu'ils sont et à renoncer au meurtrier dessein de « régénération » sociale ou morale). Cas de Sade, plus net encore, qui poussa plus loin que quiconque l'exploration de ce fond de ténèbres (oh! l'horrible minutie de ses descriptions de crimes et de tortures) mais qui, dans sa vie, quand il présida la section des Piques ou eut à débattre de la peine de mort, fit montre d'une si douce et miséricordieuse modération (jusqu'à Monsieur de Montreuil, son ancien persécuteur, dont il demanda la grâce!).

Sand inférieure à Sade... Hugo à Joseph de Maistre... Les faux amis du genre humain à ses supposés ennemis qui sont, il le répéta plusieurs fois, ses plus inoffensifs calomniateurs... Le Mal s'ignorant lui-même, infiniment plus malin, *plus assassin,* que celui qui se connaît et consent à s'exhiber... Il en était là de son envolée quand la porte s'ouvrit sur un homme au teint fleuri que nous n'avions pas entendu monter et dont la démarche, le maintien, la façon d'entrer dans la pièce et de regarder l'intrus, avaient la tranquille assurance des intimes en même temps que la réserve, mêlée de respect, de ceux que le commerce des grands hommes a induits à l'humilité. « Entrez, Poulet, lança-t-il sans se retourner... entrez si vous voulez... » Puis, en me faisant signe de ne surtout pas me déranger : « Monsieur Poulet-Malassis... mon secrétaire... comme vous voyez, nous travaillons... » Et tandis que l'autre, feignant de ne pas comprendre, posant ses gants et son chapeau, murmurait un timide : « vous n'êtes pas raisonnable, mon ami... quinze jours de lit, au bas mot, a dit le docteur Marcq... et vos ventouses? nous sommes mercredi... », il le toisa cette fois pour de bon et lui lança : « nous travaillons, vous dis-je... auriez-vous l'obligeance de nous laisser... je ne me suis jamais mieux senti depuis dix ans »; à quoi il ajouta, à mon adresse cette fois mais sans cesser de regarder l'intrus, cette dernière petite phrase qui fit hausser les épaules à l'éditeur et parut le convaincre qu'il valait mieux, en effet, s'en aller : « l'athéisme inférieur à la pure doctrine catholique. »

*

Un mot sur cette petite phrase qui fut bien davantage, autant le dire, que la puérile provocation que sembla y voir Malassis.

Prenant, au pied du lit, la cinquième liasse de papiers qu'il avait préparée, il se mit à m'expliquer que tout, absolument tout ce qu'il venait de raconter était dans la droite ligne de cette pure doctrine catholique. Personne ne voulait le croire quand il le disait. Personne, à part Barbey dans son bel article sur *Les Fleurs du Mal,* n'avait compris qu'il n'y avait pas d'autre choix, quand on le lisait, que « de se brûler la cervelle ou de se faire chrétien ». C'était pourtant la vérité. Et il me cita, pour m'en convaincre, des phrases de Bourdaloue sur le diable, d'Augustin sur l'horreur de la chair, de Calvin et de Bérulle sur l'abjection foncière de l'être enfantin, de Bossuet sur le fait que l'homme n'est rien de plus qu'une petite « masse de boue que l'on pare d'un léger ornement à cause de l'âme qui y demeure » – il me cita, sur la chute, l'interdit, sur notre obstination dans la faute et dans le péché, mille textes canoniques qu'il semblait admirablement posséder et dont il s'efforça de me convaincre qu'ils étaient la véritable source de son propre pessimisme.

On dit souvent que le catholicisme est une religion consolatrice. Quelle erreur! Quelle sottise! Car aucune religion, d'après lui, n'était au contraire aussi terrible... Aucune, aussi exigeante... Aucune n'avait tant fait pour noircir, salir, ce fond de Nature éternelle qui déprave le cœur des humains... Aucune, surtout, n'avait osé déployer tant de cruauté, franche ou contenue, dans l'organisation même de ses rites et de ses cérémonies... Les paganismes sont cruels? Vraiment? Eh bien que je réfléchisse donc un instant au mystère de la Croix! A cette fascination du sacrifice poussée à son paroxysme! Que j'accepte de me pencher, une fois, rien qu'une fois, sur ce visage souffrant, convulsé, que l'on propose depuis des siècles à l'adoration des croyants! Avais-je jamais vu plus claire attirance pour la douleur et son spectacle? M'étais-je jamais interrogé sur l'inouïe férocité de celui qui, le premier, eut l'idée de choisir comme symbole de la dévotion nouvelle le plus effroyable des instruments de torture? C'est cette férocité qui le fascinait chez les catholiques. C'est elle que, d'un bout à l'autre de son œuvre, il s'était employé à retrouver. Et c'est elle, ajouta-t-il d'une voix soudain plus basse, comme s'il me confiait un secret et qu'il craignait qu'on pût l'entendre, c'est elle qui sera de plus en plus mal admise par une époque qui ne rêve que d'en finir avec le souvenir du Mal.

Comme je ne comprenais pas bien, il me recommanda une fois de plus de regarder, autour de moi, ce qui se passait en Belgique. Savais-je ce qui occupait présentement les Belges ? Ce n'étaient pas les élections. Ce n'était pas l'opposition des partisans du « suffrage restreint » et du « suffrage démocratique ». Ce n'était même pas le problème de la langue ni celui de l'annexion. Non. Leur grande, leur seule affaire, celle qui mobilisait leurs énergies et leurs passions, la guerre véritablement décisive qui suffisait à éclipser toutes les disputes politiques, éthiques ou philosophiques, était cette très étrange querelle dite des « enterrements civils » où l'on voyait des sociétés de libres penseurs, fortes d'un crédit et d'une popularité sans précédent, disputer au clergé le droit d'organiser des funérailles.

Il me montra un paquet d'articles relatifs à cette affaire. Il les avait découpés dans des journaux. Puis, rassemblés dans une liasse à part sous les titres de « Prétrophobie », « Sépultures » ou « Impiété belge ». On y lisait d'ahurissantes histoires de cadavres déterrés, volés parfois, portés en triomphe par des processions d'athées, réenterrés selon leurs rites ou exposés, en manière de défi, à la porte des églises ou des estaminets. Et l'on sentait bien que là, sur ce fond de cimetières profanés, de sabbats, de danses de spectres et de squelettes, de nécromancies échevelées, une partie colossale avait commencé de se jouer – dont l'enjeu n'était rien de moins que la mise à bas définitive de toutes les croyances catholiques relatives à la mort et donc, une fois de plus, au Mal.

L'affaire pouvait me sembler dérisoire. Elle était en fait essentielle. Car annonciatrice, selon lui, des grands conflits spirituels – métaphysiques *et* politiques – qui, dorénavant, nous attendaient. Le jour viendra, insista-t-il, où le monde entier deviendra belge. Les prêtres, ce jour-là, seront traqués. Les pères jésuites persécutés. Les derniers catholiques réduits, comme aux premiers temps, à la clandestinité des catacombes. Des bandes belges déchaînées videront de force les églises. De grandes conspirations s'organiseront, dans le but d'exterminer la race juive. Le nom même de Dieu sera suspect. Le visage de la Vierge insulté. Et de nouveaux cultes naîtront, plus flatteurs, plus aimables, qui chanteront la gloire d'une humanité repue, gorgée de nature et de matières, réconciliée avec elle-même et ses plus écœurantes satisfactions – une humanité qui, s'estimant quitte du malheur, libérée de ses fautes et de ses anciennes misères, n'en sera, selon ses thèses, que plus féroce et plus barbare. Guerre des dieux. Choc des mystiques. Interminable affrontement, à base de rites et de sacré, qui sera la face – et la clef – cachée de toutes nos querelles. C'est pour donner la clef qu'il voulait finir « Pauvre Belgique! ». C'est pour décrire cette face cachée qu'il tenait tant à sa dictée.

*

Après un long silence que je me gardai de troubler et que je faillis interpréter comme une façon de me chasser, il reprit encore, et pour la dernière fois, la parole. Il lui restait à préciser, me dit-il, qui étaient ces derniers catholiques, dans quels repaires ils se cachaient, de quelles armes ils disposaient – sur quelles forces, autrement dit, nous pouvions nous appuyer dans le combat qui se préparait contre la religion athée.

Qu'est-ce au juste qu'un catholique? reprit-il, très pédagogue. Quelqu'un qui croit au Mal. Au péché originel. C'est-à-dire, pour parler clair, qui ne croit pas à la fusion spontanée des cœurs; qui ne parie pas sur l'harmonie native des passions, des désirs, des intérêts; qui doute que la chair soit heureuse; que la nature soit accueillante; c'est quelqu'un qui oppose aux songes creux des optimistes dont il venait de faire le procès la rude réalité d'une inconciliable humanité.

Eh bien dans ce cas, c'était très simple. Flaubert était catholique, par exemple. Intégralement catholique. Et il en voyait pour preuve, non les messes où il allait, ou les cierges qu'il brûlait, mais le fait qu'il détestait la nature, abominait ses paysages et ne parlait jamais, dans ses romans, d'arbres ni d'animaux – « relisez *Bovary,* écrivait récemment un chroniqueur français un peu moins belge que de coutume, relisez la mort d'Emma, ses rêves ou ses désirs : vous y retrouverez le pur esprit de l'Église ».

Sade était catholique. Oui, j'avais bien entendu : Sade. L'immonde auteur de *Juliette.* L'abject romancier des *Cent Vingt Journées de Sodome.* L'infatigable pornographe qui ne se passionna, sa vie durant, que pour des récits de tortures, d'humiliations, de viols. Et s'il était catholique c'est qu'à travers ces descriptions mêmes, à travers leurs violences et leur inlassable cruauté, transparaissait l'image d'un être déchu, modelé dans la pire des glaises et capable, lorsqu'on le rend à ses instincts, des péchés les plus effroyables. Avais-je lu, déjà, un livre de Sade? Vraiment lu? Ses geôliers, quand il était à la Bastille, racontaient qu'il avait « conspiré contre Dieu ». Il voyait plutôt, lui, dans ses blasphèmes, ses profanations et ses outrages, un ton et des accents qu'on n'avait plus entendus depuis les livres prophétiques. Il voyait de la sainteté chez Sade.

Le libertinage, d'une manière générale, était catholique. Attention! Il ne disait pas la licence. Encore moins la gaudriole. Surtout pas cet éternel esprit gaulois (Brantôme, Crébillon, Voltaire...) qu'il tenait en grand mépris. Il s'imagine, l'esprit gaulois, que la chair est gaie, matière à plaisir et plaisanterie; il imagine des petites affaires qui se règlent dans la bonne humeur, la jovialité bien tempérée. Alors que le libertin, le vrai, est quelqu'un de bien plus grave; de bien plus tragique et sombre; c'est quelqu'un qui sait que les corps sont tristes; leurs étreintes toujours manquées; et qui, pour cette raison, parce que jamais étreinte n'aura le dénouement heureux que prétendent les ribauds, choisit d'entourer l'amour de ce luxe d'artifices où l'on verra la marque, au choix, de son infinie perversité ou du goût chrétien de l'infini.

De même encore les lesbiennes. Croyaient-elles en Dieu? Honoraient-elles leurs confesseurs? Il n'en avait pas la moindre idée et, au demeurant, s'en moquait. Mais il aimait l'image de ces corps froids. Il goûtait cette sensualité distante, oblique, qui semblait prendre son parti de l'impossibilité de communier. Il appréciait la légèreté de leurs étreintes. Respectait leur stérilité. Il voyait dans leur existence même un formidable démenti à la répugnante suite de procréations qu'est, depuis toujours, l'histoire de l'espèce. Et il voyait enfin dans ce démenti, dans cette interruption, le meilleur des antidotes au culte de la Femme qui était le véritable nœud de la grande religion communautaire et athée en lutte contre la doctrine catholique. « Ah! imbéciles qui vous interrogez sur l'intérêt que je porte aux femmes damnées – c'est ce catholicisme, et ce catholicisme seulement, que, une fois de plus, je vénère en elles. »

Il m'expliqua encore que *la mode* était catholique car elle témoignait de « l'essai permanent et successif pour réformer la nature, s'élever au-dessus de la nature ». Que *le maquillage* était catholique dans la mesure où effaçant, sur un visage, les stigmates de la même nature, il « rapproche l'être humain de la statue, c'est-à-dire d'un être divin et supérieur ». Il m'expliqua, de plus en plus exalté, que le dandy est le plus catholique des catholiques puisqu'il est « le parfait symbole de cet arrachement de l'homme à la spontanéité et à l'instinct qui est le dernier mot, n'est-ce pas, du message évangélique ». A nous les dandys ! Avec nous les lesbiennes, les femmes maquillées, les libertins, les sadiens ! Tous à l'avant-garde du combat ! Tout le fier escadron derrière lui, sur le chemin de la résistance et, qui sait, de la reconquête ! Charles Baudelaire était fatigué. Son discours, si clair tout à l'heure, frisait maintenant l'incohérence. Lui répondre que je trouvais tout cela un peu léger ? Que son catholique idéal avait une fâcheuse inclination au calvinisme ? Jugeant que l'heure était venue, cette fois, de prendre congé, je décidai de l'abandonner à sa grande armée de catholiques – non sans m'être assuré, d'abord, de notre rendez-vous du lendemain.

3

Lettres de Madame Aupick au narrateur

Honfleur, le 25 mars 1866.

Monsieur,

J'apprends par Auguste Poulet-Malassis, avec qui je suis en relation constante, que le hasard vous a rapproché de mon fils et que vous nourrissez l'espoir de vous instituer son secrétaire. J'ignore, Monsieur, qui vous êtes. Je ne sais pas davantage le type de services que vous pourriez être amené à lui rendre. Mais je tiens à vous dire sans attendre, et avec la dernière énergie, toutes les réserves que m'inspire ce projet.

Mon fils, sachez-le, est de nature très délicate. Il est émotif, caractériel. Le docteur Marcq, *en qui j'ai la plus extrême confiance,* m'assure que la plupart de ses maux sont d'origine nerveuse. Vous comprendrez donc que la moindre contrariété soit de nature à provoquer en lui des chocs tout à fait fâcheux dont nous ne sommes, ni vous ni moi, en mesure d'apprécier la gravité. Vous êtes, me dit-on, du cercle de ses admirateurs. Eh bien je vous le dis tout net : il n'a, à l'heure où je vous parle, pas plus besoin d'admirateurs que de secrétaire. La flatterie, si sincère soit-elle (et je ne mets pas en doute la sincérité de la vôtre), n'est pas bonne pour lui et ne pourrait qu'aggraver l'état très préoccupant où vous avez dû le trouver.

Je serai plus nette encore. Mon fils n'est présentement pas en état de dicter quoi que ce soit. Les médecins, là aussi, sont catégoriques : il a besoin de six mois d'une vie aux champs et s'il a été jusqu'à une date récente un écrivain de qualité, envié par ses amis et honoré par ses confrères, il faut le considérer dorénavant comme quelqu'un, sinon de diminué, du moins de très fatigué et que tout énervement supplémentaire ne pourrait que fatiguer davantage. Or les témoignages qui m'arrivent sont formels : vos séances ne lui font pas de bien.

J'ajoute, car vous l'ignorez peut-être, que mon fils a toujours été très inconséquent dans la gestion de ses affaires et qu'il a pris la fâcheuse habitude de contracter des engagements dont il oublie de se demander comment il les honorera. Cette situation date de l'époque où nous avons été contraints, feu mon mari et moi, de mettre sous contrôle judiciaire le pécule que lui avait légué son pauvre père. Nous pensions que cette mesure l'obligerait à s'amender. Hélas, il n'en a rien été et il demeure donc, malgré les années qui ont passé, tributaire d'un conseil de famille, et de Maître Ancelle qui le représente, pour toutes les dépenses exceptionnelles qu'il peut être amené à faire. En clair, mon fils, quoi qu'il ait pu vous dire, n'a pas autorité pour engager un secrétaire. Et la famille n'étant pas disposée à payer, vous en serez pour vos frais. N'ayant aucune raison de vous vouloir du mal, je tenais à vous en avertir de la façon la plus courtoise.

Quant au fond, on me dit également que votre rôle auprès de lui serait de lui faciliter la rédaction du livre sur la Belgique qui, je ne dois pas non plus vous le cacher, inquiète tous ses amis. Comment pouvez-vous ne pas partager cette inquiétude? Comment pouvez-vous l'encourager dans une entreprise de dénigrement envers un pays qui lui a ouvert ses portes et offert une si gracieuse hospitalité? Ce livre, sachez-le, nous mettrait, s'il devait s'achever, dans le plus grand embarras. Je dois venir en personne, dans les tout prochains jours, chercher mon enfant à Bruxelles. (J'attends pour cela que mes vieilles jambes, qui me font tant souffrir, aillent un peu mieux.) Or je tremble à l'idée de ce qui m'attend lorsque je me trouverai nez à nez avec des personnes qui ont été si bonnes avec lui et qu'il ne sait remercier que par ces inconvenantes imprécations. Jamais Monsieur Aupick, mon défunt mari, n'aurait supporté pareil affront. Moi vivante, la mémoire du Général sera sauve et ce livre sur la Belgique ne devra paraître à aucun prix. Je vous adjure en conséquence de laisser mon fils en paix et d'user du crédit dont vous jouissez apparemment auprès de lui (je suis payée pour savoir, hélas, comme ce garçon se lie vite et comme il a tôt fait d'accorder sa confiance!) pour m'aider à le ramener dans le chemin de la raison. Qu'un homme qui n'a plus sa tête se laisse aller à pareilles insanités, soit. Mais qu'un jeune garçon comme vous, en pleine possession de son intelligence, l'encourage dans sa tendance, voilà qui n'est pas tolérable. Je vous somme, Monsieur, de faire tout ce qui est en votre pouvoir pour que ces pages terribles ne viennent pas ruiner la réputation d'une famille que des débordements passés n'ont déjà que trop entachée. Mon fils, je vous le rappelle, a déjà eu à connaître les foudres de la justice. Une fois suffit! Pour rien au monde je ne voudrais voir notre nom traîné de nouveau sur le banc de l'infamie.

Soyons clairs. Je suis une femme de tête, et connue comme telle. Or je sais pertinemment que mon fils, tout poète qu'il soit, est capable du meilleur et du pire. Pour le meilleur, le jugement des honnêtes gens et des critiques de valeur a tranché. Et je n'ai pas besoin de vous dire combien mon mari et moi nous sommes réjouis quand un homme de la qualité de Monsieur Sainte-Beuve a reconnu du talent à notre enfant : nous n'avons, à dater de ce jour, lésiné ni sur la dépense ni sur les soins et sacrifices nécessaires à l'éclosion de cette jeune promesse. Quant au pire, en revanche, je ne suis pas assez aveugle pour nier qu'il existe aussi et je dois à feu mon mari (et au noble exemple de fermeté qu'il n'a cessé de nous donner) de n'avoir jamais toléré chez mon fils le moindre manquement aux règles de la qualité française ou de l'art, tels que nous les concevions. Ces pages sur la Belgique sont, sans conteste, l'un de ces manquements. Et c'est l'amoureuse du beau autant que la maman inquiète qui vous parle quand je vous demande de nous aider – je pèse mes mots – à faire disparaître ces papiers.

Soyons plus clairs encore. Car je ne voudrais pas, sur un point si délicat, que demeurât la plus petite ambiguïté. Nous avons, mon mari et moi, que ce soit à Madrid où nous étions en poste, à Constantinople ou même place Vendôme, reçu nombre d'écrivains. Et nous savions distinguer, croyez-moi, entre ce qui relève du Beau, du Vrai, du Bien, et ce qui se contente d'en usurper les attributs. Eh bien pour mon fils, c'est la même chose. Parlez-moi de ses vers sur le voyage, la mer, ou l'harmonie des soirées. Parlez-moi de ses traductions d'Edgar Poe qui témoignent d'une si surprenante connaissance de la langue anglaise (et quand je dis surprenante je sais de quoi je parle puisque c'est moi qui, lorsqu'il était petit, lui en ai appris les rudiments). Parlons même, voyez comme j'ai les idées larges! de ces autres papiers manuscrits dont le titre serait, paraît-il, *Mon cœur mis à nu* et où je suis toute prête à croire qu'il y a de vraies beautés (on me dit qu'il y est tendrement parlé de moi : vous ne me ferez pas l'affront de penser, j'espère, que c'est la raison de mon indulgence). Mais, de grâce, n'allez pas me dire que vous accordez un prix comparable à un projet aussi laid, aussi inepte que ce livre sur les mœurs de la Belgique dont je suis convaincue que mon fils, s'il n'était entouré d'autant de profiteurs et de flatteurs, n'aurait même pas conçu le projet. Monsieur Poulet-Malassis est de mon avis. Le docteur Marcq également. Quel secrétaire êtes-vous donc, et quel admirateur, pour ne pas voir que de persévérer dans cette voie ne ferait que lui attirer les foudres de tout ce que le monde compte d'hommes de goût et d'esprit?

J'espère, cher Monsieur, que vous ne vous formaliserez pas du ton vif de cette lettre. Mais Charles est mon fils unique. Personne ne le connaît comme moi. A personne il n'a parlé comme à moi. Et personne n'est donc mieux placé que moi pour savoir ce qui est bon pour lui et ce qui ne l'est pas. Savez-vous que déjà enfant, alors qu'il ne nourrissait encore aucune espèce de projet littéraire, il me considérait comme son unique confidente? Pas un de ses petits secrets que je ne susse. Pas un de ses rêves que je ne devinasse. Et plus tard, l'âge et la maturité venant, pas de semaine, Monsieur, parfois même pas de jour, qu'il ne m'adressât l'une de ces lettres tendres dont il a, l'ignoriez-vous? le secret et où j'aime à retrouver la voix du petit garçon d'autrefois. « Je t'en supplie, m'écrivait-il, viens, viens, je suis à bout de forces, à bout de courage. » Ou bien : « Je t'aime et je t'embrasse, dis-moi que tu te portes bien et que tu vivras longtemps encore, pour moi, rien que pour moi. » Ou bien : « Je donnerais je ne sais quoi pour passer quelques jours auprès de toi, toi le seul être à qui ma vie est suspendue, huit jours, trois jours, quelques heures. » Ou bien encore : « Tu ne peux pas t'imaginer combien de fois j'ai mêlé dans mes projets ma vie à la tienne. » Ou enfin : « Nous sommes évidemment destinés à nous aimer, à vivre l'un pour l'autre. » J'ai ces lettres ici, sur ma table et, pendant que je les feuillette, mes yeux s'embuent de larmes. Ne riez pas, Monsieur! N'accablez pas une mère qui ne sait, à l'heure où elle vous parle, dans quel état elle retrouvera son enfant! Et convenez que vous avez là une voix très tendre, très plaintive, qui n'a rien de commun avec celle du loup-garou que dépeint une critique méchante. Je ne vous demande qu'une chose au demeurant, mais je vous la demande instamment : reconnaître que des relations de si vive intimité donnent à une mère des droits; et admettre en particulier que personne (quand je dis personne, j'excepte bien entendu Monsieur Ancelle qui a, je vous le répète, comme le docteur Marcq, toute ma confiance et auquel sont délégués d'importants pouvoirs), admettre, dis-je, que personne n'est mieux à même que cette mère de juger de ce qu'il faudra faire des pauvres petits papiers laissés par son enfant.

Je m'arrête là, cher Monsieur. Car, quoique habituée à écrire, je suis, je vous l'avoue, très contrariée par cette affaire et par le souci qu'elle m'occasionne. En espérant apprendre au plus vite que j'ai su vous convaincre, je vous prie d'agréer l'expression de mes attentifs sentiments.

C. Vve Aupick.

Honfleur, le 27 mars 1866.

Monsieur,

Je prends à nouveau la plume car je ne voudrais pas que vous pensiez que ma lettre d'avant-hier ait pu être dictée par une quelconque hostilité à votre endroit.

J'apprends, toujours par Auguste Poulet-Malassis, que vous préparez, parallèlement à vos visites, une notice sur *Les Fleurs du Mal.*

Nous connaissons les notices. Mon fils en a composé plus d'une et nous savons ce que l'exercice peut avoir d'enrichissant, et pour celui qui s'y livre, et pour celui qui en est l'objet. Eh bien sachez, Monsieur, que je me réjouis de ce projet et que, autant l'autre me désolait, autant je suis disposée, si vous persévérez dans celui-ci, à vous recevoir chez moi, à Honfleur, autour d'une tasse de thé, et à vous apporter tous les éclaircissements propres à enrichir vos points de vue.

Il y a ces lettres par exemple, dont je vous ai donné quelques échantillons et qui vous en diront plus long sur sa personnalité profonde que tous les vilains brouillons où vous avez le nez. Ces lettres sont une mine. Ce sont ses vraies fleurs, non du mal, mais du bien. Et elles vous montreront que ce garçon si décrié avait en fait un cœur d'or et une élévation de sentiments hors du commun. Elles sont ici, je vous l'ai dit. Elles vous attendent.

Il y a l'endroit lui-même. La « maison joujou », comme il l'appelait. C'est ma maison à moi, bien sûr. Mais je suis en mesure de vous révéler qu'il a pris goût à y venir après la disparition de son beau-père et qu'il projetait il y a quelques mois, juste avant son accident, de m'y rejoindre pour de bon afin d'y mener une vie de paix et de retraite. Je vous montrerai les massifs de pétunias qu'il aimait, le banc dans le jardin où il adorait s'asseoir, la grande véranda pleine de soleil que le Général, en souvenir de ses batailles espagnoles, avait baptisée « le mirador ». Je vous montrerai sa chambre avec vue sur la mer. Je vous raconterai les scènes qu'il me faisait quand il m'arrivait de la prêter, en son absence pourtant, à la chère Madame de M*** qui est la femme d'un ancien secrétaire de mon mari. Je ressortirai pour vous les malles de dessins et d'estampes qu'il m'expédiait depuis des années dans la perspective de son installation. Devrons-nous renoncer à cette installation ? Ou le malheur qui nous frappe aura-t-il au contraire pour vertu de me rendre mon enfant ? Vous ne perdrez pas votre temps, quoi qu'il en soit, en venant jusqu'ici. Vous aurez, sur le cadre qu'il aimait et où il a composé quelques-uns de ses vers les plus réussis, un point de vue que n'auront pas vos collègues – et qui ne pourra, j'imagine, qu'enrichir votre notice.

Il y a les souvenirs également, les moments de joie partagée dont je serai, par la force des choses, le dernier témoin après lui et dont vous aurez plaisir, j'en suis sûre, à écouter le récit. Je pourrai vous raconter, pour parler comme lui, le bon temps des tendresses enfantines. Puis, une fois adulte, nos rendez-vous d'amoureux, en cachette du Général, dans les jardins publics, le salon Carré du Louvre, ou dans ses petites chambres d'hôtel du quai Voltaire ou de la rue Sainte-Anne. Puis encore, quand j'ai été frappée de ce veuvage cruel, sa façon si délicate de me racheter un paroissien, de corriger mon orthographe ou de s'occuper, auprès de qui de droit, de ma pension. Ce sont menues choses, je vous l'accorde. Mais c'est avec des menues choses de cette espèce que se compose un portrait véridique. Vous aurez, avec tout cela, une autre facette de ce personnage tendre, délicat et si différent, là encore, de tout ce qu'on a dû vous rapporter.

Il y aura encore Monsieur Emon, ami proche et fort honnête homme, qui servit également avec mon mari et qui me fait la joie de me tenir souvent compagnie. Lui aussi vous parlera de Charles, de leurs discussions, des « prises de bec » qui les opposaient mais n'entamaient jamais l'estime, le respect réciproques. Il vous parlera du Général. Il vous dira quel homme il était, comme il était juste et droit, qu'il a toujours été aimé de ses soldats puis de ses subordonnés. Et il vous expliquera que ses relations avec son beau-fils étaient, là encore, bien plus confiantes qu'on ne le croirait de prime abord. Des disputes? Des brouilles? Quelle est la famille qui n'en a pas? Monsieur Emon vous convaincra que les rares principes qu'a Charles, c'est au Général qu'il les doit.

Vous aurez même la chance, si vous venez, de rencontrer l'abbé Cardine qui est mon confesseur et qui, sans approuver les constructions de mon enfant, les a toujours considérées avec beaucoup d'indulgence. Il saura vous faire partager ma tristesse au moment du fameux procès. Il vous dira ce que la sainte Église pouvait penser d'un livre qui, au fond, et quand on connaissait son auteur, était moins mal intentionné que ne le donnaient à penser les journalistes parisiens de l'époque.

J'espère enfin (et là encore, quoique je sois à Honfleur et lui dans sa mairie de Neuilly, je puis faire beaucoup pour vous) que vous aurez le loisir de rencontrer Monsieur Ancelle, un officier public de premier ordre qui est chargé de gérer, depuis des années, non seulement les biens, mais les écrits de mon fils. C'est lui, et lui seul, je vous le disais avant-hier, qui s'occupera le jour venu de trouver le bon libraire pour éditer ce qu'il aura laissé de valable. C'est également lui qui, dès aujourd'hui, essaie d'en faire le tri et qui, avec un zèle de père, court déjà les copistes pour faire remettre en état ce qui mérite de l'être. Pas plus tard que le mois dernier, il a pris sur un emploi du temps chargé pour s'attacher aux pas d'un entrepreneur d'écritures et d'autographes qu'il avait prié de calligraphier les derniers poèmes de Charles. Ne croyez pas, là non plus, ce que vous disent les méchantes langues. C'est un bonheur de voir comme ils s'entendent. Tantôt, comme maintenant, ils correspondent dans un climat de grande confiance. Tantôt, quand ils se voient, ce sont niches, chamailleries, disputes sur une demande d'argent excessive de l'un, sur une rudesse de l'autre. Tantôt encore des discussions de spécialistes sur un travail d'imprimerie ou une reliure dont mon pauvre fils l'aura chargé et qui n'est pas en chagrin mais en imitation de chagrin. Sur l'essentiel, pourtant, ils sont éminemment d'accord. Et je vous certifie que Monsieur Ancelle est dépositaire de mille informations qui, si vous choisissez la bonne voie, vous seront précieuses.

Voyez, Monsieur, vous avez plus à gagner qu'à perdre en vous rendant à mes raisons. Et vous aurez là, si vous me faites confiance, une belle étude en perspective. Elle sera sensible, émouvante, mais surtout vraie. Car croyez-moi : parole de mère ne ment jamais et je ne connais pas, pour les écrivains, d'autre vérité que celle du cœur, de la vie, du sentiment. Puisqu'il paraît que l'inquiétude de mon fils est de savoir quel est le livre qui finira son œuvre et quelle est donc l'image de lui qu'il laissera à ceux qui l'aiment, dites-lui que vous avez trouvé : ce dernier livre est ici, près de moi – je vous le donne. Au revoir, Monsieur. Je vous serre les mains.

C. Vve Aupick.

4

QUAND je reçus ces deux lettres, nous étions à la veille de notre sixième séance consécutive. Nous avions parlé du rire dans l'une. De son idée de la modernité dans l'autre. Il avait, au cours de cette même dictée, développé ses points de vue sur la Révolution française – sa tendresse pour Robespierre, mais aussi sa conviction que s'étaient condensées là, dans la tête de ce vertueux, toutes les forces et vibrations caractéristiques du démon. Et puis il y en avait encore eu deux, sans doute les plus passionnantes, mais dont le lecteur comprendra bientôt que je ne puisse rien révéler.

Au fil de ces entretiens, une étrange relation s'était installée entre nous. Je n'étais certes pas, en cinq jours, devenu le plus proche de ses amis. Et loin de moi l'idée de prétendre à l'intimité qui l'unissait à Rops ou à Poulet-Malassis. Seulement voilà : il n'avait plus de contacts avec Rops. Il boudait l'ami Poulet, qui ne s'était pas fait faute, apparemment, de s'en plaindre à Madame Mère. Il avait condamné sa porte. Chassé les curieux et les fâcheux. Il n'était pas jusqu'à ses médecins qu'il ne voyait quasiment plus. (Parfois, peut-être, le docteur Marcq bravait l'interdiction : mais c'était le matin, tôt, avant mon arrivée; et c'était pour s'entendre dire que tous les médecins étaient belges et que tous les Belges etc.) En sorte qu'en attendant que tous ces gens parviennent à se ressaisir et que le « front adverse », comme nous disions, rétablisse ses positions, en attendant qu'on se reprenne, qu'on se concerte, qu'Ancelle ou Caroline Aupick, prenant la mesure de la défaite, donnent le signal de la contre-attaque, il arrivait ce qui arrive toujours après une offensive surprise : le monde était en suspens; le temps miraculeusement arrêté; c'était comme une divine trêve arrachée à la mort, la maladie, l'ordre des choses; et seul avec lui, coupé de tout, passant le plus clair de mes journées cloîtré dans cette chambre glaciale, j'avais le sentiment de vivre le plus étourdissant des face à face qu'aient connu deux créateurs depuis celui d'Hérault de Séchelles et de Buffon, ou de Mozart et de Salieri.

J'arrivais le matin. Je repartais le soir. Nous nous arrêtions une heure à peine pour déjeuner. Quelques instants, par-ci par-là, pour aller chercher, devant la porte, le pot de chicorée bouillante que la Lepage y déposait. Un moment pour tailler mes plumes. Un autre pour les remèdes que je l'invitais tout de même à prendre. Un autre encore pour rafraîchir le linge qu'il gardait sur le front. Et le reste du temps, porte close, rideaux tirés, indifférents à tout ce qui pouvait se passer dans l'hôtel ou dans la rue, économisant nos gestes, nos mots, soucieux de ne rien dire, faire ou penser qui interrompît le fil de l'entretien, nous nous attelions à l'harassante tâche, lui de dicter, moi de copier, ce qu'à demi-mots, avec la même conviction butée, rageuse et qui se passait de commentaires, nous

nous accordions à tenir pour le plus beau des livres qu'aurait signés Charles Baudelaire.

A force, je m'étais habitué à sa dictée. J'accélérais quand son débit se précipitait. Je ralentissais quand il peinait. J'avais appris à prévoir, anticiper ces changements de rythme. Il suffisait, quand il s'emballait, de noter les mots clés, les locutions carrefours. Et je savais que j'aurais tout le temps, ensuite, quand il hésiterait, trébucherait ou bredouillerait des phrases moins abouties en compulsant ses layettes, de revenir en arrière et de remplir les blancs. Quand il avait ses crises enfin et qu'il ne pouvait, soudain, plus rien articuler du tout, l'expérience prouvait également qu'il était inutile de s'affoler : il suffisait de prendre patience, de lui préparer un peu de café et, tandis qu'il grognait, haletait ou restait au contraire prostré à attendre que cela passât, de mettre ces précieuses minutes à profit pour recopier des pages trop vite notées et que je craignais, le lendemain, d'avoir de la peine à relire.

Que les crises en question fussent de plus en plus nombreuses et, quand elles arrivaient, de plus en plus impressionnantes et longues, était une évidence. Et lui-même avait conscience, j'en suis certain, de l'effroyable dégradation – de l'âme comme du corps – dont il donnait chaque jour le spectacle. Mais c'était un autre point d'accord entre nous (un accord tacite à nouveau, sans mots ni résolutions inutiles) que l'impérieuse nécessité de faire fi de cet aspect des choses. Les heures passaient. Le temps pressait. Nous savions que chaque minute qui s'écoulait rendait sa parole plus difficile mais aussi plus décisive. Et rien, personne, aucune considération de prudence ou de santé, ne nous aurait convaincus de distraire de notre tâche la plus infime parcelle d'énergie ou d'attention. Qu'on ne m'accuse pas d'insensibilité! Ni d'avoir abusé, au profit de mes propres intérêts, d'une situation dont je suis le premier, aujourd'hui, à mesurer l'extravagance! Car ce point de vue nous était, encore une fois, commun. Nous le pensions, lui comme moi : une parole était là, urgente, ne souffrant ni délai ni réserve, prenant le relais de l'homme et de ses petites misères – et qui réduisait à néant le souci de son enveloppe de chair. J'ajoute que j'avais *aussi* la conviction – le pressentiment? – que cette trêve était une façon d'interrompre le cours du temps et, donc, de différer l'issue fatale. Tant que je serais là, tant que durerait la dictée, Charles Baudelaire vivrait – et la mort serait conjurée.

Le soir venu, quand il n'en pouvait réellement plus et que chaque mot qu'il prononçait devenait une épreuve insurmontable, je n'étais pas encore, moi, tout à fait quitte de ma mission. Car il me demandait alors de consacrer la nuit aux « vérifications » que Poulet, disait-il, avait lamentablement bâclées. J'étais son émissaire. Son « espion ». Il me chargeait d'aller glaner à sa place les illustrations ou impressions dont nous aurions besoin le lendemain. Et je m'en allais au cœur de la ville, emportant avec moi sa figure, ses attitudes, ses phrases même et son accent. Je n'entrerai pas dans le détail de ces déambulations nocturnes. Je dirai simplement que je me suis surpris, l'un de ces soirs, dans un passage des galeries Saint-Hubert, à me conduire avec une fille exactement comme je savais qu'il se serait lui-même conduit; ou bien qu'un autre soir, à la Taverne Royale, assis à la table où je savais qu'il s'installait d'habitude et où Charles Neyt l'avait trouvé la nuit de la fameuse crise, je me suis entendu apostropher un voyageur de commerce, un peu perdu, qui arrivait manifestement de la gare et demandait à grand bruit un carafon de vin de Bordeaux : « devons-nous remercier Dieu de nous avoir faits français plutôt que belges ? »

Si je rappelle tout cela, ce n'est pas pour le plaisir de l'anecdote. Mais pour tenter de rendre sensible le singulier climat dans lequel ces deux lettres sont tombées – et les raisons pour lesquelles nous ne pouvions, ni lui ni moi, obéir à leur injonction. Pour être tout à fait sincère, je dois d'ailleurs préciser que je ne les lui ai même pas montrées. La première m'étant arrivée de bon matin, juste au moment de quitter ma chambre pour monter le rejoindre, j'étais presque disposé à le faire; mais quand, pour amener la chose, j'ai essayé de le faire parler de cette vieille mère dont il ne m'avait encore rien dit, je l'ai trouvé si naïf tout à coup, si craintif, je l'ai trouvé si évidemment terrorisé par une femme dont j'avais, moi, dans ma poche, le témoignage de la bêtise, que j'ai préféré ne pas m'y risquer. Pour la seconde en revanche, la question ne s'est pas posée. Car elle m'est arrivée le même jour, mais en début de soirée, alors que j'avais regagné ma chambre, que notre séance était finie et qu'il m'avait annoncé que nous consacrerions celle du lendemain à la littérature et à sa doctrine sur le sujet. Est-il besoin de préciser que, à mes yeux, nous touchions au but ? que c'était la question, cruciale, que j'attendais depuis le début ? est-il besoin d'ajouter qu'en me présentant le lendemain matin, tempes brûlantes, cœur battant, au seuil de la chambre enchantée, je n'aurais pour rien au monde pris une initiative susceptible, pour une raison ou pour une autre, de le troubler, de le démonter ou de le faire changer d'avis ?

*

Sixième jour donc. Premier acte. Saisissant, toujours selon la même méthode, un paquet de feuillets intitulé « Philosophie de ces brutes, philosophie à la Courbet », il m'annonça son intention de reprendre l'un des thèmes de notre toute première séance en portant sur le terrain de l'art sa critique du « naturalisme ».

Il appelait « naturalisme », résuma-t-il, l'idée que la nature est bonne; donc belle; donc propre à être non seulement honorée, célébrée, mais imitée et copiée; et la « philosophie à la Courbet », réduite à sa simple expression, avait toujours eu, de ce fait, deux articles majeurs et complémentaires : primo que l'art n'est rien (puisqu'il n'a pas d'autre fonction que de répéter le monde alentour); secundo que le monde est tout (puisqu'il n'est pas un de ses détails qui ne mérite d'être traduit par l'art).

Par-delà cette formule cependant, par-delà cette définition aussi facile à dénoncer que sotte, il y en avait une autre, poursuivit-il. Elle était plus subtile. Plus diabolique. Elle consistait à dire qu'il existait des artistes; en amont des artistes, un monde; mais qu'en amont, et des artistes, et du monde, il y avait un autre monde – secret, lui, invisible, mais tout aussi « naturel » et qui était, à entendre ces gens, la source cachée des œuvres.

Les uns disent : un gisement... C'est un gisement de perles et pépites poétiques... Et ils imaginent le poète comme une sorte de mineur plongeant au plus profond de sa carrière imaginaire, creusant ses galeries, forant, progressant encore, et convoyant en surface, après l'avoir séparé de sa gangue, le riche minerai qu'il a pu subtiliser. De la poésie conçue comme une variante de la spéléologie.

D'autres disent : une mer... C'est une sorte de mer intérieure qui gronde sous le crâne, écume au bord de la page et roule dans ses flots la suprême matière poétique... Le poète est celui qui, cette fois, se met à l'écoute de la mer... Il est ce pêcheur de grands fonds qui rapporte dans ses filets la substance de ses livres. Il est le marinier génial qui, debout sur la plus haute digue, travaille à libérer les flots que la parole ordinaire empêchait de déferler. De la poésie considérée comme une démiurgie grandiose, cosmique, neptunienne – et grotesque.

D'autres disent encore : une voix... Ou une bouche... Ils se figurent des lèvres ardentes, soufflant une parole rare, originaire elle aussi, qui se perdait en temps normal dans les clameurs de la vie normale mais que le poète, et le poète seul, a le pouvoir de retrouver. Poète oracle. Poète pythie. Le poète est une oreille. La poésie, un art de l'ouïe. Il y a un dire poétique, chuchoté depuis la nuit des temps – qu'il suffirait à l'artiste de recueillir et amplifier. Oh! l'odieuse image, toujours la même, du mage, du magicien, du vaticinateur et de leurs tables. Au premier rang, comme d'habitude, Hugo et les hugolâtres.

D'autres, encore d'autres, parlent d'une ombre primordiale, silencieuse, inaudible, étrangère à la conscience, hostile même, repaire de tous les dangers et des monstres les plus inquiétants, mais où le poète, le vrai, élit à nouveau domicile. Nuit. Brouillard. Quand ce poète-là poétise, c'est que les portes de la nuit se sont, comme il dit, entrouvertes et qu'à travers leurs battants s'engouffre une effrayante mais féconde obscurité. La poésie est une éclipse. Une extinction de toute lumière. Elle est ce crépuscule éternel, propice aux plus longs sommeils, où ne veillent plus que les chimères, les revenants, les gargouilles...

Il y a encore, maugréa-t-il, les amateurs de rêve. Les pédophiles et leurs dessins d'enfants. Il y a les nigauds qui ne jurent que par la parole des fous et l'énergie poétique dont elle est porteuse. Dans tous les cas c'était la même chose. Dans toutes les hypothèses, quelle que soit l'image retenue, c'était la même idée d'une source ou d'une réserve, naturelles et donc inépuisables, où les poètes de tous les temps viendraient puiser tour à tour. Il y a de la Poésie avant les poètes. Un Poème avant les poèmes. Il y a, pour parler comme ces pédants, une *poiesis perennis* qui préexiste à nous tous et dont nous n'aurions, à les entendre, qu'à retrouver le chiffre. N'était-ce pas la plus bête, la plus belge des théories de l'art ?

Comme j'essayais d'objecter que la théorie n'était pas fameuse en effet, mais que je n'étais pas certain moi-même, avec ma petite conception du talisman poétique qu'on se repasse de main en main, de n'y pas céder un peu, comme je lui demandais donc s'il ne serait pas judicieux de nuancer un tantinet le propos et comme je m'inquiétais également de ce que la Belgique, pour le coup, avait à voir à l'affaire et s'il fallait vraiment que je prisse note de toutes ses allusions, insistantes, pesantes parfois, aux prétendus défauts du peuple belge – pour la première fois depuis le début de notre tête-à-tête je le vis céder à la colère. Il ne voulait pas de nuances ! Pas d'exceptions ! Car ce qu'il reprochait à cette histoire de « source » c'est que, comme toutes les sources, elle était commune à beaucoup de gens; qu'étant commune à beaucoup de gens, elle dictait une poésie qui ne pourrait s'écrire qu'en commun; bref que toutes ces sornettes sur la nuit, la mer, l'ombre, avaient pour effet final d'introduire l'esprit de bande au cœur d'une activité qui devrait en être le contraire. Voulais-je collectiviser la poésie? Proudhoniser la littérature? Souhaitais-je voir, demain, des troupeaux de faux poètes psalmodier les grands refrains communautaires? Et quant à mes scrupules philobelges, tant pis pour moi! La bouche d'ombre est toujours belge.

*

Acte deux. Sans transition, et tandis que j'en étais à me demander comment tout ce qu'il me disait pouvait se combiner avec mes propres convictions, il aggrava mon trouble en s'en prenant à cette seconde idée, typiquement belge elle aussi, et corrélative de la première : l'idée d'« inspiration ».

Qu'est-ce qu'un poète inspiré? me demanda-t-il d'une voix qui se voulait plus calme mais où pointait encore un reste de fureur. Que veulent-ils dire, tous ces Belges, avec leur mythe du poète passionné, plein d'ardeur, habité par une force, une ferveur qui le transportent? Et que faut-il penser de l'image convenue d'une poésie lyrique, chaleureuse, qui ne s'écrirait jamais mieux qu'en état de transe, d'extase ou d'enthousiasme?

Si les mots ont un sens, répondit-il, et si tout ce que nous avions dit jusqu'à présent était exact, alors le poète inspiré est un poète passif, dramatiquement apathique et dolent, qui, attendant, pour écrire, que se soient manifestées les voix de la nuit, renonce en réalité à gouverner son art. Il n'est pas maître de ses thèmes. Il n'est pas maître de ses rythmes. Il n'est même pas maître du moment où il décide de prendre la plume puisque tout dépend, ici aussi, du bon vouloir de la bouche d'ombre. Il est « possédé », dit l'esprit belge. Alors qu'il faudrait dire : « dépossédé ».

Pire : ce poète est un faible qui, pour se faire plus accueillant aux forces des profondeurs, pour leur opposer le moins de raideur, de résistance ou d'inertie, va s'employer à devenir le plus mou, le plus meuble, le plus malléable qu'il le pourra. Poète vide. Poète vain. Poète exsangue, vidé de substance, convaincu que sa poésie sera d'autant plus riche qu'il sera, lui, très pauvre. Poète désarmé. Poète défait. Frêle fétu de conscience, à la surface du grand flot, emporté corps et biens par la grande marée déferlante. Le poète inspiré se veut et se proclame débile.

Pire encore : c'est un poète qui, à force de faiblesse et de passion, à force de se vouloir si lâche, si débile, va non seulement s'appauvrir mais s'épuiser, s'exténuer et se dissoudre. Le poète inspiré, quand il est au cœur de sa transe, quand il se confond avec les voix auxquelles il a prêté ses lèvres, n'est plus un homme mais un lieu; plus une âme mais un milieu; il n'est plus une conscience du tout, mais une sorte de chemin où transite le dire poétique. Et ce n'est pas un hasard si les plus inspirés des inspirés vont jusqu'à prétendre que, face à l'urgence de ce dire, face à la pure coulée de cette source, le métier même de poète devient tout à coup dérisoire – ce n'est pas un hasard si l'un de ses amis, avant de se tuer, a cru pouvoir prophétiser que le poète allait mourir et la littérature disparaître. Un homme condamné condamne toujours le monde après lui? Sans doute. Mais il y avait aussi, dans cette annonce, l'intelligence de ce qu'était, lorsqu'on va jusqu'à son essence, ce mythe de l'inspiration : le poète inspiré est un témoin, un martyr – ce n'est plus un écrivain.

Qu'il ait eu des amis parmi ces « ultras », il ne me le cachait donc pas. Qu'il lui soit arrivé à lui-même de tremper dans cette affaire, il n'en disconvenait pas davantage. Et, avec une exemplaire honnêteté, il alla même jusqu'à me produire, comme preuves de cette tentation, son éloge de Grandville et de ses « visions de malade »; son apologie, dans les *Caricaturistes,* des inspirations de Bruegel le Drôle; sa passion pour Brierre de Boismont; sa période théosophique; sans parler, enfin, de cette page des *Paradis artificiels* que j'avais au bout des lèvres et où il exaltait lui aussi ces « états de santé poétiques si rares qu'on pourrait les considérer comme des grâces extérieures à l'homme ». Sur le fond, cependant, il détestait ces théories. Elles étaient le concentré de tout ce que sa vision du monde avait toujours rejeté. Il ne pouvait pas avoir lutté toute sa vie, dans sa vie, contre la Nature et le Spontané, l'Instinctif et l'Inconscient, il ne pouvait pas avoir manifesté une si constante horreur de ce qu'il nommait « l'homme lâché » pour en accepter l'hypothèse ici, aujourd'hui, dans le domaine ô combien plus chéri de la littérature et de l'art.

Il voyait venir, en fait, des temps de grand malheur où, la littérature ayant définitivement tourné à la martyrologie, les écrivains seraient des prêtres d'un nouveau genre chargés de délivrer aux hommes le brûlant message des origines. Les livres seraient sacrés. Leur parole canonisée. Leurs auteurs vénérés comme jamais. Mais cette sacralisation serait l'autre visage de leur décrépitude obligée. Elle irait de pair avec le triomphe d'un art sauvage, presque inculte, où le goût de l'immédiat, de l'effet brut et brutal, deviendrait notre fin mot. Et tout ce qu'il aimait, lui, dans le difficile métier d'écrire, tout ce luxe de peines et de reprises, d'équivoques subtiles et d'emphases invisibles, tout cet incomparable tourment qui est le prix de l'art, serait chose passée. « Pauvre Belgique! » – ou le refus de ce passage. Ce dernier livre – ou l'éloge poursuivi des livres, des écrivains. Il m'ordonnait d'écrire que la littérature n'est pas affaire de don mais de savoir, de transe mais de travail – et cela parce que l'idée même d'inspiration était à ranger, encore une fois, au nombre des « saloperies féminines » dont Bruxelles aurait, hélas, de moins en moins le monopole.

*

Acte trois. Voyant ma perplexité et soucieux, probablement, de se faire mieux entendre, il m'annonça des développements plus précis, plus concrets, qui illustreraient sa position. Il avait un air narquois tout à coup. Sarcastique. Sa fureur de tout à l'heure avait cédé la place à un calme inhabituel. Aurais-je dû m'en inquiéter? Soupçonner ce qu'il me préparait? J'étais trop passionné. Trop ébloui. Trop heureux peut-être aussi de le voir bien-portant depuis un si long moment. Et j'avoue avoir continué de noter – fébrile, servile, hochant la tête en mesure, lui jetant, lorsqu'il hésitait, des regards d'imploration et repartant, quand il reprenait, avec une fougue et une confiance redoublées.

Il prit l'idée de « profondeur » par exemple. Oui, il prit cet autre mythe, auquel nous croyons tous un peu, selon lequel les vrais poètes se doivent d'être « profonds ». N'était-il pas clair que si lui ou moi nous amusions à annoncer que la profondeur est un leurre, une sottise féminine et belge, nous nous ferions lyncher ? Eh bien c'est ce qu'il faisait. Car si tout ce qui précède était exact, s'il n'y avait ni gisement ni poème originaires, s'il n'y avait pas plus de sourcier qu'il n'y a de source naturelle, alors il fallait admettre qu'il n'y avait pas de « fond » non plus et que cette histoire de « profondeur » était une fumisterie tout juste bonne aux bourgeois. Légèreté de la poésie. Frivolité de ses agencements. Bien voir qu'un vers est une surface qui renvoie à un autre vers, qui est lui-même une autre surface, et ainsi de suite à l'infini.

Il prit l'idée convenue selon laquelle l'âme, la flamme, le cœur, l'émoi, bref *la vie* de l'écrivain, devaient se traduire dans ses livres et y briller de tous leurs feux. Et il me pria d'imaginer comment serait reçu celui qui protesterait que non, la vie n'est pas une valeur, le cœur et la passion non plus, et que seul mérite le nom de poète celui qui sait conjurer les prestiges de ce « vitalisme ». Eh bien là aussi c'était son cas. Car s'il y avait bien une chose qui découlait de nos réflexions, c'était le goût d'une littérature aride, presque sèche, qui, parce qu'elle refuse les effusions de l'inspiration, parce qu'elle ne croit plus à ces histoires de transes et de transports, sera méthodiquement purgée de toute sa part d'humeur et de chaleur. Dureté. Rigidité. Sublime impassibilité des vers véritablement travaillés. S'il devait nommer la première des vertus pour un poète, il dirait sans hésiter : le sang-froid. La meilleure des attitudes : écrire sans trouble, sans émotion, en essayant de se rapprocher de l'idéal d'indifférence des vrais dandys. Son rêve le plus cher : traiter la langue française avec tant de distance et de patience qu'elle finirait, sous sa plume, par devenir comme une langue morte. Éloge de la froideur. Éloge, bien sûr, de la mort.

Il considéra ce drôle de goût qu'ont les Belges (pourquoi, mon Dieu, les Belges ? je renonçai, cette fois, à le lui demander...) pour les œuvres inachevées, en fragments ou en chantier. Même chose. Même insondable sottise. Car ce qu'ils aimaient, dans ces œuvres, c'est qu'elles n'aient pas eu le temps de se fermer. Pas eu le temps de se pétrifier. Ce qui leur plaisait, c'était cette image d'un art arrêté à mi-chemin, interrompu en pleine genèse, tout dégouttant encore des eaux qui l'avaient inspiré et que le travail de l'artiste n'avait pas eu le temps de tarir ou de transfigurer. Il détestait cette image. Il haïssait l'idée d'un art fragile à nouveau, bouillonnant, chancelant, au bord de se déliter et de revenir à son magma premier. Et il lui préférait infiniment le rêve de l'œuvre close, fossilisée à force de formes et de travail, que nourrissaient dans leur jeunesse Banville ou Théophile Gautier. Il n'aimait les livres que finis. Figés. Bouchés de toutes parts. Obturés à tout jamais. Il les aimait scellés, ne laissant surtout pas à leurs lecteurs (quel était le Belge parisien qui avait proféré cette ineptie ?) le soin de les « achever ». Éloge de l'hermétisme comme obligée, et nouvelle, rançon du procès de l'inspiration.

Exemple encore : ce goût pour une vérité (les Belges disent parfois une « authenticité ») qui serait à les entendre l'honneur de l'écrivain. Une fois de plus, et pour les mêmes raisons, il prit le parti inverse. Il plaida pour un art fabriqué. Une littérature artificielle. Il glorifia les livres qui, parce qu'ils ont renoncé, une fois de plus, aux facilités d'une Nature ou d'un Souffle extérieurs, s'en remettent à leurs seules formes de la totalité de leurs effets. Et il en conclut alors, avec une désarmante logique, que si l'on admettait de donner aux mots leur sens, ce n'est pas le Vrai mais le Faux, l'Authentique mais le Mensonger, que les grands artistes devraient honorer. Comme je le priais d'être explicite, il me cita le cas de Daumier qui, par des oppositions de noirs et de blancs, donnait l'*impression* de la couleur. Celui de Flaubert, grand manipulateur d'âmes devant l'Éternel, qui, par cette succession de touches et de retouches qui fait ce qu'on appelle un style, parvenait à *induire* chez ses lecteurs des émois qu'il ne ressentait pas. Et puis, au-delà de tel ou tel, celui de tous les artistes dont le vrai nom était « rhéteurs », ou « séducteurs », ou peut-être même « acteurs » – oui, martela-t-il sur un ton d'exaltation qui ne fit qu'exaspérer la mienne, nous sommes des acteurs, des histrions si vous voulez, ou encore des prostitués, dont tout le talent est de donner *l'illusion de la sincérité* !

Exemple encore et toujours : l'idée selon laquelle l'intelligence, qui est la vertu des philosophes et des penseurs, n'est que par accident celle des poètes et des artistes. L'idée de Banville, là, pour le coup. Et de Gautier. C'était *l'autre idée* de ses maîtres d'autrefois – nul n'est parfait n'est-ce pas? ils n'étaient pas maîtres en tous points! Et il me rappela ses furieuses charges de l'époque contre les partisans d'un « art pour l'art » qui, allant probablement trop loin dans ce pur respect des formes, voyaient leur théorie renverser ses conséquences et faire de la littérature un vain assemblage de lignes, de sons et de syllabes. Accepterais-je de revenir à la charge avec lui? Après lui? Consentirais-je à crier aux disciples du Belge Banville et à ceux du Belge Gautier qu'un peintre n'est vraiment grand que lorsqu'il a de grandes idées? Qu'un morceau de musique n'est émouvant que lorsqu'il est rempli de pensées? Que Wagner, Delacroix, Bronzino, Poussin, étaient d'abord des monstres, des prodiges d'intelligence? Éloge de l'intelligence. Gloire à l'entendement et à la raison. C'étaient les corrélats, derechef, de son apologie du faux, du froid et du fini.

Il me dicta un long passage encore, qui résumait tout ce qui précède et où, poussant plus loin ce culte de la conscience claire, il m'enseigna que les grandes œuvres sont celles que leurs auteurs ont gouvernées de part en part et qu'on pourrait presque déduire d'une impeccable mathématique. C'était la thèse de Poe. C'était le cas de son *Corbeau*, cet admirable poème écrit comme un jeu de l'esprit, à partir d'une technique simple et d'un ensemble précis de règles. Mais la loi, me dit-il, valait pour Michel-Ange. Pour Corot. Pour Delacroix. Elle valait pour tous les artistes, là aussi, dès lors qu'ils ont exorcisé les démons de l'inspiration. Car tous, alors, composent leurs œuvres, machinent leurs effets, calculent leurs intensités. Tous mettent la rigueur avant le souffle, l'art avant la grâce – la technique, la poétique avant la poésie. Arrière, le hasard! Honte aux coups de dés, de chance ou de providence! Mort à tous les benêts qui viennent se prosterner devant l'insondable « mystère » d'une œuvre réussite! Les grandes œuvres n'ont pas de mystère, mais un secret; pas de secret, mais un procédé; et il n'y a pas de procédé qu'un savant de son espèce ne pouvait, si je le voulais, démonter et démystifier à la façon d'un rouage ou d'un truc de fabrication.

Le voulais-je d'ailleurs? Avais-je besoin d'une preuve? D'une illustration précise? Fallait-il qu'il me donnât, une fois encore, des gages de véracité?

Eh bien soit! Allons-y! Il y était prêt si j'insistais! Et avec un air de mépris moqueur dont je ne me formalisai toujours pas, il m'annonça qu'il allait me raconter comment – à partir de quelles ruses, quels stratagèmes, quels procédés donc et quels petits moyens – il avait, lui, Charles Baudelaire, écrit certains de ses livres.

*

Acte quatre et dernier. Lui donc, Charles Baudelaire. Ses rites. Ses habitudes. Les chemins secrets de sa création. Ses impasses. Ses retours. Ses halètements sans fin. Son escrime avec la page. Les trente, quarante versions, toutes différentes, d'un même poème. Sa façon, avant de songer à l'écrire, de le cuire au feu de la flânerie ou de la conversation. Et puis enfin – c'était l'essentiel – la toute-puissance dans son art de ce qu'il appelait la science et la conscience.

Il m'expliqua que ses poèmes avaient tous un plan. Une structure. Que leurs rimes étaient calculées selon des lois sans faille. Qu'il pouvait produire un sonnet rien qu'en combinant, selon leur ordre, une série de chiffres fétiches. Il me donna ces chiffres. M'indiqua leur enchaînement. Me révéla que je découvrirais dans les *Fleurs,* si je m'en donnais la peine, toute une série de motifs (une rosace, un losange, une pyramide renversée, le plan du Père-Lachaise) à l'impeccable géométrie. Il m'informa qu'il avait dissimulé dans « Bénédiction » et « L'Harmonie du soir » les initiales de son père croisées avec celles de Mariette. Qu'il avait choisi le nombre de vers de « A une Madone » en fonction de l'âge de sa mère. Conformé celui des strophes de « Delphine et Hippolyte » à l'âge qu'aurait eu son grand-père au moment où il l'a écrit. Il me révéla enfin que toute la série des « Vins » avait été organisée selon des règles de métrique démarquées de la première phrase de chacune des *Histoires extraordinaires.* Et il conclut qu'il n'avait donc jamais – il insistait sur le « jamais » – éprouvé une seule des émotions qu'il décrivait dans toutes ces pièces.

Puis, voyant que ces informations me passionnaient et que j'y consignais la moindre bribe, il entreprit de me révéler comment, concrètement, il rédigeait. Il y a des écrivains qui commencent par les mots... les phrases... Il y a des écrivains qui arrêtent, avant d'écrire leur premier vers, le sens qu'aura l'ensemble, l'enchaînement de leurs idées... Lui non! Il se moquait des mots! Il se fichait du sens! Et il commençait... Fallait-il vraiment me dire par quoi il commençait? Il commençait par les vides... Oui, les vides... Les blancs, si je préférais... Il disposait des mots clés dans l'espace de la page vierge... Un peu comme moi, quand je l'écoutais et que je dispersais mes « locutions carrefours » avant de leur donner leur chair, il éparpillait quelques sons, quelques idées de rime aux quatre coins du papier... Et c'est plus tard, beaucoup plus tard, après qu'il avait trouvé ses rythmes, et sa rengaine, que pouvaient venir les phrases... Est-ce que j'avais bien noté rengaine? Je pouvais ajouter refrain... Car il écrivait comme un musicien compose... Ou bien comme un peintre dessine, griffonne ses esquisses... Ses brouillons ressemblaient à des ébauches de Delacroix... La même allure... La même histoire... La même étrange manie de ne pouvoir vraiment commencer que lorsqu'il pouvait se figurer d'un geste le mouvement qu'aurait le poème... Écrire avec des gestes... Penser avec des bruits... Au commencement est le mouvement et, après lui, la mélodie... Théophile disait qu'il mettrait la ponctuation jusque sous la main du bourreau. Eh bien, il était son propre bourreau – et le seul écrivain, sans doute, à écrire la ponctuation avant les mots...

Il s'arrêta alors, tout essoufflé. Et tandis que je continuais, moi, sans perdre une seconde, à remplir mes propres blancs, je l'entendis partir d'un gigantesque éclat de rire. Pourquoi riait-il? Était-ce le début d'une autre crise? Une manifestation nouvelle de la maladie? Allait-il trop bien? Depuis trop longtemps? Était-ce trop beau de l'avoir vu presque une journée entière maître de ses moyens, de sa tête, de son verbe? Et pourquoi ce rire était-il si méchant surtout? Si cruel? Je n'eus pas à m'interroger plus longtemps car, sans cesser de rire, il entreprit de m'expliquer que tout ce qu'il me racontait depuis deux heures était bien entendu de la blague... des pièges qu'il me tendait... des guets-apens où j'étais tombé... comment avais-je pu croire à ce tissu de facéties...? comment pouvais-je noter, servilement noter, une telle série de foutaises...? Il riait. Oh oui, il riait d'un rire qui me parut presque dément. Et entre deux hoquets, deux gloussements, le corps tout convulsé par cet accès de malignité, il daubait sur la niaiserie des disciples, leur crédulité à toute épreuve et leur façon, en effet, de faire des systèmes avec de la poésie. « La preuve est là, mon ami... Un disciple est un idiot... Tous les idiots sont belges... Tous les Belges sont des disciples... »

Était-il sérieux? Est-ce maintenant qu'il fallait le croire? Et avait-il vraiment, *depuis deux heures*, résolu de me tromper? Les derniers mots, sans doute... Ces histoires de rosaces, de pyramides, de chiffres fétiches... Mais le reste? Tout le reste? Toutes ces théories, si profondément baudelairiennes, sur la littérature, l'inspiration ? Je n'arrivais pas à y croire. Je n'y crois, aujourd'hui encore, pas tout à fait. Et je persiste à penser qu'il y avait dans ces propos, dans ces provocations, une part essentielle de vérité. Lui, en tout cas, prétendait que non. « J'aurais pu vous dicter n'importe quoi, reprit-il... J'aurais pu faire l'athée... le Hugo... le Belge... le Courbet... Vous n'auriez rien vu... Rien compris... Et vous auriez consigné tout ça avec la même navrante idiotie... » Il cessa de rire alors. Affecta une douleur extrême. Se redressa une dernière fois pour, la voix blanche, le doigt pointé vers moi, gronder qu'il n'avait pas eu tort de se méfier, que les amis ne valaient pas mieux que les critiques ou les ennemis. Puis, retomba sur son oreiller en bafouillant de vagues propos sur le « malentendu » qui, décidément, de quelque côté qu'il se tournât, semblait être son lot. Ce fut sa dernière parole. Car, sans me laisser le temps de répondre, il s'endormit.

5

Le lendemain matin, je montai l'escalier avec la certitude que la scène de la veille ne pourrait rester sans effet sur la suite de nos conversations. De deux choses l'une. Ou bien elle créerait entre nous une complicité plus grande encore, comme entre des amis dont le lien sort renforcé d'une grosse farce jouée, puis commentée en commun. Ou bien le piège qu'il m'avait tendu, l'invraisemblable naïveté avec laquelle j'y étais tombé, confirmeraient sa méchante idée des disciples et des maîtres qu'ils abusaient; et la façon dont il m'avait traité, le terrible mépris qu'il avait soudain révélé ainsi que la docilité dont j'avais, moi, témoigné, auraient ruiné à ses yeux le peu de crédit que ces journées m'avaient acquis.

Lorsque j'entrai dans la chambre, je sentis immédiatement que la seconde hypothèse était la bonne. Pour la première fois, en effet, il ne s'était pas levé. Pas habillé. Il avait manifestement refusé les services de la Lepage car sa chambre, qu'il prenait toujours grand soin de faire aérer et nettoyer, avait retrouvé ses vilaines odeurs de camphre, de laudanum et de renfermé. A le voir ainsi prostré, tournant à peine la tête à mon entrée, répondant par un vague grognement au salut que je lui adressais, à voir ce corps affaissé, indifférent, flottant dans une chemise dont l'indécence lui eût, la veille, été insupportable, je me sentis ramené au jour de notre rencontre, lorsque je n'étais pour lui qu'un inconnu, doublé d'un flatteur et d'un fâcheux.

Je fis d'abord comme si de rien n'était. M'assis à ma table comme chaque matin. Sortis mes plumes. Lançai quelques phrases légères sur ma sottise de la veille. M'inquiétai de savoir si je n'étais pas arrivé un peu tôt, s'il préférait que je revinsse. Voyant qu'il ne se déridait pas, je lui racontai comment, en le quittant, j'étais allé traîner du côté de la rue Neuve; et comment, m'attardant à la librairie Toussaint, j'y avais fait la connaissance d'une mignonne, brune comme il les aimait, le teint mat, la taille prise dans une robe de moire prune qui la faisait ressembler à une gourgandine du Caravage. Elle était l'épouse d'un policier français de passage... Cela n'avait rien à voir, bien entendu, avec la forte concentration, à Bruxelles, de proscrits fuyant la police de l'Empire... Ils étaient en vacances... En simples vacances, je vous assure... Quelle ville charmante, n'est-ce pas...? Son époux avait de la famille ici... Elle profitait de ses obligations pour flâner dans les librairies et dénicher les livres interdits que l'on ne trouvait pas à Paris... Mais chut...! C'était un secret...! Le mari n'en savait rien... Il était à cent lieues d'imaginer qu'elle pût aimer ce genre de livres...

Je lui racontai les mines de la belle. Ses ruses. Je lui racontai ses comiques petites singeries, lorsque je lui eus proposé de l'emmener au Miroir pour lui en apprendre un peu plus long sur ces livres et leurs écrivains. Je lui décrivis, avec tous les détails que je savais qu'il appréciait, ses protestations de fausse pudique. Ses suffocations feintes. Ses manières de gémir, tout en s'abandonnant : « Monsieur, je vous en prie... je suis la femme d'un policier français de passage... » Je lui décrivis ses simagrées. Les cris stridents qu'elle croyait devoir pousser chaque fois que mon genou se frayait un chemin entre ses jupes. Puis, au tout dernier moment, après un petit signe de croix prétendument à la dérobée mais qui m'était bien entendu destiné, l'imprévisible vivacité avec laquelle elle se mit sur le ventre, cambra les reins et, dans le même mouvement, sans l'ombre d'une hésitation, me détourna adroitement vers ses intimités préférées... Mon histoire, cependant, ne semblait pas l'intéresser. Elle ne lui arracha aucun de ces commentaires acerbes que ce type de récit, d'habitude, savait provoquer chez lui. A l'évidence il ne m'écoutait pas. Ne m'entendait peut-être même plus. Perdu dans des pensées qu'il semblait ne plus me juger digne de partager avec lui, il me laissa seul, un peu piteux, avec mon récit et mes émois.

Qu'avais-je fait pour mériter pareille disgrâce? Mon crime était-il donc si grand? Ma crédulité si coupable? Ce moment de naïveté, après tout si anodin, et qui avait été dicté, il le savait fort bien, par l'aveugle confiance que je lui portais, suffisait-il à annihiler toute notre merveilleuse complicité? L'idée me semblait incroyable. Pire, elle me scandalisait. Oui, je commençais à trouver incroyable et scandaleux le caprice – je ne voyais pas d'autre mot – d'un homme que j'avais servi depuis cinq jours avec tant de dévouement et qui ne savait me remercier qu'en me traitant comme un valet ou un folliculaire. Déception. Amertume. Colère aussi. Humiliation. Si grand soit-on, on n'avait pas le droit de se conduire ainsi. Si Baudelaire que l'on se crût, on n'avait pas le droit de traiter avec cette légèreté l'auteur du *Rêve d'Aristote;* celui des *Dix Petites Gloses pour servir à l'idée de modernité;* on pouvait tout faire, tout dire, j'étais prêt à entendre les reproches les plus véhéments, le congé le plus brutal – mais pas cette indifférence muette à laquelle rien ni personne ne m'avait jamais préparé.

J'en étais là de mes ruminations. J'étais au bord de l'éclat, de l'insurrection. J'en voulais à ce vieillard ingrat, grabataire, qui se comportait soudain si mal. Je me disais que cette méchanceté gratuite était peut-être, au fond, le signe annonciateur d'une sénilité prochaine. Comble de blasphème, je me suis même surpris à penser que c'était la source de tous ses maux, de tous les malheurs divers et variés qu'il me racontait depuis cinq jours... Il l'avait cherché après tout... Il ne l'avait pas volé... Qui sait si toutes les vilaines histoires qui circulaient à son sujet n'avaient pas là leur fondement, leur vérité...? Telles étaient donc mes pensées sacrilèges. J'étais sur le point de ramasser mon plumier, de refermer mon cahier et de lui tirer ma révérence lorsqu'il rompit enfin le silence. Il était midi. J'allais comprendre que toute cette aigreur, cette haine, ne m'étaient pas tant destinées que je l'avais imaginé.

Ce qui me frappa, je crois, avant de saisir le sens même de ce qu'il avait à dire, ce fut sa voix. Son rythme. Cet accent rauque tout à coup, heurté, plein de gémissements, de râles et de silences, un peu comme pendant ses crises – sauf que la crise semblait cette fois chronique. Ce fut son timbre ensuite, inhabituellement sourd, étouffé, dépris de la couleur et de la musique qui en faisaient jusqu'à présent le charme. Un ton désabusé. Désespéré. Le ton de quelqu'un qui s'est longtemps payé de mots mais qui voit clair tout à coup, qui le dit non moins clairement – et que cette lucidité plonge dans une infinie tristesse. Et puis ce fut surtout, plus étrange encore, le désordre de ce discours, une phrase chevauchant l'autre, une pensée chassant la précédente, le tout hoqueté plus qu'exposé, gémi ou crié plus que parlé. Une débauche d'idées. Un débordement de mots, à nouveau passionnants d'ailleurs, où je le retrouvai tout entier – mais sans qu'il se souciât, cette fois, d'enchaîner, de convaincre, ni de m'aider à suivre et à noter.

Si j'essaie, avec le recul, de recomposer cette suite d'idées, d'imprécations, de fulgurances, je vois une série de réflexions, d'abord, sur ce qu'il appelait la fin de la littérature. Les jeunes gens sont extravagants, disait-il... Une chose est là... Devant eux... Ils n'imaginent pas une seconde qu'elle ne l'ait pas toujours été et qu'elle puisse ne pas l'être à jamais... Ainsi de la littérature... Ils la croient éternelle... Ils croient qu'il y aura toujours des livres et des gens pour les écrire... Quelle erreur!... Quelle naïveté!... Comme si les hommes n'avaient pas *déjà* vécu sans livres... Comme si l'absence de livres n'avait pas été, pendant des siècles et des siècles, l'état normal de l'humanité... La littérature, si tard venue... Après la peinture, la sculpture, la musique... Après que tous les arts, sans exception, l'eurent précédée et lui eurent donné leur mesure... Eh bien, ce qui a été sera... Ces arts qui l'ont précédée vont très probablement lui survivre... Et il était en mesure de m'annoncer que ces livres auxquels nous tenions ne tarderaient plus à retourner au néant qui fut longtemps leur lot... Il suffisait que j'écoute... Que je regarde autour de moi... Il suffisait que j'observe le singulier discrédit qui commençait à frapper, déjà, le nom même du poète... « Nous sommes les derniers, mon ami... Les derniers... Ou bien, ce qui revient au même : les premiers dans la décrépitude de notre art. »

Puis je me souviens d'une théorie, assez confuse, qui tournait autour de l'idée même de Postérité. Pour croire à la postérité, pour espérer et concevoir qu'une œuvre nous survive, il fallait miser, selon lui, sur une éternité de l'art, de ses formes, de ses valeurs... Il fallait parier sur une indépendance des œuvres vis-à-vis de l'époque où elles sont nées et où elles ont grandi... Ce livre n'est pas de ce temps, disent ces gens... Il n'est pas de ce lieu... Il n'est qu'apparemment lié à ce moment de notre histoire où un vulgaire accident a voulu qu'il éclose... Et rien, vraiment rien, ne le retient ni ne l'attache à ce cadre de hasard dont il n'attend que de s'échapper... Croire à la postérité c'était, en d'autres termes, croire aux théories de l'art pour l'art. Or il avait passé sa vie, lui, à combattre ces théories. Il avait dit et répété que la plus pure, la plus achevée des œuvres enfermait *aussi* sa part de contingence. Il avait même, le tout premier, baptisé « modernité » ce goût d'ancrer les livres dans le fugitif, le transitoire. Ce qui impliquait en bonne logique qu'il ne pouvait, à l'heure où nous parlions, revendiquer ni le droit ni le pouvoir de se bercer de l'illusion d'un possible destin posthume...

Puis encore – même si tous ces motifs s'entremêlaient plus qu'ils ne se succédaient – il m'a parlé de son œuvre à lui. Airs connus... Thèmes classiques... Toutes ces imperfections, ces inachèvements, ces remords, ces reniements dont il dressait le catalogue huit jours plus tôt, quand il était seul encore face à sa mémoire et à sa maladie. Sauf que s'y adjoignait cette fois, pour évoquer l'avenir de cette œuvre, une pointe de rage et de rancune qui ne visait à l'évidence plus le seul aveuglement des pairs... Il y a des écrivains que cette perspective d'un livre qui leur survit rassure et comble de joie. Eh bien, lui la jugeait absurde. Apparemment même désagréable. Il trouvait l'image de ces pages qui persisteraient à croître, bourgeonner, voire fleurir dans des têtes étrangères, à peu près aussi répugnante que celle des ongles ou des cheveux qui continuent de pousser, dit-on, sur les cadavres. Il n'en voulait pas. Chassait l'idée de son esprit. Et il ne fallait pas beaucoup se forcer pour entendre dans ce refus un soupçon non seulement de haine mais de ressentiment – comme s'il était jaloux, simplement et follement jaloux, de ces insupportables *Fleurs du Mal* qui prétendaient survivre alors qu'il allait, lui, mourir. Ceci s'ajoutant à cela, cette singulière rivalité à ses doutes et perplexités anciens, il redoubla de haine. Mais contre lui, maintenant. Contre ses vers et son talent. Contre cette part « belge » qu'il avait en lui – comme les autres, plus que les autres.

C'était lui qui parlait. Je veux dire que c'était sa voix, ses mots. Mais à travers ces mots et cette voix les autres s'exprimaient. Tous les autres. La petite horde qui le poursuivait depuis Paris et dont il était en train, ventriloque lamentable et sublime, de reprendre l'argument. Il parlait comme Sainte-Beuve... Comme Silvestre... Il parlait comme tous ces commentateurs bornés qui n'avaient vu en lui qu'un Borel qui aurait survécu ou un Champfleury qui aurait échoué... Il voyait ses *Fleurs* avec l'œil du juge Pinard... Ses *Paradis* avec ceux de Hugo... Il se demandait si, en effet, il ne s'était pas trompé sur Wagner... Sur Delacroix... Sur l'importance de Poe et de ses *Histoires...* Non, non, il ne s'était pas trompé... Car eux étaient des grands... Ils avaient surmonté le guignon... Ils laisseraient, ils laissaient déjà, un nom... Et il avait fallu tout son pathétique désir de n'être pas seul devant l'échec et le malheur pour comparer au sien leurs destins finalement réussis... Le vrai problème c'était lui... Son œuvre à lui... Sa déroute... Et, donc, ses insuffisances... Ses poèmes en prose par exemple – était-il certain qu'ils fussent à la hauteur de ceux de Janin ?

Quand, timide, la gorge nouée, résistant à grand-peine au chagrin qui m'envahissait, je lui fis observer qu'il reprenait donc à son compte les thèses et les calomnies de ses pires adversaires, il s'interrompit une minute, réfléchit, puis branla drôlement du chef, de droite à gauche, de haut en bas, avant de me répondre que oui, en effet... c'était possible... mais que Silvestre était un grand critique... Sainte-Beuve un bon lecteur... qu'un lecteur pouvait se tromper... deux peut-être... trois... mais qu'ils ne pouvaient pas tous se tromper, en même temps, dans les mêmes termes... Et reprenant une fois de plus sa fameuse histoire de « modernité », il murmura qu'on ne pouvait pas, comme il l'a fait, jouer l'époque, le transitoire, le fugitif – et refuser au dernier moment le verdict qui en résulte... Il parlait comme ses ennemis ? A la bonne heure... Comme s'il n'y avait que chez les ennemis que soufflent les vents de l'imbécillité... Comme si je ne lui avais pas donné, moi, la preuve des malentendus, plus graves encore, que pouvait susciter l'amitié...

J'avais cessé de noter, bien sûr. Depuis longtemps. Car le spectacle d'un si grand homme se dépréciant de la sorte était bien plus navrant, à mes yeux, que celui de ses facéties de la veille. D'autant qu'au point où nous étions, l'après-midi s'étant écoulé ainsi, sur ce ton, sans qu'il parût un seul instant douter de l'effrayant tableau qu'il me brossait, seul comptait le dénouement qui, maintenant, se précipitait. J'aurais pu répondre. Me révolter. J'aurais pu, comme le premier jour, brandir le jeune étendard de cette « École Baudelaire » que j'étais venu représenter. Je savais – je sentais – que c'était inutile; que cette heure était déjà passée; qu'il était infiniment loin de toutes ces possibles consolations; et que, fort de ce qu'il m'avait dit, fort de ces considérations sur lui, la littérature en général ou les illusions de la postérité, il ne pouvait plus échapper à la tragique conclusion que je pressentais depuis un moment.

Son œuvre était ce qu'elle est, murmura-t-il d'une voix presque inaudible. Bien publiée. Mal publiée. Introuvable parfois. Grevée, comme lui, de dettes et d'hypothèques. Mais enfin elle existait et, d'une certaine manière, lui échappait. Ce livre-ci, en revanche, était encore en chantier... Oui, ce livre sur la Belgique... Cette ébauche de maître livre, que nous avions entreprise... Il me remerciait de ma diligence... Si, si, c'était très bien... Jamais il n'aurait espéré plus fidèle et fin secrétaire... Mais tout cela n'avait plus de sens... Ces pages n'avaient plus de fonction... A quoi bon clore une œuvre, lui donner son dernier mot, quand on voit enfin, comme lui, le néant de toutes ces choses? Il était temps... Tout juste temps... Rien n'interdisait d'effacer ces vaines journées comme, sur un tableau noir, une erreur sans conséquence... Rien ne s'opposait à ce que ce face à face, cette dictée, ces exaltations ridicules, ces cahiers que je noircissais et rangeais chaque soir dans ma chambre, n'aient jamais tout à fait existé... Il ne me demandait plus qu'une chose, autrement dit... Ce serait tout notre programme du lendemain et j'en restai bouche bée : l'aider, avant qu'il ne soit trop tard, à brûler « Pauvre Belgique! »

SIXIÈME PARTIE

1

LA nuit qui suivit fut la plus cruelle de toutes celles que je passai à l'hôtel du Grand-Miroir. Que fallait-il faire ? Obéir ? Passer outre ? Tenir la volonté de l'auteur pour sacrée ? Dire : quoi qu'on en pense, aussi fragile et chancelante que soit cette volonté, elle est le dernier mot de l'histoire ? Le suprême commandement ? Considérer que, même malade, agonisant, désespéré peut-être, à demi fou, Charles Baudelaire restait seul maître de ce qu'il souhaitait offrir – ou soustraire – à la postérité ? Ou bien juger au contraire qu'il n'y a de sacré que les livres ? D'imprescriptible que le service, le respect que nous leur devons ? Et conclure que « pauvre Belgique ! » devait être sauvée – fût-ce au risque d'insulter les dernières volontés d'un mourant ?

Questions banales, je suppose. Classiques à tout le moins. Ce sont les questions qu'ont dû se poser les héritiers de Racine. Les fidèles de Chamfort ou de Rousseau. C'est le grand débat qui, à l'heure même où j'écris, et même si j'en suis maintenant très loin, divise le clan Mallarmé : « brûlez par conséquent, il n'y a pas là d'héritage littéraire, mes pauvres enfants »; et les plus fidèles des pauvres enfants – je les connais si bien! – qui, à peine le maître enterré, le délai de deuil écoulé, s'empresseront de trahir leur serment et de publier les papiers interdits... Pour moi cependant, étant donné celui que j'étais, celui qu'était Charles Baudelaire, étant donné le lien qui s'était noué entre nous et la façon dont ce livre s'était conçu puis affirmé, ces problèmes ne pouvaient pas ne pas s'inscrire en des termes singuliers. D'autant qu'à la faveur de la nuit et de l'insomnie qui l'occupa, ils se doublèrent d'une idée, peu banale, elle, pour le coup, dont je mesurai presque aussitôt la terrible incongruité mais qui, au fil des heures et de mon hallucination, se faisait plus précise, plus concrète, revenant quand je la chassais, s'entêtant si je la repoussais et balayant peu à peu mes timides objections.

Pour comprendre la genèse de cette idée – et pour mesurer, surtout, la fatale insistance avec laquelle elle s'insinua puis s'imposa à moi – il faut se replacer, une fois de plus, dans le cadre très particulier du face à face d'où je sortais. Ce livre, « Pauvre Belgique! », était certes de Baudelaire. Il en avait prononcé chaque phrase. Articulé la moindre page. Il m'en avait dicté, avec ce scrupule presque morbide de ceux qui ont conscience d'approcher du dernier mot, la plus humble des inflexions. Mais n'étais-je pas là, moi aussi? Ne l'avais-je pas voulu? Désiré de toutes mes forces? Ne l'avais-je pas copié, recopié, de ma propre main? En était-il une ligne, une syllabe, auxquelles la magie de la dictée en même temps que de ma ferveur ne m'aient physiquement lié? On a vu comment, lorsque je quittais cette chambre pour retrouver la ville, je me prenais à agir et me comporter comme lui-même l'aurait fait. Ce qui était vrai de mes conduites l'était encore plus de mes idées. Et s'il pouvait y avoir entre nous, avant mon arrivée, des divergences de points de vue, ces journées de communion avaient suffi à les effacer. Je pensais avec ses pensées. Je parlais avec ses paroles. Je me surprenais de plus en plus souvent, dès avant cette fameuse nuit, à revoir certaines de ses phrases, à les relire dans mes cahiers, avec le sentiment – absurde mais tenace – qu'elles étaient non de lui, mais de moi.

Ajoutez à cela mes histoires de « talisman », de « secret poétique », etc. Pensez que tout le but de mon voyage était de me rendre maître, en approchant le plus près possible son détenteur le plus sublime, de ce fameux trésor qui manquait à mon bagage. Pensez à ce qu'il m'avait dit de la gloire. Du mépris où il la tenait. Songez à ces phrases énigmatiques mais qui, dans le silence de cette nuit, prenaient un relief nouveau, sur le fait qu'il était trop vieux pour se soucier de la renommée et que seuls les gens de mon espèce, jeunes encore, pleins d'ardeur, avaient le droit d'y aspirer. N'était-ce pas un signe, après tout ? Un message qu'il m'adressait ? N'était-ce pas une façon de dire que j'étais, mieux que son scribe, son apôtre ? son messager ? le tout dernier fidèle auquel il livrait son témoignage, à charge pour moi de le transmettre comme bon me semblerait ? N'était-ce pas une manière – oh tacite bien sûr ! à demi-mots, comme nous faisions ! – de me signifier que, dans cet univers des lettres où il m'avait assez dit combien le sort des livres dépendait de leur baptême, nul n'était aussi bien placé que moi pour présenter, voire parrainer, ces pages admirables mais, nous le savions, si redoutables ?

Si je rappelle cela, ce n'est pas, que l'on me comprenne, pour excuser une idée que je suis le premier aujourd'hui à juger inexcusable. Mais c'est pour rendre sensible le terreau où elle germait, ainsi que l'enchaînement de circonstances et d'illusions qui la rendaient, alors, probablement inévitable. J'étais venu à Bruxelles chercher le trésor de la poésie. J'avais toujours eu pour intention d'en rapporter avec moi ne fût-ce qu'une partie. Or j'avais mieux qu'une partie, j'avais le tout. Mieux que le tout, un livre véritable. Et ce livre qui était là, dans ma chambre, consigné dans des cahiers, eux-mêmes rangés dans un coffre que, poussant l'imitation jusqu'aux limites de la caricature, j'avais placé près de mon lit, juste à portée de main, de manière à pouvoir le toucher, le sentir dans mon sommeil – ce livre, donc, voici qu'à travers mille signes qu'il m'appartenait de déchiffrer, son auteur me suggérait : primo qu'il le reniait, secundo qu'il m'en instituait le légataire unique et tout-puissant. Comment le projet ne me serait-il pas venu – insidieux je le répète, sournois, puis, au fil des heures, presque évident – non seulement de sauver ces pages mais de me les approprier et, en clair, de les voler?

Au petit matin, lorsque l'heure arriva, comme chaque jour, de reprendre le chemin de sa chambre, j'en étais là de mes spéculations. Horrifié, bien entendu, par la perspective qu'elles m'ouvraient. Mesurant, mieux que personne, ce qu'elles avaient de déraisonnable. Mais suffisamment habité par la logique du raisonnement pour faire le tour en pensée, des diverses attitudes entre lesquelles il faudrait choisir quand je me retrouverais, dans un instant, en face de lui. Lui parler? le convaincre? lui dire que Luc, Marc, Matthieu et Jean avaient bien signé, après tout, les Évangiles qui leur revenaient? Ou bien ne rien dire au contraire? ruser? brûler une fausse liasse en lui faisant croire que c'est la bonne? Ou bien encore tout oublier?

chasser de mon esprit ces funestes divagations? et détruire, comme il m'en avait prié, le fruit de notre travail? En arrivant à l'escalier, je crois pouvoir affirmer que je n'étais pas décidé. C'était comme un double vertige qui m'interdisait de prendre parti. Et j'étais en train de songer que le mieux serait de m'en remettre au destin – à l'impression de l'instant, aux premiers mots qu'il prononcerait, à la façon dont il m'accueillerait, au parfum de la pièce à mon entrée, aux ombres du portrait dans le demi-jour du matin –, lorsqu'une voix forte interrompit la rêverie. C'était Auguste Poulet-Malassis, debout, le poing sur la hanche, à quelques marches de moi. Il avait l'air défait. Le cheveu en désordre. Une expression, sur la figure, de douleur et de rancune. « Halte-là, gronda-t-il... Baudelaire est au plus mal. »

Comment dire le désordre des pensées contraires qui, à ce moment, se pressèrent en moi? D'abord, bien entendu, le choc. La stupeur. Ou plutôt non, stupeur n'est pas le mot. Car cette nouvelle, je l'attendais. Je la guettais. Depuis six jours que je m'employais, telle Schéhérazade, à différer l'instant fatal, à conjurer les monstres dont je savais qu'ils l'assiégeaient, pas une minute n'avait passé sans que je sentisse, autour de nous, la sourde présence de son mal. Mais enfin, disons : l'émotion. Un accablement vrai, sans feinte ni nuances. L'idée, presque aussitôt, que je n'avais pas tout à fait tort l'autre soir, en le quittant : c'est le livre qui le tenait en vie et c'est d'y renoncer qui aura peut-être, qui sait? précipité le retour de la crise. Et tout de suite après, télescopant ce premier chagrin, bousculant les pensées tendres et navrées qui envahissent un disciple quand il apprend une telle nouvelle, cette question que, dans la situation où je me trouvais, je ne pouvais pas ignorer; qu'en était-il, dans ce cas, du dilemme qui m'occupait?

quelle serait l'influence de l'événement sur le problème dont je venais de passer la nuit à apprécier toutes les données ?

D'un côté cela tombait mal. Cela ne pouvait pas tomber plus mal. Et si triste que je fusse, il m'était difficile de ne pas songer que c'était *aussi* une catastrophe dont le premier effet serait de me compliquer la tâche. Qui disait malaise disait en effet médecins. Qui disait médecins disait retour en force d'un « parti adverse » trop content de reprendre, à la faveur de la crise, son emprise sur le malade. Et qui disait tout cela disait forcément, je le savais bien, instauration d'un état de choses où je serais aussi mal loti que le précédent m'avantageait. Poulet-Malassis était là. Face à moi. Savourant, malgré sa douleur, le triomphe que lui ménageait le sort. Mais, derrière lui, muets encore, invisibles, j'imaginais déjà le régiment d'amis, de clients et de parents qui s'adresseraient à moi sur le même ton grondeur que Madame Aupick dans ses lettres. Le moyen de ruser, de brûler la fausse liasse d'une fausse « Pauvre Belgique ! », lorsque ce seraient Ancelle, ou Marcq, ou Poulet lui-même, qui viendraient me trouver pour, forts de l'expresse volonté du maître, me prier de restituer les manuscrits ?

D'un autre côté, il y avait une seconde hypothèse. Elle était encore plus lugubre. Encore plus inavouable. Mais enfin elle existait. Et il faut bien que j'en parle puisque j'ai résolu de tout dire. « Au plus mal », avait dit Poulet... Que voulait dire cet « au plus mal » ? Qu'est-ce qui se cachait, au juste, dans le laconisme de l'expression ? N'était-il pas plus mal que mal, par hasard ? En d'autres termes, mourant ? N'était-il pas en train de mourir, oui, et n'avait-on pas décidé – premier coup de force du parti adverse ! – de me cacher l'information ?

L'idée était odieuse, je le répète. Je m'en voulus aussitôt d'avoir osé l'envisager. Mais dans l'humeur où je me trouvais, au sortir de cette nuit, puis de ce réveil, où j'avais fait l'inventaire de *toutes* les solutions possibles, il m'était difficile de ne pas au moins l'envisager. Car si tel était le cas, si Baudelaire devait mourir ici, de cette crise qui, apparemment, l'avait terrassé après mon départ, et s'il n'avait pas le temps, avant de mourir, de communiquer ses volontés, alors tout basculait – et, cette fois, à mon avantage : il n'y aurait personne, jamais, pour être informé de l'existence du fameux livre; personne pour, en son nom, venir me le réclamer; et je pourrais donc librement, dans une impunité inespérée, mettre mes plans à exécution.

Poulet-Malassis se faisant un devoir – et sans doute un plaisir – de m'interdire l'accès de la chambre, j'en étais réduit à de pures supputations. Et je passai donc mon temps, tandis qu'affluait, comme prévu, la foule des familiers, à scruter les visages pour y deviner laquelle des deux hypothèses était la plus vraisemblable. Tantôt la mine sombre de Poulet, le front soucieux du docteur Marcq, un soupir ou une conversation chuchotée qui s'interrompait à mon approche, donnaient à penser qu'on était dans le second cas et qu'on allait, d'une minute à l'autre, m'annoncer qu'il était mort. Tantôt la reprise des allées et venues, l'agitation des médecins, un sourire d'Arthur Stevens ou l'air affairé de Madame Lepage quand elle apportait ses pansements dénotaient qu'il allait mieux et que mon affaire, elle, se compliquait puisqu'on allait, à tout moment, venir chercher le livre. Une semaine avait passé. Elle avait été, cette semaine, la plus importante de mon existence. Or je me trouvais ramené à mon strict point de départ – réduit, comme au premier jour, à rôder dans les couloirs, écouter aux portes comme un laquais et interroger des visages qui n'avaient pas, avec le malade, le commencement de l'intimité dont je pouvais, moi, me prévaloir.

Les moins avertis, me voyant m'attarder ainsi dans la coursive du second étage, en proie à une si visible et si sincère agitation, me prenaient, j'imagine, pour un jeune élève inconnu, alerté Dieu sait comment de la maladie du Maître et dont l'humble chagrin faisait un spectacle des plus touchants. Ceux qui me connaissaient et qui, comme Poulet ou les médecins, n'étaient pas loin d'attribuer à nos « séances » une part de responsabilité dans cette attaque, n'étaient pas fâchés, eux, de l'humiliation qu'ils infligeaient à celui qui, six jours durant, avait osé les supplanter. Aucun, bien sûr, ne soupçonnait la vérité. Aucun ne pouvait deviner que si j'étais suspendu à ce qui se passait là, derrière cette porte interdite, c'était que mon propre sort en dépendait aussi. Et je fus le premier effrayé, du reste, lorsque je m'aperçus que l'intensité même de ce suspens, la nervosité de plus en plus vive avec laquelle j'attendais son dénouement, avaient fini par effacer toutes ces autres questions dont, quelques heures plus tôt, j'étais encore si occupé : plus de vertige; plus d'états d'âme; comme si tout le poids de l'incertitude était venu se concentrer sur l'issue du seul combat que livrait ce corps avec la maladie, la mort et les médecins, je n'avais plus, moi, le moindre doute sur le bien-fondé de mon dessein!

La matinée passa ainsi. Fébrile. Anxieuse. En même temps donc que, sur le fond, paradoxalement sereine. Toute la question étant, pour moi, d'attendre le verdict en évitant d'éveiller les soupçons de la compagnie. Je ne pouvais pas partir, peur que ne vînt à cet instant l'ordre de rendre le texte et que je n'aie l'air, du coup, de fuir avec mon butin. Je ne pouvais pas non plus traîner indéfiniment dans l'escalier sans que l'on s'interrogeât sur les motifs d'une présence qui, dès lors qu'on m'excluait, n'avait plus de raison de s'éterniser. En début d'après-midi, comme rien ne se passait et que j'étais un peu las de scruter pour la énième fois la énième grimace de Monsieur Lepage, je décidai que le mieux était encore de m'enfermer dans ma chambre et d'y attendre la suite des événements. Les heures passèrent. J'avais la sensation d'être prisonnier de mon propre plan et de la mécanique qu'il avait su mettre en branle. Et c'est sur ces entrefaites, alors que j'étais sur mon lit, à l'affût du moindre bruit, en train d'imaginer ce livre sur la Belgique publié à Paris, sous mon nom, chez l'éditeur de mon choix, que survint Monsieur Ballotin.

Monsieur Ballotin, est-il besoin de le préciser, n'était pas le type de personnage qui éveillât en moi une sympathie débordante. Je n'aimais pas son œil rond. Ses airs obséquieux. Ses petits gestes retenus du monsieur qui en sait long mais vous le dira un peu plus tard. Je détestais son visage d'enfant mal lavé. Cette bouche qu'il humectait comme s'il était toujours au bord de faire une révélation. Sa barbiche en cul d'artichaut qu'il caressait alors du bout des doigts, en affectant un regard pénétré. Et il y avait dans sa façon de vous prendre par le bras quand il vous croisait dans le corridor, puis de vous attirer à l'écart pour vous susurrer une confidence, quelque chose qui me le faisait fuir du plus loin que je l'apercevais. Ce jour-là, je suppose qu'il avait dû, lui aussi, être chassé de la chambre. J'imaginais la Lepage le houspillant : « allez, allez, mon petit Émile, restez pas là, vous voyez bien que vous gênez. » Et il s'était établi entre nous, de ce fait, comme une petite communauté de destin dont il semblait bien décidé à tirer avantage. Mon premier réflexe fut de lui dire, comme d'habitude, que j'étais fatigué, que nous nous verrions une autre fois. Puis, songeant que, au point où j'en étais, je ne risquais plus rien à me commettre avec un Ballotin, je me ravisai et l'invitai à entrer. Bien m'en prit. Car l'information qu'il m'apportait était assez considérable pour mériter une exception.

« Il y a du nouveau, commença-t-il, haletant, le visage empourpré... Si, si, il y a du nouveau... Je le tiens de Madame Germaine soi-même... Et la chose est si extraordinaire qu'on n'a accepté de me la dire que sous le sceau du plus grand secret... » Puis, comme je ne répondais rien et qu'il devait être déçu de ma réserve : « mais puisque je vous dis qu'il y a du nouveau... l'homme s'en tirera, figurez-vous... oui, les docteurs sont tous d'accord : l'homme est assuré de s'en tirer... mais il se passe une chose incroyable que les docteurs m'ont dite aussi, et que vous ne devinerez jamais... » Et comme je ne bougeais toujours pas et que, malgré mon trouble grandissant, je m'appliquais à conserver la même apparente indifférence : « vous n'allez pas rester comme ça à regarder en l'air comme si c'était du ciel que les nouvelles allaient tomber... ce que vous ne devinerez jamais c'est que l'attaque a été si forte qu'elle lui a porté sur le cerveau... si, si, la chose est avérée, c'est au cerveau qu'elle a porté... la précédente aussi? si fait... je vous l'accorde... sauf qu'elle a ceci de spécial, la nôtre, qu'elle lui a ôté pour toujours l'usage de la parole et de l'écriture... agraphie et aphasie sont les deux malheurs de Baudelaire... »

Le drôle, grâce au ciel, était trop excité lui-même par sa formule pour remarquer le choc que l'information faisait en moi et que je ne parvins pas, je crois, à dissimuler. L'événement était énorme. Il bousculait d'un coup tous mes échafaudages. Il réduisait à néant mes savantes supputations. Il créait la seule situation que je n'aurais, en effet, jamais prévue et qui éclairait d'un jour neuf l'insoluble drame où je me débattais. Si Ballotin avait raison et si Charles Baudelaire avait perdu, et l'usage de la parole, et celui de l'écriture, alors les dieux de la poésie étaient décidément de mon côté et l'évidence s'imposait, radieuse comme notre première séance : le poète n'était tout bonnement plus en mesure de s'ouvrir à qui que ce fût, ni aujourd'hui ni demain, de notre affaire de manuscrit. Plus de question. Plus de dilemme. Finis mes appréhensions, mes craintes et, donc, mes irrésolutions et mes scrupules. La maladie avait tranché : l'existence même de « Pauvre Belgique! » demeurerait, entre nous, comme un éternel secret.

Tout était clair à présent. Et ma ligne de conduite, impeccablement tracée. Comme tout bon malfaiteur ayant bouclé son affaire, il me restait à effacer les traces de mon passage; repenser une dernière fois aux erreurs que j'avais pu faire; il me restait, surtout, à passer en revue les quelques témoins possibles de l'acte que je commettais. Il y avait Ballotin : mais il était trop bête. Le couple Lepage : ils n'avaient rien compris. Caroline Aupick qui savait, elle, que nous avions travaillé sur le paquet de notes belges : il suffirait d'aller la voir, de l'amadouer si possible, de lui exposer que son pauvre enfant n'était, hélas, plus en état de dicter quoi que ce fût. Il y avait Poulet qui avait pu, lui, en revanche, le jour où nous l'avions si brusquement éconduit, voir le cahier ouvert sur mon bureau et peut-être même, en passant, en déchiffrer une phrase ou deux : il avait bien assez d'ennuis, celui-là, avec la police de son pays, et moi assez de relations, pour qu'il soit aisé, le cas échéant, de le persuader de tout oublier. Et quant à mes amis parisiens qui connaissaient le but du voyage et ne manqueraient pas, à mon retour, de m'interroger avec finesse – je n'aurais qu'à leur dire que j'avais vu Baudelaire en effet; que nous avions eu quelques conversations; mais qu'il n'était déjà plus que l'ombre de lui-même et que j'avais passé tout mon temps à visiter les églises de Bruxelles.

Sûr de mon fait, je boucle mes bagages. Fais mes adieux aux Lepage. Serre quelques mains douloureuses de l'air du bon garçon qui, sachant que sa présence ne changera, hélas, plus rien, se résout à s'en aller. J'ai le sentiment, bien sûr, que mes moindres mots me dénoncent. Que le moindre de mes gestes éveille la suspicion. Je fais bien attention, dans le vestibule, quand je viens régler ma note, à laisser « la » mallette par terre, pas trop loin mais pas trop près non plus, pour ne pas donner le sentiment d'y attacher de l'importance. Puis, croyant voir que Poulet, passant par là, la considère avec une excessive curiosité, je la reprends si vivement que, pour le coup, je manque me trahir. Dans la rue encore, j'attends à chaque pas que l'on me rattrape. A la gare, pendant les deux longues heures qui me séparent de l'arrivée du train, je vois Stevens et Marcq au détour de chaque pilier. Ce n'est qu'une fois dans mon wagon, en route vers Paris, que je prends enfin la mesure de mon incroyable fortune : ici, sur mes genoux, le tout dernier état de la toute dernière pensée du plus grand des écrivains – et à moi, dorénavant, l'honneur de le signer.

2

A Paris, il me restait à découvrir que je ne me débarrasserais pas si aisément du souvenir de Charles Baudelaire. Où que j'aille, quoi que je fasse, j'emmenais avec moi ce beau visage absent du jour de notre dernière rencontre, sa chemise immaculée, son regard redevenu confiant, le geste qu'il avait eu pour dire que ses livres ne comptaient pas, ses soupirs, ses bégaiements, et puis cette dernière prière dont il m'avait fait le garant. Que faisait-il à présent? Où était-il? Que pensait-il? A quel instant avait-il compris? Me haïssait-il? Me maudissait-il? Avait-il trouvé le moyen, surtout, non pas de dire, mais de révéler, par gestes et signes appropriés, l'histoire de ce livre qui avait quitté Bruxelles dans mes valises? Pas un jour, non, pas une nuit, sans que ces questions et d'abord la dernière, viennent m'assaillir. Je ne parvenais pas à croire que les choses fussent aussi simples. Je songeais qu'il était trop beau que l'on pût ainsi voler, dans une impunité totale, les pages les plus sacrées d'un homme à l'agonie. Et le fait est que, le temps de l'euphorie passé, au lieu de me mettre au travail et de jouir en toute quiétude du fruit de mon larcin, je passai l'essentiel de mes heures à chercher partout les signes, les informations ou les récits qui, provisoirement au moins, sauraient me rassurer.

Tous les moyens m'étaient bons. Je rendis visite à Asselineau dans son bureau de la Mazarine, sous le fallacieux prétexte d'une chronique sur la conservation des livres. A Ancelle, en me faisant passer pour un journaliste du *Temps*, légèrement féru de littérature, mais venant d'abord l'interroger sur les affaires de sa mairie. A Manet (n'avait-on pas dit de lui qu'il était le dernier homme pour qui il eût éprouvé de l'« amitié-passion »?) auquel je racontai que je préparais, pour une feuille belge, un point définitif sur ses prétendus pastiches du Greco et de Goya. J'allai voir Madame Paul Meurice. Nadar, dans son atelier. La Fizelière qui, préparant déjà sa bibliographie baudelairienne, serait fatalement, me disais-je, l'un des premiers informés d'une éventuelle rumeur sur cette affaire. Certains me connaissaient. D'autres pas. Mais la méthode était la même : plein d'appréhension, plus ému peut-être encore qu'au début de nos dictées, je les induisais peu à peu, comme par hasard et incidence, à glisser vers le seul sujet qui, en fait, m'avait amené. Ils parlaient. Je les écoutais. Je prenais toujours bien garde à ne pas manifester trop de trouble ou d'impatience. Et je voyais bien, chaque fois, à l'exquise complaisance avec laquelle ils se livraient, que nul ne se doutait de rien.

Sachant, par Ancelle, que Mme Aupick avait fait un aller-retour à Bruxelles et qu'elle avait eu avec son fils des tête-à-tête « intéressants » dont elle était ressortie « très affectée », je poussai jusqu'à Honfleur, bien décidé à en passer, s'il le fallait, par la tasse de thé, le dialogue cordial avec Emon, la visite guidée de la véranda et les extases obligées devant les massifs de pétunias. La partie, cette fois, était plus rude. La comédie plus difficile. Mais l'expérience, du coup, plus probante. Car j'avais affaire à quelqu'un qui, sachant avant son voyage une moitié de la vérité, avait pu en reconstituer la criminelle autre moitié. Or là non plus il n'en était rien. Pas l'ombre d'un soupçon. Pas le commencement d'une allusion. Elle évoqua bien nos « séances ». Mais ce fut sur le ton grondeur de la maman qui nous l'avait bien dit et qui m'avait écrit, n'est-ce pas, qu'elles ne feraient pas de bien à son petit. Elle ajouta, aimable, que mon « imprudence » n'avait de toute façon rien changé. Me demanda, courtoise, des nouvelles de la notice qu'elle se proposait, une fois de plus, d'enrichir de ses « points de vue ». Elle me dit, très fière, qu'elle ne cessait, depuis qu'il était malade, d'entendre célébrer ses qualités de cœur. Mais quant à supposer que cet enfant, qu'elle avait trouvé si mal, ait pu, en si peu de temps, concevoir l'équivalent d'un livre, l'idée, une fois de plus, ne l'effleurait même pas.

D'après ce qu'elle me dit, l'« enfant » avait quitté l'hôtel du Grand-Miroir trois jours après mon départ. On l'avait transporté rue des Cendres, à proximité du jardin botanique, dans une institution très convenable, tenue par des sœurs augustines. Les infirmières étaient rudes, se plaignit-elle... Un peu sévères... Elles avaient une manière un peu trop simple de rappeler les malades aux devoirs de leurs patenôtres ou de leurs bénédicités... La nourriture non plus n'était pas bonne... Et bien qu'elle eût prié Monsieur Ancelle d'obtenir, moyennant augmentation, une amélioration de l'ordinaire, elle n'était pas toujours certaine que son Charles mangeât à sa faim... Au total, cependant, la solution lui convenait... Il n'y en avait guère d'autre, n'importe comment... La voyais-je, à Honfleur, avec les obligations qu'elle avait, héberger un garçon diminué...? Imaginais-je ce que diraient les amis de feu son mari s'ils le voyaient dans cet état...? Oh oui, il était bien où il était... Et elle venait d'écrire à la supérieure pour la supplier de le garder... Comment elle l'avait trouvé? Dans quel état? Oh! mon Dieu, un peu mieux... Souriant de nouveau... Riant parfois... Recommençant même à marcher... Mais si, mais si... Avec une canne, d'accord, et l'appui d'un bras ami, mais il marchait... Il prenait un plaisir visible, elle me le certifiait aussi, à regarder les devantures et le spectacle de la rue. Quant à la parole, en revanche, c'est, bien sûr, ce qui n'allait pas... Il en avait, craignait-elle, définitivement perdu l'usage... Et tout son vocabulaire se réduisait – quelle honte! mais, que voulez-vous, on n'est pas responsable de son fils! – à un vilain « crénom » qu'il répétait à tout bout de champ et qui effrayait les religieuses.

Charles Baudelaire aphasique... Cette langue admirable réduite à l'odieuse simplicité d'un juron... La nouvelle, on s'en doute, avait fini par se répandre. Au-delà des Aupick et autres Ancelle, elle frappait par son horreur tout ce que l'École Baudelaire comptait d'esprits sensibles. Et c'était réunion sur réunion, au *Parnasse*, à *L'Artiste* et ailleurs, où l'on évoquait à l'infini cette perte si cruelle. Là aussi j'étais présent. Je n'étais jamais le dernier, dans ces conclaves, à me scandaliser de cette atroce grimace du destin. Je n'étais jamais en reste pour verser de pieuses larmes sur l'invraisemblable paradoxe de cet homme de verbe frappé dans son verbe même – de cet homme de parole, par la parole foudroyé. Et j'étais presque le plus éloquent, chaque fois, pour dire qu'il était inconcevable – j'insistais sur « inconcevable » – qu'une langue si belle plongeât ainsi dans la nuit, sans recours ni résurrection. Il ne s'agissait plus, là, de savoir si j'étais ou non découvert. Mais, de manière plus subtile et probablement plus perverse, de me placer aux premières loges d'un deuil dont j'étais, en réalité, le principal bénéficiaire. Je me disais, riant sous cape, que je « tentais le diable ». Je me faisais l'effet de ces assassins qui, lisant dans un journal le récit du meurtre qu'ils ont commis la veille, prennent un malin plaisir à prendre l'assistance à témoin : « cet homme est un boucher... il faudrait, juste pour lui, rétablir le supplice de la roue... »

La grande question qui, en général, agitait nos cercles était de savoir si la parole seule était touchée – laissant pour ainsi dire intactes les ressources d'une intelligence qui trouverait à s'exprimer à travers d'autres canaux; ou si, l'une allant avec l'autre, les idées avec leurs mots, le naufrage était total – le malade étant réduit, selon un horrible mot de sa mère, à « l'état végétatif d'un tout petit garçon ». La question était d'importance. Elle avait de quoi nourrir des nuits de débats passionnés. Et je me souviens d'un soir, notamment, où l'équipe du *Parnasse* au grand complet, soucieuse de recueillir là-dessus l'opinion de la Science, avait solennellement reçu le docteur Bergeron qui était le spécialiste incontesté de ce genre de maladies. Or qui, là encore, était au premier rang de l'assemblée? Qui écoutait avec le plus d'avidité ce que la science avait à dire? Et qui, dans la discussion qui suivit, défendit avec le plus d'âpreté la thèse d'un Baudelaire conscient, à la raison intacte, aux opinions, déterminations, indignations inentamées, lors même qu'elles ne trouvaient plus d'organe pour s'exprimer? Moi. Toujours moi. Comme si, non content de tenter le sort, j'avais besoin de croire à cette image du Poète courroucé continuant, depuis sa nuit, à me poursuivre de sa vindicte.

Je me souviens même avoir inventé, pour les besoins de la cause, une petite théorie qui fut du meilleur effet dans nos cénacles un peu crédules et que j'appelais, pour faire vrai, la théorie des *expressions substitutives.* « Il y a les aphasies simples, expliquais-je avec le sérieux d'un pontife qui n'aurait pensé qu'à cela toute sa vie. Ce sont les mutismes intégraux, où la parole s'est égarée sans permettre qu'un autre langage prenne le relais de sa défaillance. Rappelez-vous, quand vous voyez ces malheureux, combien de fois vous avez dit, à propos de certains animaux, qu'il ne leur manque que la parole... Et puis il y a les aphasies plus complexes, à fort coefficient substitutif, où le malade continue de s'exprimer à travers mille gestes et pantomimes. Les humeurs séreuses se sont exhalées du cerveau. Elles ont emprunté des voies qu'on ne découvrira qu'à l'autopsie. Toute la difficulté, en attendant, est d'apprendre à voir dans ces gestes plus que des gestes et de décrypter le sens caché qui s'y est anatomiquement replié. » L'aphasie de Baudelaire était, bien entendu, de cette seconde espèce. Et j'avais le front de dire aux amis qui m'écoutaient que nous serions bien étonnés si nous pouvions deviner le secret des pensées qui se cachaient sous l'apparence de son imbécillité.

Cette théorie – j'y insiste – je ne me contentais pas de la défendre : j'y croyais. Je veux dire par là que, au plus intime de ma conscience, il ne faisait aucun doute que cet homme, dépouillé par moi de son bien le plus précieux, avait gardé, dans sa déchéance, l'esprit de s'en souvenir et, donc, de me maudire. Pourquoi croyais-je cela? Par quel obscur mélange de défi, de folie, de haine de moi-même, de lucidité peut-être, déjà de remords? Je l'ignore. Mais le fait était là. Cette idée ne me quittait plus. Elle devenait, au fil des jours, plus obsédante encore que la question de savoir si j'étais ou non démasqué. Et lorsque je déclarai, un soir, devant Banville, Mendès et quelques autres, que j'avais des nouvelles de Bruxelles, que les médecins semblaient avancer et qu'à la manière de nouveaux Brailles ou de Champollions de l'âme, ils étaient sur la piste du vrai linéaire B (celui qui permettrait de lire enfin l'horrible langage de mimes et de grimaces dont les témoins rapportaient qu'il était celui de Charles B.), ce soir-là, donc, je crois bien que mes auditeurs pensèrent que je divaguais; mais j'étais convaincu, moi, qu'il y avait, dans mon invention, ce fond de vérité.

Pour l'heure, et en attendant le jour où, du même coup, mes théories triompheraient et mon infamie serait dévoilée, je me le figurais là-bas, dans la salle commune de son hospice, essayant désespérément de faire entendre son message. Il tonnait. Trépignait. Gesticulait dans tous les sens. Il montrait aux infirmières des livres. Il leur désignait des cahiers. Peut-être même avait-il pu, à force de contorsions, se faire livrer une brochure sur la Belgique qu'il brandissait telle une preuve. Voyant qu'il n'était pas compris, il s'énervait. Criait de plus belle. Il mettait la brochure sous le nez de la bonne sœur, comme s'il voulait la menacer, la faire reculer ou la frapper. La sœur prenait peur. Elle hurlait à son tour. Se signait. S'agenouillait. Elle réclamait du renfort pour maîtriser ce furieux qui avait voulu la battre. Lui sanglotait alors. Des sons atroces jaillissaient de sa gorge. Il faisait « ôt ôt », plusieurs fois de suite, en un effort surhumain pour prononcer un nom. Et quand il voyait enfin qu'il n'y parviendrait pas, que les sons ne sortiraient plus, quand il comprenait que ces idiotes étaient à cent lieues d'entendre ce qu'il essayait de leur dire, il se jetait sur son lit comme sa mère raconte qu'il le faisait lorsqu'il réclamait sa brosse à cheveux, ou sa chaussure, et qu'elle tardait à les donner.

La nuit, c'était encore pire. Car dans mon lit, dans cet état intermédiaire entre la veille et le rêve où je me trouvais de plus en plus souvent, je ne l'imaginais plus, je le voyais. Il était ici. Dans ma chambre. Aussi physiquement présent que je l'étais, moi, dans la sienne, à l'époque du Grand-Miroir. Il avait la même chemise que le jour de notre rencontre. Le même visage désespéré que lorsqu'il me suppliait de brûler les cahiers. Il était plus calme, simplement. Plus serein. Sa figure, sans être à proprement parler rajeunie, avait perdu ses rides des derniers jours. Et ses yeux, quoique toujours un peu trop brillants, étaient tout embués de larmes. Parfois, il avait un crucifix à la main, qu'il portait à ses lèvres quand je le regardais. D'autres fois, c'était un gros cahier ciré, semblable aux miens, sur lequel avait été écrit : « Pauvre Baudelaire ». Et, debout au pied du lit, muet, remuant juste un peu les lèvres, il me regardait d'un air si douloureux que c'est moi qui, au réveil, me surprenais à sangloter.

Ai-je dit que, à l'hôtel du Grand-Miroir, avant notre fatale dernière séance, je lui avais pris un cliché – ce fameux portrait dont il avait confié à Charles Neyt, son auteur, qu'il « n'aimait plus à le voir »? Le détail a son importance. Car cette photo, dûment et amoureusement encadrée, se trouvait à présent dans ma chambre, accrochée face à mon lit, exactement comme, face au sien, le portrait de son père. En sorte que, même si c'était pure coïncidence, même si je ne m'étais pas réellement dit « je vais placer cette plaque de Neyt comme il a placé, lui, sa croûte de Naigeon », je ne pouvais pas ne pas rapprocher ces hallucinations nocturnes de celles qu'il m'avait racontées – quand il voyait François s'animer, quitter son cadre et venir lui faire, de vive voix, ses éternels reproches. Je le voyais, oui, comme il voyait son père. Je le voyais également comme il m'avait dit, un autre jour, qu'il voyait Arondel – cette incarnation de l'Usure, qui ne cessa lui aussi, jusqu'à la toute fin, de hanter ses cauchemars. Charles Baudelaire était comme mon père. Ou comme mon créancier. Ce qui veut dire que je me sentais, moi, à mesure que passaient les jours et que grandissait mon délire, de plus en plus débiteur et, pour tout dire, criminel.

Le manuscrit était là. Dans ma chambre. Je l'avais enfermé – toujours le mimétisme fatal! – dans le grand coffre de bois où j'avais résolu, comme lui, de mettre désormais mes textes. Mais moi, si heureux en quittant Bruxelles, si sûr de ma fortune et de ma future gloire, moi qui avais passé tout ce voyage de retour à flairer ces cahiers, les caresser, les relire, moi qui avais consacré tant d'heures à les imaginer édités dans la forme que j'aurais rêvée, la seule idée de ce coffre me donnait maintenant la nausée. La vérité c'est que le charme était rompu. Toutes les jolies illusions dont je me berçais en Belgique, tous ces alibis – l'héritage, la transmission, le talisman poétique qu'on se repasse, l'apôtre et les Évangiles – dont je m'étais servi pour enrober mon acte, s'étaient dissipés comme des mirages. Restait la scélératesse. Le remords. Et, derechef, une très grande indécision.

3

Le récit du père Dejoncker

OUI, bien sûr, je me rappelle. C'était en 1866, une année de grand choléra où il n'était pas rare de voir, dans la même nuit, et dans la seule enceinte de Sainte-Élisabeth, cinquante à soixante personnes passer de vie à trépas. Il y avait, dans la maison, un aumônier de permanence, âme simple mais fort brave homme, qui s'appelait le père Coppaert et qui est peut-être encore en vie. J'habitais, moi, à l'autre bout de Bruxelles, place du Sacré-Cœur, au pied de la petite butte où se dressait l'église de Woluwe-Saint-Lambert. On faisait appel à moi, les jours les plus cruels, quand les gens mouraient trop vite, que le ciboire de l'aumônier ne suffisait plus à la tâche ou lorsque se présentait un « cas » qui, pour un motif ou pour un autre, paraissait extraordinaire. Les sœurs, pour vertueuses qu'elles fussent, étaient des filles de la campagne taillées dans le drap de la foi et de la charité – mais que la moindre nouveauté suffisait à dérouter. Sans être moi-même un docteur particulièrement subtil, j'avais fait ma théologie à Saint-Sulpice et mes années de philosophie à Nantes, chez des lazaristes assez « modernes » pour faire mentir la réputation de leur ordre – en sorte que je comptais parmi ces jeunes prêtres, férus de science et de métaphysique, dont on ne disait plus trop : « ils sont plus saints que savants ».

J'étais, ce matin-là, dans le jardin de mon presbytère, en train de méditer un passage des Évangiles dont je comptais m'inspirer pour mon sermon dominical. C'était une de ces belles journées d'avril, tiède, sans nuages, comme en connaît parfois Bruxelles, et où la lumière et le soleil, avec une insouciance qui n'appartient qu'à la nature, semblaient vouloir effacer tous les tourments d'une nuit, plus meurtrière que de coutume, que nous avions passée, mes clercs et moi, à courir les quartiers pauvres pour y distribuer les sacrements. Il était tôt. J'avais juste eu le temps – c'est ce qui permet à mon souvenir d'être, aujourd'hui encore, aussi précis – de faire mes oraisons, de dire ma messe de sept heures, de vérifier rapidement les comptes de la paroisse. Je n'étais même pas vraiment à ma lecture tant les images de la nuit, les plaintes des agonisants, la terreur de la petite fille qui avait refusé mon crucifix, s'étaient engravées dans mon âme. Et c'est à cette heure pour le moins inaccoutumée et où l'on savait mes habitudes de méditation et de lecture, que Victoire, ma vieille servante, vint timidement me dire qu'il y avait à la porte, pleurant comme Agar au désert, une des religieuses de l'Institut. On l'avait priée de repasser. Elle insistait et demandait à me parler de la façon la plus pressante.

La religieuse en question ne m'était pas inconnue. C'était sœur Perpétue, l'une des plus dévotes, mais aussi des plus naïves de la petite communauté – le genre d'innocente (nous en avions, hélas, plus d'une) à voir le démon partout et à ne pas faire un pas sans son livre des sorcelages. Aussi ne fus-je pas outre mesure étonné quand, conduite jusqu'à moi et baisant le pli de ma soutane avec une émotion exagérée, elle se lança dans une histoire d'exilé français qu'on leur avait amené de l'hôtel du Grand-Miroir et qui était, me disait-elle, sous l'emprise de Satan. Elle me parla de ses cris. De ses rires sonores et prolongés. Des innommables blasphèmes qui obligeaient à fermer portes et fenêtres de la chambre où on l'avait mis. Elle me raconta comment, la veille de son arrivée, sœur Gertrude avait vu une belette qui, signe extraordinaire, traversait la route devant le portail. Comment, le lendemain, au dîner, sœur Léonie avait constaté que sa fourchette et son couteau avaient quitté leur place naturelle pour se disposer en croix. Elle me dit que c'est mère Isabelle en personne qui la dépêchait; qu'elle lui avait d'ailleurs donné – preuve de grande urgence! – la voiture de la maison; que si je ne venais pas aussitôt, le couvent tout entier en serait « maléficé ». La pauvre fille en fit tant, elle me parut si bouleversée, que je jugeai que la seule façon de l'apaiser était de céder à sa requête. Je posai mon paroissien. Donnai mes ordres à Victoire. Repassai par la sacristie afin d'y prendre, outre les sels et l'eau bénite, l'étole et le surplis dont je redoutais d'avoir besoin. Et me voilà donc, soupirant après cette matinée de recueillement et de prière, en train de rouler, avec sœur Perpétue, en direction de l'Institut.

Chemin faisant, je dus écouter mille récits encore, plus rocambolesques les uns que les autres, d'où il ressortait que le damné – elle ne l'appelait jamais que « le damné » – pleurait des larmes de plomb; qu'il avait eu, la nuit passée, de vraies sueurs de sang; que lorsqu'on lui présentait un miroir afin qu'il y fît sa toilette, il ne se reconnaissait pas et saluait. Elle me raconta qu'il gardait près de son lit un coffre mystérieux qu'il interdisait que l'on touchât et d'où ses compagnons de chambre juraient avoir vu sortir des théories d'esprits mauvais. Et elle me suggéra surtout – non sans prévenir, la malheureuse, qu'il faudrait l'entendre à demi-mot car elle préférait mourir que d'avoir à tout me dire – comment ce diable d'homme tourmentait sœur Henriette, la petite novice, nouvellement arrivée, qui s'occupait de son linge et qu'il ne savait remercier qu'en soulevant chaque fois exprès le drap qui le couvrait. J'eus beau la raisonner là aussi; lui expliquer que le cas était fréquent chez certains très grands malades; j'eus beau lui rappeler que la vision de la mort ne guérissait pas les hommes de leurs pensées les plus viles et que l'esclavage des sens est, de tous, le plus tenace : elle n'en démordait pas; elle ne savait que répéter l'histoire de sa postulante au regard irrévocablement souillé qui ne dormait plus, du coup, que sur la paillasse piquée de crins réservée aux religieuses coupables de grands péchés; et je constatai non sans surprise que l'approche de la rue des Cendres, au lieu de l'apaiser, redoublait sa litanie exaspérée.

A l'Institut même, j'étais attendu par une image plus surprenante encore. Cette maison que j'avais toujours vue, non pas certes paisible – les lieux où règnent la mort et la maladie ne le sont jamais tout à fait – mais empreinte de noblesse et de spiritualité, était la proie d'un désordre soudain et prodigieux. Il y avait une sœur dehors, dans la rue, qui, bravant toute convenance, guettait notre arrivée. Il y en avait au parloir, agenouillées à même la dalle, dans une confusion extrême, qui priaient, pleuraient ou récitaient leur chapelet. Ce n'étaient partout que murmures, clameurs retenues, bruits de portes qui claquaient, courses furtives dans les corridors ou dans l'escalier d'honneur qu'on ne descendait, d'habitude, qu'en grande componction. Et il n'était jusqu'à mère Isabelle, – son austère et simple maintien avait toujours été un exemple pour l'ensemble de ses filles – dont je n'eusse trouvé la figure décomposée et la parole toute décousue. Que se passait-il donc ? Quel vent de folie soufflait sur ce havre ? Et faudrait-il, à la fin, ajouter foi aux racontars de sœur Perpétue ? J'avoue avoir balancé, dans ces minutes, entre l'impatience que suscitent toujours en moi les excès de la superstition – et puis une forme, non pas certes de curiosité (le mot serait peu seyant à un homme de mon état) mais à tout le moins d'*intérêt* à l'endroit de celui qui, d'apparence, était cause de cet émoi.

Dois-je préciser qu'à cet instant je ne sais encore rien de lui ? Sœur Perpétue m'a parlé d'un « malade » en général. Elle a tout juste spécifié : « un Français ». Elle ne m'a même pas dit, je crois, qu'il s'agissait d'un écrivain. Et l'eût-elle du reste précisé, eût-elle mentionné non seulement ce métier mais un nom – ce que mère Isabelle a probablement dû faire à un moment ou un autre de la journée – que cela n'aurait, à l'époque, rien éveillé en moi. J'ai lu, depuis, votre Baudelaire. Et ce fut même pour moi, bien des années plus tard, un imprescriptible devoir que de rendre ce tardif hommage à celui que les hasards de mon état m'avaient fait croiser sans le connaître et qui se révéla donc ensuite, aux dires de certains, un écrivain de grand talent. Pour l'heure, je n'en suis pas là. Nous sommes, ne l'oubliez pas, à l'aube de cette année 1866 où personne, à Bruxelles, même dans les cercles lettrés, ne connaît son existence. Et il est encore bien loin le temps où des hommes d'Église et de foi verront dans sa doctrine de la chute, du péché, de la nature ou du châtiment la marque d'un catholicisme bien évidemment dévoyé mais qui, dans son égarement même, voire dans sa grossièreté, témoigne en faveur de la Sainte Croix. Ce qui veut dire que lorsque, ce matin-là, revêtu de mon étole et accompagné du seul garçonnet qui porte mon aspersoir, j'entre dans la pièce que l'on vient de me dépeindre comme le propre domicile du démon, je suis ému bien sûr (comment ne le serait-on pas, après un tel remue-ménage?) mais n'ai aucune espèce d'idée de l'inconnu que j'y viens voir.

Il est toujours difficile, surtout après tant d'années, de retrouver une impression dont on puisse dire avec certitude qu'elle fut la toute première. Il me semble bien pourtant, quand je repense à cette minute, que me frappa d'abord, contre toute attente, l'extraordinaire langueur qui se dégageait du personnage. Il gisait au bout de la pièce, sur le tout dernier lit, un peu à l'écart des autres, dans la lumière rétrécie qui tombait du hublot au-dessus de sa tête. Il y avait bien ce coffre, près de lui, dont les sœurs m'avaient parlé. Ce baquet d'eau posé juste à côté et qui était censé, dans leur esprit, absorber les mauvaises pensées qu'exhalerait cette âme perdue. Il y avait, suspendu au mur, en face du lit, un tableau que je n'y avais jamais vu et qui représentait un homme au visage un peu effrayant. Il y eut le regard apeuré, puis soulagé des autres malades de la chambrée au moment de mon entrée, ainsi que cet étrange espace mis entre leurs lits et le sien. Mais à ces détails près, je ne voyais aucun des désordres que l'on m'avait décrits. Je ne trouvais ni signes ni stigmates qui attestassent de la présence du démoniaque. Je vais peut-être paraître paradoxal : mais le spectacle de cette chair abandonnée et de ces deux bras maigres reposant le long du corps, celui de cette figure immobile et de son regard absorbé par la contemplation de la cimaise au plafond, me semblèrent la négation, non seulement de ce qu'on m'avait annoncé, mais du tumulte bien réel qui régnait de l'autre côté de la porte et qui, en comparaison, ne m'en paraissait que plus absurde.

Venant un peu plus près de manière à mieux l'observer, je vis que, en fait de signes et de stigmates, l'infortuné avait surtout ce teint terreux, ce souffle lent, cette lueur implorante au fond des prunelles quand il les tourna enfin vers moi, que je connaissais, eux aussi, pour les avoir maintes fois vus dans les moments douloureux de mon ministère. « Cet homme se meurt, me dis-je. Il est déjà, sous leurs yeux, entré en agonie. Et c'est moins un exorcisme qu'il lui faut que des paroles de paix, de miséricorde et de bienveillance. » Je lui apportai ces paroles. Je lui rappelai, comme il se doit, que cette vie n'avait qu'un temps; qu'il le savait; qu'il l'avait toujours su; qu'elle était bornée par la gloire de Dieu autant que par notre misère; qu'il était au seuil, maintenant; qu'il allait falloir passer et se préparer à comparaître devant le juge dernier. Je lui remontrai les avantages d'une fin chrétienne. Les mérites d'une communion ultime. Je lui dis qu'il était juste temps d'implorer la divine clémence. Et croyant qu'il allait me répondre (car les sœurs, dans leur trouble, m'avaient aussi mal informé de son état physique que de ses dispositions spirituelles) je lui demandai s'il se sentait en état de faire cette confession; s'il convenait que je l'aidasse; s'il préférait se redresser, se lever, être transporté ailleurs – ou bien rester ici, dans ce lit, où il avait visiblement tant souffert. « Daignez vous confier mon fils... Priez... Pensez à votre salut... Je suis venu pour vous entendre et aider votre âme égarée à s'élever jusqu'au Seigneur... »

Voyant qu'il ne bougeait toujours pas, qu'il ne parlait pas davantage et que mes exhortations, loin de le réconforter, ne faisaient que le rebuter, aigrir peut-être son affliction et charger ce regard, tout à l'heure presque éteint, de rancune et de terreur, je conclus que j'étais vraisemblablement victime de la méchante réputation que nous avons, nous les prêtres, auprès de certains et qui nous fait considérer comme d'affreux émissaires de la mort. Je repris alors. Posément. Prudemment. Je lui tins des propos plus aimables sur la maison, sa maladie, le dévouement des sœurs autour de lui. Je l'interrogeai – mais sans obtenir, bien sûr, plus de réponse – sur sa famille, son métier, les raisons de sa présence à Bruxelles, les amis qu'il y avait, l'ancienneté de sa maladie. Constatant que ses pommettes avaient pris cette couleur grise, comme macérée, que donnent les frayeurs immaîtrisées, je lui exposai que les prêtres étaient peu de chose; qu'ils n'avaient ni le pouvoir ni la prescience qu'on leur prêtait; que je n'étais là, il le voyait bien, que pour secourir sa détresse, seconder sa pénitence. Et c'est ensuite, et ensuite seulement, du ton le plus doux que je pus, que je l'invitai, de nouveau, avant qu'il ne fût trop tard, à recommander son âme à la bonté du ciel.

En un mot, je crois n'avoir ménagé ni ma peine ni ma foi pour essayer d'apprivoiser cette âme en perdition. J'ai fait les gestes qu'il était séant que je fisse. Dit les mots qu'il convenait de dire. J'ai déployé, en conscience, tous les arguments que je jugeais propres à éveiller ne fût-ce qu'un signe dans ce visage prostré. Mais l'homme restait absent. Pas un mot, pas un soupir ne franchissaient ces lèvres que je voyais promises à un si prompt effacement. Son regard même, que je pensais avoir capté, s'était à nouveau détourné, plus que jamais buté. Et j'en étais à me demander s'il m'avait entendu; j'en étais à me dire que cette vie à demi éteinte, tout occupée par sa souffrance, n'avait peut-être plus le pouvoir de réagir à des paroles de cette nature; renonçant à des consolations dont je voyais la vanité, je m'étais même résigné à lui donner l'onction sans confession; je préparais déjà mes hosties, faisais disposer ciboire et bénitier, je m'imprégnais déjà le pouce que j'allais lui imposer – quand, enfin, il s'anima.

« S'anima » est un mot bien faible pour dire l'extrême violence de ce qui s'est alors passé. Sont-ce mes gestes qui l'avaient ému ? La vue du saint viatique avait-elle réveillé en lui la funeste appréhension que je voulais conjurer ? Toujours est-il que ce corps qui n'avait manifesté jusque-là que la plus désolante des inerties fut pris d'une frénésie aussi brutale qu'inattendue. Il toussa. Cria. Toussa encore. Hoqueta. Son visage, si pâle, parut se gorger de sang. Ses yeux se révulsèrent. Ses lèvres écumèrent. Sa main, quand je la pris, avait la raideur d'un cadavre. Son souffle était tantôt rauque, très bref, comme s'il allait s'étrangler; tantôt lent au contraire, imperceptible, comme s'il allait s'exténuer. Et s'il lui arrivait, l'espace de quelques secondes, de s'apaiser, ce n'était que le prélude à un déchaînement plus fort encore puisqu'il recommençait presque aussitôt à geindre, renifler, puis agiter le bras, au-dessus de sa tête et de la mienne, avec une violence qui faisait le plus effroyable des spectacles. Le tout dans un concert de « crénoms » qu'il modulait sur tous les tons de la douleur et du blasphème.

Au début, j'ai cru qu'il passait. Je me suis dit que c'était la fin et je lui ai ouvert les bras pour recueillir ce dernier soupir. Mais j'ai vite compris que ce n'était pas cela. J'ai senti dans ses cris, ses mouvements, j'ai perçu dans cette rafale de véhémences qui explosait à mes oreilles, une vitalité de tous les diables qui n'était pas d'un mourant. Je dis « les diables ». N'allez pas imaginer que je parle comme ces âmes simples qui voyaient déjà dans votre ami une créature du démon. Mais il est vrai que, dans cette insurrection, quelque chose forçait la frayeur. Et je me suis surpris, quoique l'idée m'ait aussitôt fait honte, à marchander un court instant ma pitié à un être que dominaient de si insolites transports. J'ai souvent vu des hommes mourir. Encore plus souvent souffrir. Je crois avoir observé tous les degrés possibles de la douleur d'un corps. Jamais je n'avais vu regard si égaré. Jamais ce geste des mourants, d'éloigner quelque chose de leur gorge, ne m'avait paru si pathétique. Jamais, au grand jamais, je n'avais entendu de tels accents sortir d'une bouche de chair. Jamais, non plus, je n'avais vu porter sur une face la marque d'un pareil martyre. Et pourtant, je vous le répète, cet homme ne mourait pas.

Qu'arrivait-il alors? Quelle était la cause de cette effusion? J'ignorais tout de ce forcené. J'étais à cent lieues, je l'ai dit, d'imaginer que j'étais en présence de l'un des hommes qui avaient le mieux approché l'insondable mystère du trépas. Et je ne connaissais encore aucun de ces chants terribles, à la fois familiers et odieux à une oreille chrétienne, qu'il a voués à ce mystère. Pourtant ma déduction fut immédiate. Et sans entrer dans le détail des réflexions que je me fis, j'eus rapidement la conviction d'avoir affaire à une douleur qui n'était si saisissante que parce qu'elle touchait à l'âme autant, voire davantage, qu'au corps. Cette douleur de l'âme, rien ne pouvait la consoler. Aucun baume humain n'aurait su l'apaiser. Et ceci parce que cet homme était, de tous ceux que j'ai côtoyés, celui dont *la peur de la mort* était la plus poignante. Vous connaissez, n'est-ce pas, ces gravures du Moyen Age où l'on voit la forme du squelette percer sous le masque du vivant ? le rictus hideux, derrière l'incarnat des plus charmantes chairs ? J'étais devant une de ces gravures. J'avais la sensation, avec lui, de plonger dans l'une de ces ténèbres. C'était une chair si mince soudain, si énervée, qu'on y lisait en filigrane tout ce fond d'horreur habituellement invisible. Et ce malheureux, qui mourait de ne pas mourir, me donna le sentiment, pour la première fois si clair, de toucher du doigt la mort.

Au bout d'un moment, il s'apaisa et tomba dans une espèce de léthargie. Je lui tâtai le pouls : il vivait. J'approchai un christ de sa bouche : ses lèvres frémirent. Je sortis alors, et entrepris de rassurer les sœurs qui, derrière la porte, agenouillées sur la dalle, les mains jointes, les yeux clos, n'avaient apparemment rien perdu de ce long corps à corps. « Levez-vous, leur dis-je... La souffrance d'un homme se purifiant de ses péchés fait parfois grand tapage... Mais cette âme glacée a su se ressaisir dans la chaleur de la communion... Faites provision de compassion, car il n'est, je le crains, qu'au commencement de son calvaire... » Est-ce une illusion de mon regard d'alors ? De ma mémoire, aujourd'hui ? J'ai le souvenir, lorsque je me retrouvai dehors, d'un ciel bas, d'une brume un peu lourde et d'une clarté matinale qui, du côté de l'horizon, avait commencé de tourner au gris. Je repris le chemin de mon presbytère – pensif, troublé et probablement tenté de voir dans ces images quelque chose de rare et de précieux qu'il me faudrait conserver et peut-être, un jour, retrouver.

4

Quelques jours après les faits rapportés par le père Dejoncker, le 14 avril exactement, on annonça à Paris la mort de Charles Baudelaire. C'est Georges Maillard qui, dans *L'Événement*, donna la nouvelle le premier. Il fut suivi par Henry de La Madelène qui, dans *Le Temps*, titrait « Un deuil pour la littérature française ». Le *Nain jaune*, deux jours après, publia une longue étude qui s'ouvrait sur ces mots : « Le poète des *Fleurs du Mal* vient de mourir tristement à Bruxelles dans une obscure chambre d'auberge et sa mort foudroyante a été, cette semaine, l'émotion littéraire de Paris. » Le camp ennemi ne fut pas en reste qui, par la voie du *Journal* ne perdit pas cette occasion d'insulter – *sic* – « ce niam-niam d'un mysticisme bêtasse où les anges ont des ailes de chauve-souris et des faces de catin ». Et ce fut, de proche en proche, dans l'opinion qui pense et qui lit, un beau remue-ménage et le début d'une polémique – tant il est vrai que rien ne devait être épargné à ce grand homme; que le guignon devait le poursuivre jusqu'à l'extrême bout de son chemin; et qu'on lui refusa même cette humble trêve, fausse sans doute, menteuse, mais qui est comme une révérence ultime que l'on doit à tous les morts et qui veut que la guerre cesse au moins le temps d'un requiem.

Ma réaction personnelle fut, est-il besoin de le préciser? à l'image exacte des tourments que je venais de traverser. J'étais choqué, bien entendu. Désespéré. Je prenais ma part, non seulement du deuil, mais de la querelle qui s'engageait. Mais je ne pouvais pas me dissimuler – et j'aurais plus mauvaise grâce encore à essayer de le faire aujourd'hui – que toutes ces bonnes pensées étaient éclipsées par une autre qui l'était, hélas, beaucoup moins et qui ressemblait fort à un sentiment de délivrance. Non pas, d'ailleurs, que je fusse sincère ici, et hypocrite là. Ni que ces deux états différents, et qui se disputaient mon cœur, vinssent en contradiction l'un de l'autre. Aussi choquant que cela puisse paraître, j'étais à la fois accablé et soulagé. J'étais accablé en raison directe, et non inverse, de ce soulagement. Ou, si l'on préfère : je me sentais si libre tout à coup, si léger, c'était un si grand poids dont cette mort me délivrait, que rien ne s'opposait plus à ce que, pour la première fois depuis le début de toute l'aventure, j'éprouvasse un sincère et beau chagrin. Comme rien ne m'était plus agréable, lorsqu'un grand sentiment m'étreignait, que de le répandre à la ronde, et comme j'étais encore dans l'âge où j'écrivais vite et bien, j'y allai, moi aussi, de mon article nécrologique. Quelle joie de se sentir vertueux!

J'ai la chronique ici, sur ma table, découpée dans la première page du *Matin* du 17 avril. Elle est longue, ennuyeuse. Je la trouve, à la relecture, très marquée par cette emphase que j'avais parfois tendance, alors, à confondre avec le chagrin. Je m'y lamentais comme les autres sur cette fin sinistre, tellement peu digne d'un poète. Mais j'y insistais aussi sur ce fameux « non, crénom » qui figurait, à mes yeux, le comble de la misère. « Tous les mourants, écrivais-je, ont un dernier mot. Tous, même les plus calamiteux, ont la ressource ultime de ciseler une phrase ou deux à l'adresse des héritiers. Et nous savons, nous, les poètes, de quel usage sont ces phrases quand il s'agit, avant de partir, de se draper dans la pose et de rendre un sens à sa vie. Eh bien Baudelaire n'a pas cette chance. Il n'a pas eu ce privilège. Il sera le seul d'entre nous à s'être vu privé de ce commode et constant recours qu'est un beau dernier mot de mourant. » Et je concluais par cette question terrible, scandaleuse d'impudence, mais qui était une nouvelle façon, pour moi, de tenter le sort et le diable : « Qui sait ce qu'eût été ce mot si un destin funeste n'avait privé cet homme de son organe? Qui sait s'il ne nous eût pas donné, par exemple, la fin de ce dernier livre auquel nous savons qu'il travaillait et dont rien ne restera? » J'attendais beaucoup de cet article. Rien ne vint. Car c'est le jour de sa parution qu'arriva, comme chacun sait, le démenti : Baudelaire était vivant et nous avions, tous, parlé trop vite.

Les hommes de ma génération se souviennent, je pense, de l'émotion que suscita l'histoire. C'était la première fois, pour le coup, que pareille aventure se produisait. Et nous reprîmes tous nos plumes pour gloser sur l'effet que cela devait faire, quand on était poète, de voir sa propre mort imprimée dans les gazettes. « Quel effet, oui? demandais-je, dans la livraison suivante du *Matin*. Est-on choqué? stupéfié? terrifié comme en face d'un présage? accablé comme après un oracle? Y a-t-il un moment où on se dit : " c'est peut-être vrai après tout... je suis le dernier averti, mais c'est vrai... "? Un autre où l'idée vous vient : " voilà... c'est ça la mort... je suis mort et ce n'est que ça... " N'y a-t-il pas là, plus simplement, le rêve secret de tout écrivain : assister de son vivant à ses propres funérailles? sentir monter à ses narines l'encens du renom posthume? » Je faisais le fier. Je plastronnais. Mais il y avait une dernière question, plus bouleversante encore, que je ne posais bien entendu pas et qui était pourtant la seule qui comptât vraiment – ravalant les premières au rang des discussions d'école : qu'avait-il pensé, là-bas, dans son hospice, non pas de nos nécrologies en général, mais de la mienne? et quel effet cela faisait-il, lorsqu'on s'est vu voler un livre par un improbable scélérat, de découvrir que ledit scélérat, croyant votre mort consommée, s'interroge dans les journaux sur l'existence et le sort de l'objet de son larcin – et ajoute donc à la trahison l'effronterie de la fausse candeur? J'ignorais – nous ignorions – s'il était, ou non, capable de lire; mais nul ne doutait qu'il se trouvât assez de belles âmes à son chevet pour le tenir au fait de nos articles.

Je ne voudrais pas laisser croire que je passais ma vie, en ce temps-là, à déchiffrer les augures que m'envoyait la Providence. Mais il est des moments où, face à des dilemmes singulièrement douteux, le moindre mouvement devient un signe, le moindre signe un commandement – ce commandement devenant lui-même d'autant plus clair et impérieux que rien, en dehors de lui, ne force autrement la décision. C'est ce qui s'était passé au Grand-Miroir, pendant la fameuse nuit où, ses derniers propos me revenant, la plus banale de ses paroles prenait l'allure d'une invite. C'est ce qui se passa à Paris, pendant ces quelques jours d'une mort annoncée puis démentie qui m'apparut, je ne sais pourquoi, comme une ruse du destin et une épreuve qu'il m'imposait. Voilà un mois que j'hésitais. Un mois que je ruminais mes doutes et mes remords. Eh bien le message était là. Il était net, incontestable. Tout se passait comme si, las de m'adresser des signes auxquels je restais sourd, le ciel m'en envoyait un dernier : le plus terrible, le plus noir, le seul auquel – parce qu'il touchait à la mort – le plus endurci des criminels ne pouvait se dérober. Je réfléchis deux jours. Au matin du troisième, tout était clair. La tête légère, la conscience presque apaisée, j'avais arrêté ma décision : retourner à Bruxelles et restituer « Pauvre Belgique ! ».

J'arrivai en gare du Midi le 20 avril, en début de matinée, soit juste trois semaines après mon premier voyage. Il faisait beau. Presque chaud. Le ciel avait cette même teinte dorée que, j'imagine, le jour où l'on vint chercher le père Dejoncker dans le jardin de son presbytère. Les femmes étaient belles. Les étals à poissons, déjà ouverts. Les arbres de la place Fontainas avaient, depuis mon départ, retrouvé leur feuillage. Et la ville tout entière offrait un air de fête et d'insouciance, bien différent lui aussi de ce que j'avais laissé et qui s'accordait merveilleusement à mon humeur du moment. C'était le même voyage, en un sens. Le même homme que je venais voir. La même sourde inquiétude à l'idée de ce que j'allais trouver ou, au contraire, ne plus trouver. C'était le même train. La même place Rouppe, avec ses façades chantournées. La même rue du Midi qu'il fallait, du même pas, descendre jusqu'à la station de fiacres de la Grand-Place. Et il n'est pas jusqu'à ma vieille grisette qu'une hallucination de la nostalgie crut me faire reconnaître à la hauteur du jardin botanique. Simplement – et cela faisait la différence –

j'étais, cette fois-là, comme un criminel en puissance qu'une invisible main guidait déjà vers son forfait; alors que je devenais, cette fois-ci, un bienheureux pénitent venu de son propre chef, sans autre prescription que celle de son cœur, rendre à un homme son dû et récupérer, lui, son âme.

Signe de ces temps nouveaux; alors que j'avais eu tant de mal à trouver le chemin du Grand-Miroir, ma voiture me conduisit d'un trait à l'institut Sainte-Élisabeth et Saint-Jean. C'était donc ça! Cette haute bâtisse de pierre jaune! Ces grandes fenêtres en hublot, repliées sur leur misère! C'est ici, à l'abri de cette façade austère, que j'allais tout à la fois le revoir (ce qui était déjà, en soi, une source de vive émotion) et mettre un point final à l'aventure (ce qui équivalait, pour moi, dans l'état de détresse où j'étais tombé, à une manière de renaissance). Je fus reçu par une sœur infirmière un peu grognon. Puis par mère Isabelle, plus civile. J'eus droit à de longs boniments (mais qui, comparés aux aigreurs, aux manœuvres, aux humiliations de Germaine Lepage, m'étaient presque délicieux) sur la diablerie du malade, les preuves nouvelles qu'on en avait, les risques que je prenais en lui rendant visite à cette heure. On me conduisit même, pour me convaincre mieux, à la cellule de sœur Henriette où mon humeur allègre ne put s'empêcher d'apprécier ce joli minois de nonne, bien encadré dans sa coiffe grise, tandis que, les yeux baissés, elle écoutait la mère supérieure me faire le récit de ses émois.

« Sœur Henriette est si bonne, s'extasiait-elle... si dévouée... l'arrivée de ce malade était, pour elle, comme un défi que lui adressait le Seigneur... toujours la première à lui parler, le calmer, lui rafraîchir le linge humide qu'il porte sur les tempes... toujours prête à le pommader, nettoyer ses escarres, le faire manger... jamais un mot de rechignement pour laver ses pansements, ses linges souillés... sa dévotion est un exemple... son courage un don du ciel... et vous n'imaginez pas, Dieu nous en garde, à quelles extrémités ce démon est allé face à cet ange... » Oh oui, ma mère, j'imaginais! J'imaginais même trop bien l'émotion de mon ange à moi face à ce teint charmant, ces lèvres couleur de fraise, cette taille un peu trop prise dans le jeté de la robe et cette façon qu'elle a, moi qui n'ai ni linges ni pansements souillés, de me regarder par en dessous... Le diable, disaient-elles? Je n'étais pas sûr, en écoutant, qu'il eût la figure qu'elles prétendaient; ni que cette ingénue n'eût pas, sous son habit, un peu de ce que je devinais des charmes de la Duval, de la Sabatier ou de la Daubrun. Comme le temps pressait et que je n'étais tout de même pas venu pour rêver sur les appâts d'une nonne, je ne soufflai mot de mes pensées; et, prétextant l'heure du train, demandai que l'on voulût bien, à la fin, me faire entrer.

C'était une grande pièce tout en longueur, un dortoir plutôt qu'une chambre, où s'alignaient sept lits, le sien étant, en effet, comme le dit le père Dejoncker, le tout dernier de la rangée. Il y avait, autant que je me souvienne, un enfant. Une vieille femme. Un malheureux au visage tout noir, mangé par la gangrène. Un lit vide. Un autre homme, à l'agonie, qui râlait. Un ancien cocher m'avait-on dit, aux torse et bras herculéens qui jaillissaient du drap, le bas du corps étant paralysé. Et à côté de lui enfin, ayant fait, sans que l'on sût pourquoi, de ce malheureux hercule un souffre-douleur, rampant jusqu'à lui, chaque nuit, de tout le poids de son corps également infirme et venant lui hurler aux oreilles ses innommables « non, crénom », pendant que l'autre, pour se défendre, battait l'air avec ses bras – à côté de lui, donc, baignant dans ce parfum mêlé de vieillesse, de charogne et de chair encore vivante, juste sous le hublot dont le vitrage trop épais faisait une lumière, non plus dorée comme dehors, mais métallique et presque grise, il y avait ce dernier corps qui me tournait le dos de la même façon, exactement, que dans sa chambre du Grand-Miroir.

Saisi par l'émotion – et, cette fois, par la coïncidence – je priai les sœurs de me laisser. Fermai la porte avec précaution. Restai quelques secondes là, sur le seuil, à contempler la masse qui allait s'animer dans un instant – et avec quelle violence! quel dédain peut-être et quelle haine! – quand apparaîtrait le scélérat qui, depuis tant de jours, était sûrement l'objet de tant de malédictions. De là où je me tenais, je le trouvais plus petit encore que le matin de notre rencontre. J'ai observé, malgré la distance, qu'il avait, au bas de sa chemise, une vilaine tache brune que la vigilance de sœur Henriette avait apparemment négligée. L'image m'a traversé, allez savoir pourquoi, de ces viscères têtus, puis de ce membre dont la hideuse persévérance inquiétait tant les religieuses. Enfin, comme ses compagnons de chambrée allaient finir par trouver mon attitude étrange et que le cocher, notamment, semblait sur le point d'appeler, je me dirigeai à petits pas, comme si je craignais de l'éveiller, vers le coin de la pièce où il était. Il y avait une chaise. Je la tirai près du lit. Je toussai un peu pour signaler que j'étais là. Je remarquai encore que sa chemise, toujours impeccable à l'hôtel du Grand-Miroir, était élimée au col et aux manches. Et c'est alors que, devinant ma présence, il consentit à se retourner – me réservant, on va le voir, le plus grand étonnement de ma vie.

Sa physionomie, déjà, était à elle seule une surprise. J'avais quitté, certes, un malade. Mais un malade valide, loquace encore, capable de bouger, de s'emporter et conservant surtout, dans le visage, toute la belle lumière de son intelligence. Or il fallait bien admettre que j'étais en présence d'un homme non pas défiguré (les traits n'avaient pas changé, ils n'étaient ni plus vieux, ni plus émaciés, ni même plus ravagés) mais proprement transfiguré (comme si le visage avait été habité, traversé pendant ces semaines, par une âme qui n'était pas la sienne et qui ne lui ressemblait plus). Maintenant que j'étais tout près, je voyais que de la bave moussait au coin des lèvres. Des débris de nourriture lui salissaient le tour de la bouche, le menton. Ses yeux mêmes étaient très légèrement tirés de leurs orbites – ce qui lui donnait perpétuellement l'air de s'étonner ou de s'excuser. Et cet arrogant, ce dandy, ce furieux qui, la veille encore, vous aurait foudroyé d'une seule parole, présentait dans l'expression un mélange d'aménité et d'abandon qui confinait à la niaiserie. Où ai-je lu que les yeux et la voix sont les dernières choses qui restent dans un visage qui lâche ? La règle, si elle est vraie, ne valait pas pour cet homme-là. Car ils étaient précisément, cette voix et ce regard, ce qui, chez lui, avait le plus changé; et ils suffisaient, alors que tout le reste (le teint, le soyeux des cheveux, la forme des pommettes ou le dessin du front) se maintenait, à mettre entre lui et l'auteur des *Fleurs du Mal* un espace définitif.

Une autre surprise, et pas la moindre, était que ce malade n'avait nullement l'air de l'agonisant que la rumeur parisienne et bruxelloise s'employait à accréditer. Je ne suis pas le père Dejoncker. Et je n'ai pas avec ces matières un commerce suffisant pour prétendre, au premier coup d'œil, en juger infailliblement. Mais enfin je connais le regard des mourants. Ce sont des regards qui ne voient plus rien, qui se replient vers le dedans et sont déjà comme absorbés par le néant qui les appelle. Or ce qui me frappa chez lui, à la première seconde, c'est qu'au contraire il voyait tout; qu'aucun détail, aucun mouvement ne lui semblait indifférent; c'était un drôle de regard fouineur, monstrueusement attentif, qui s'éveillait au moindre froissement de drap, au moindre soupir de ses voisins. Sans doute l'avait-il eu, ce noble regard des mourants, trois ou quatre semaines plus tôt, avant notre rencontre, quand, après sa première crise, il s'évadait petit à petit de son inutile enveloppe de chair pour ne plus coïncider qu'avec le souffle de ses vers; mais c'était apparemment le plus cruel et paradoxal effet de son mal que d'avoir retendu ses liens avec le monde et de lui avoir redonné cette lucidité avide, presque vorace, qui l'absorbait tout entier dans la contemplation de ce qu'il aurait lui-même, en d'autres temps, appelé avec mépris l'« ordre naturel et organique ». Ce qui était vrai des choses l'était encore plus de soi. On sentait chez cet homme une attention à son corps, au désordre de ses organes, on devinait une façon de se tenir à l'affût de sa souffrance, de s'arrondir dans sa misère, de la chérir peut-être ou de la cultiver, qui n'étaient pas d'un mourant – mais de quelqu'un qui savait avoir encore un long, très long chemin à faire en compagnie de sa maladie.

Mais la surprise, la vraie, celle qui allait non seulement me sidérer mais orienter à nouveau ma vie dans la direction la plus imprévue, tint à l'accueil qu'il me fit. J'attendais une violence, je l'ai dit. Au moins une colère. Je m'attendais – et je m'y étais du reste intérieurement préparé – à des réactions extrêmes voire embarrassantes. Il allait hurler. Frapper peut-être. Faire appeler ses amis, la presse, la police. Il allait prendre l'hôpital à témoin de l'impudence d'un homme dont l'infamie le hantait depuis des jours et des jours – et qui osait, sans vergogne, reparaître devant ses yeux. Sans doute ne me laisserait-il même pas le temps de parler, et les religieuses accourraient-elles avant que j'aie pu exposer le motif de mon départ, de mon retour, de mon remords, etc. Or il ne se passa rien de cela. Le malade, quand il me vit, me regarda d'un air distrait. Hocha la tête. Se tourna un instant vers la porte, comme s'il en espérait une explication ou un renfort. Me regarda à nouveau, avec une expression étonnée, puis joviale. Et il partit alors d'un grand éclat de rire; non pas, je crois, le rire « sonore et prolongé » dont parle le père Dejoncker, mais un rire aimable, oui, bon enfant, un rire de franche et vraie gaieté, probablement semblable à celui dont Asselineau m'avait parlé à la Mazarine et qui était réservé, d'après lui, aux amis qu'il se réjouissait de revoir.

Ahuri, croyant à un piège ou une ruse, je bredouillai que oui, voilà... j'étais revenu... c'était prévu, bien entendu... il ne fallait pas m'en vouloir, n'est-ce pas... c'était juste une escapade... j'avais tant d'admiration pour lui... tant de respect pour ce qu'il écrivait... le livre sur la Belgique...? mais il était là, voyons, le livre sur la Belgique... c'était comme une relique... un talisman que je rapportais... nous allions le brûler maintenant, puisque c'est ce qu'il voulait... je le regrettais toujours, mais il semblait y tenir tant... Et le cœur battant, la sueur au front, devinant sa rage qui montait et qu'il ne dissimulerait plus très longtemps, je sortis de la mallette où je les tenais rangés les six cahiers qui, depuis mon départ, nous tourmentaient tous les deux. Or là encore il me regarda. Les regarda. Posa sur moi un œil rond qui le fit ressembler, soudain, à l'horrible petit Ballotin. Il eut un signe de connivence pour le cocher qui nous observait à la dérobée. Marmonna quelques « crénom ». Ferma les yeux. Bâilla. Et, comme si l'affaire était décidément du plus haut comique, repartit d'un éclat de rire plus long, plus bruyant encore que le précédent.

De plus en plus surpris, presque furieux moi-même, je lui ouvris un cahier sur les genoux. Lui en mis un autre dans la main. J'en pris un troisième dont je commençai de lire à haute voix les passages les plus beaux, ceux qu'il m'avait dictés avec le plus de foi. J'étais tout près de lui maintenant. Nos visages se touchaient. Je respirais l'odeur fade, d'urine et de médicaments, qui émanait de ce corps en déroute. Par une ultime ironie de notre histoire, c'est moi qui récitais, qui dictais – et lui qui, sagement, avec la même attention un peu stupide que je devais avoir au Grand-Miroir, écoutait. Et il arriva cette fois que son corps s'anima; oui, je dis bien son corps; sa tête; ses membres même; par un prodige de la mémoire dont je n'ai pas fini de m'émerveiller, il retrouvait sous mes yeux, tandis que je déclamais ses pages, les positions, les expressions qu'il avait trois semaines plus tôt en me les disant lui-même; mais par un autre prodige, non de la mémoire mais de la maladie, son âme, elle, ne manifestait aucun signe d'intérêt ni d'émotion. L'évidence était là. Charles Baudelaire avait gardé la mémoire physique de ces lignes où il avait cru mettre sa toute dernière pensée, mais il n'en avait conservé aucun souvenir conscient. Comme pour achever de m'en convaincre, il tourna résolument la tête, alors, en direction de la porte : sœur Henriette, alertée par le bruit, entrait à petits pas; et, tandis que je continuais de lire, incrédule, à voix plus basse, il s'abîma dans la contemplation de la tisane qu'elle apportait.

5

Nous y sommes. Le père Dejoncker l'avait prédit. Je l'avais moi-même deviné. Nous avions compris, l'un comme l'autre, que la vie allait encore imposer à l'auteur des *Fleurs du Mal* d'inutiles journées à Bruxelles en compagnie des sœurs hospitalières. Puis de longs mois à Paris – treize, pour être précis – à la clinique du docteur Duval, entre une mère abusive, un tuteur maladroit et des amis acharnés à surprendre d'éventuels éclairs dans ce visage définitivement ahuri. Charles Baudelaire est mort sans l'être. Foudroyé mais survivant. Accablé de la plus terrible des maladies, semblant ne plus offrir à la mort que l'ombre d'une proie, il ne jouit plus que d'une existence infime, végétale. Et il entre par conséquent dans une interminable agonie qui n'est plus celle du poète et qui m'autorise, je crois, à clore le récit de ces derniers jours. Pour moi, en revanche, l'histoire ne faisait que commencer – avec son train de misère, de malheur, de déchéance et puis, tout au bout, ce livre que j'achève et qui en est le tribut.

Je ne m'attarderai pas sur la confusion de mes sentiments au sortir de cette dernière visite à celui dont le destin était plus que jamais lié au mien. J'étais venu m'acquitter. Payer cette dette qui me dévorait. J'étais venu rendre ce livre que j'avais tant convoité mais qui, maintenant, m'épouvantait. Et tout conspirait à me convaincre que mon salut, la paix de mon âme ou, plus prosaïques, mon avenir et mon honneur, étaient au prix de ce geste. Or ces pages que je rapportais, voici que leur auteur n'en voulait pas. Pis : dans le brouillard où il était, voici qu'il prétendait ne plus les reconnaître. Était-il sincère? Était-ce une feinte? Une ruse de malade? Pensait-il, lui, dans la lucidité qui lui restait, que ce livre n'était pas bon? Qu'il était maudit? Et que, maudit pour maudit, c'était un bon tour à me jouer de me laisser me l'approprier? Nul ne le saura jamais. Ce qui est sûr, c'est que je quittai l'Institut, ce matin-là, avec les cahiers sous le bras. Et puisque ma vie, dans ces semaines, n'était décidément guidée que par une succession de « signes » plus improbables les uns que les autres, le message, pour le coup, était irréfutable : il était écrit que je n'échapperais pas à « Pauvre Belgique! »; malgré mes efforts, malgré l'ultime élan de ma vertu et de ma loyauté, ces pages me revenaient.

Rentré à Paris, dans un état d'incertitude auquel je n'essayai plus, cette fois, de résister, je fis deux paquets de ces cahiers. Dans l'un, je mis le fruit des quelques séances dont j'ai prévenu que je ne dirais rien et que j'adressai, sous un faux nom, à la douzaine de revues qui faisaient alors l'opinion. Dans l'autre, je mis, outre le texte des deux dictées dont j'ai donné le résumé, celui de nos échanges sur le rire, la modernité et Robespierre; et, rassemblant le tout sous le titre des *Litanies du genre humain*, j'en fis la matière du petit livre publié, sous mon nom cette fois, en janvier 1867, à la librairie Dentu. Ce partage avait, à mes yeux, un double mérite. Diviser d'abord le poids de ma faute en n'en signant que la moitié. Mais favoriser ensuite une expérience qui, pour le baudelairien que j'étais encore, aurait valeur déterminante. Souvent, dans les cénacles où nous déplorions le guignon qui s'acharnait sur cette œuvre, nous avions avancé l'idée que son auteur pouvait, à son insu, en être responsable. Nous parlions de son ourserie, de ses maladresses, de ce fichu caractère qui était peut-être, donc, l'une des causes inaperçues du malentendu qui le poursuivait. Comment, dans ce cas, ne pas être tenté de vérifier ? Comment ne pas essayer, une fois au moins, de libérer ces livres de celui qui leur faisait tant d'ombre ? Bref, comment ne pas être séduit par l'idée de prendre quelques morceaux de « vrai » Baudelaire; de les faire naviguer sous un, deux pavillons de complaisance; et d'évaluer ainsi, maintenant qu'ils en étaient dépris, la part de malédiction que leur infligeait leur père ?

Pour le premier paquet, la réponse fut immédiate et, hélas, sans équivoque. Sur l'ensemble des revues auxquelles j'avais envoyé le texte, huit ne prirent pas le temps de répondre. Trois expédièrent au mystérieux écrivain, à l'adresse fictive que j'avais indiquée, des lettres qui, si je ne me sentais tenu, sur cette partie du manuscrit, au secret le plus total, ridiculiseraient leurs signataires. La dernière, celle qui consentit à publier, le fit de si mauvaise grâce, dans l'ignorance si manifeste des joyaux qu'elle avait en dépôt, qu'elle remit de mois en mois, pendant deux ans, son effective édition. Et quant au texte lui-même, il fallut bien admettre, lorsqu'il parut, qu'il tombait dans une indifférence exemplaire. Je n'attendais pas un pétard. Ni un événement éditorial majeur. Mais j'espérais un intérêt. Un début de curiosité. Des questions peut-être. Une énigme. Un débat, à la manière des dîners de la rue Frochot. Rien de tout cela ne vint. Ces pages n'eurent pas d'écho. Je ne crois pas qu'il y ait eu plus de quelques dizaines d'amateurs pour remarquer, au sommaire de la revue Z, ces pages à la tonalité pourtant si familière. Et je ne suis pas sûr qu'il s'en trouve beaucoup plus d'un aujourd'hui pour relire parfois ces lignes, s'imprégner de leur parfum et y réentendre la voix du vrai Charles Baudelaire.

Pour le second – celui que je signai – le résultat de l'expérience fut, s'il se peut, plus accablant. On remarqua le livre. Précédé de ma réputation et de mon nom, il fut l'objet de commentaires nombreux. Mais il advint cette chose étrange que tout ce peuple d'amis, critiques, faiseurs d'opinion en tout genre qui n'avaient jamais manqué, jusqu'ici, de fêter chacun de mes écrits, furent unanimes, cette fois, à afficher leur déception. « Que lui arrive-t-il? Que signifie ce livre absurde? Comment a-t-il pu, lui si charmant, si plein de sympathie pour ses semblables, se laisser aller à d'aussi sombres points de vue? Et ces théories sur la nature? Ces divagations sur les catholiques? Ces élucubrations sur l'artifice et le procédé, qui insultent les poètes? » On reconnut cette fois, bien sûr, l'empreinte baudelairienne. Mais ce fut pour déplorer le dogmatisme des disciples qui figent l'erreur géniale du maître. Le livre fut un échec. On y vit le premier faux pas d'un débutant doué. Et l'on eut la bonté de me donner rendez-vous pour le suivant, lorsque j'aurais retrouvé ma « véritable inspiration »; sans savoir, bien entendu, que ce suivant ne viendrait plus – mais à sa place, trente ans plus tard, cet ultime témoignage.

Car voici le plus extraordinaire. Toute cette aventure, on s'en souvient, avait commencé par mon regret d'être ce débutant parfait, plein d'aisance et de grâces, mais tragiquement dépourvu de l'intime gravité qui donne aux livres leur poids. Et je pensais, par mon enquête, par mes conversations, enfin par mon larcin, m'incorporer en quelque sorte la sainte hostie baudelairienne qui, au terme d'une transsubstantiation bien dans l'esprit de ma religion d'alors, suffirait à me guérir de mon tragique déficit. Or là encore le contraire arriva. La potion miraculeuse eut l'effet inverse de celui que j'escomptais. Et, non content de ne pas guérir, je me trouvai frappé d'une maladie nouvelle que rien ne laissait prévoir et contre laquelle je croyais être, de tous mes contemporains, le mieux immunisé. Loin que l'épreuve densifiât une pensée liquide, elle acheva de liquéfier ce qu'il y avait de dur, de dense dans ma langue. Et moi qui, déficit ou pas, avais tout de même cette vertu d'écrire à volonté et qui, depuis quatre ans, avais fait succéder livres, chroniques, prises de position et manifestes au rythme d'une carrière menée dans l'allégresse, je me découvrais soudain étonnamment paralysé.

J'ai beaucoup réfléchi, depuis, à l'origine d'un mal qui, de l'extérieur, apparaissait, je suppose, comme une incompréhensible calamité. Parfois je me disais qu'il en allait du Livre absolu comme du soleil ou de la mort et que, à vouloir trop le fixer, on se brûlait l'âme et les yeux. Parfois, que j'avais été Baudelaire, physiquement, moralement, pendant quelques jours de ma vie et que je payais cette démence par une dissolution de moi-même. Parfois, qu'après ce que j'avais vu, après avoir touché de si près la source même du Beau, mes propres exercices ne pouvaient me paraître que fades, mes

Rêve d'Aristote et autres *Dix Petites Gloses* accablants de banalité. Parfois encore, repensant à la façon dont ce Livre, sous ses deux versions et signatures, avait été reçu, revoyant ces philistins s'extasier sur mes exploits infimes et dédaigner maintenant la majesté de ce qu'une voix sublime m'avait soufflé, je trouvais la comédie décidément trop odieuse, désespérante d'absurdité : à quoi bon écrire, à quoi bon publier, dans un monde où les pompeuses pages d'une étude sur la modernité pèsent apparemment plus lourd que les subtilités de « Pauvre Belgique! »? Et puis, le plus souvent, je songeais que j'avais tout simplement commis le plus impardonnable crime que pouvait concevoir un écrivain – et que j'étais en train de le payer au prix d'une amertume qui pourrait bien être le goût du reste de ma vie.

Aucune de ces explications n'était, bien entendu, satisfaisante. Aucune ne rendait tout à fait compte d'une si bizarre malédiction. Et j'étais plein de méfiance, cela va sans dire, à l'endroit des relents de magie qui infusaient toute cette affaire. Mais le moyen, sans magie, d'expliquer un tel prodige? La manière, par la ressource du simple bon sens, de comprendre un phénomène qui défiait toute raison? Cette expérience était trop singulière pour ne pas m'avoir laissé d'indéchiffrables séquelles. Et je me résignais à penser, faute de mieux, et en mesurant bien le vague de la formule, que ce crime, ce jeu auquel je m'étais risqué, avaient à jamais frappé, pour moi, les mots de fausseté – et que tout se passait comme si m'en était venu le préjugé d'une langue fallacieuse, siège de toutes les duperies et scellée, désormais, par un impénétrable sortilège. Ce dont je ne doutais pas, en tout cas, c'est que les choses s'étaient jouées là, dans cette zone de grande énigme. Ce qui, aujourd'hui encore, m'apparaît indubitable c'est que c'est ici, entre Bruxelles et Paris, à l'invisible mi-chemin de l'hôtel du Grand-Miroir, de l'institut Sainte-Élisabeth et des cercles parisiens où je pérorais sur le dernier mot des écrivains, que j'ai contracté cette forme nouvelle de ce que Chamfort nommait – sans que j'en comprisse longtemps le sens – la « maladie de soi ».

Temps des promesses non tenues. Des chroniques non rendues. Temps où le moindre article se mit à me coûter et perdait, quand j'y parvenais, cette désinvolture aimable que l'on m'avait, jusque-là, volontiers reconnue. Temps où les sujets semblent nuls, les vers tous mal venus, où l'on commence à mentir à ses amis, puis à ses éditeurs, puis à soi-même enfin, avant de se résoudre à l'implacable vérité. On attendit mon prochain livre, donc. D'abord avec indulgence. Puis avec impatience. Puis avec un étonnement mêlé de suspicion. J'arrivai, au bout d'un an ou deux, à accréditer l'idée d'un sujet gigantesque, présage d'un livre monumental. Puis, l'année suivante encore, la rumeur, plus difficile, du monument terminé, mais que de mystérieuses raisons me poussaient à différer. Un beau jour, pourtant, je n'accréditai plus rien du tout. Car, de mensonge en rémission, d'attente déçue en expédient, j'avais fini par lasser et par disparaître du paysage. Loin de moi l'idée de comparer cet état à l'effrayante aphasie dont venait de mourir mon modèle. Mais quand je sentais ma langue devenir cette langue morte, quand je voyais mes mots, autrefois si agiles, qui, au contact de la page, paraissaient se rétracter et me fuir, je n'étais pas loin de songer que je vivais une fois de plus en « mineur » ce qu'il avait éprouvé, lui, dans l'enfer et la damnation. Je ne crois pas qu'un profane puisse se représenter le tourment d'un homme de verbe et de lettres qui sent son organe se pétrifier ainsi au bord des lèvres et de la plume.

Une fois, dix ans après ces événements, j'ai cru que le sort était conjuré et que la providence avait remis ma peine. C'était au moment de cette lettre que j'avais adressée à Auguste Poulet-Malassis afin de lui exposer le projet d'une grande étude philosophique sur Baudelaire et à laquelle il avait répondu par les évocations que j'ai insérées dans ce livre-ci. J'ignore où j'ai trouvé la force, alors, de concevoir ce projet. Et je me revois cette nuit-là, éperdu, sanglotant, presque aphasique pour le coup, tant me bouleversait la perspective que les mots, les concepts puissent de nouveau consentir à s'accorder à moi. Mon bonheur, hélas, ne dura pas. Est-ce le ton de la réponse qui me découragea? La manière courtoise, mais ferme, de m'indiquer que je faisais fausse route? Est-ce la mort du signataire, quelques semaines après, qui ajoutait à l'histoire une nouvelle note lugubre, impropre à l'enthousiasme dont j'avais besoin pour adhérer à cet ouvrage? Ou fallait-il admettre que j'étais décidément incapable de m'atteler à un vrai livre? Il n'y eut pas d'étude. L'idée resta lettre morte. Et je dus me résigner à n'avoir entrevu qu'une lueur et à replonger dans de longues années stériles – avec leur cortège d'affronts, dont mon corps et mon âme portèrent vite les stigmates.

C'est à cette époque que, à mes yeux tout au moins, se fixe la méchante allure qui sera désormais la mienne. Quoique je sois jeune encore, mon front a fini de se dégarnir. J'ai perdu l'essentiel de mon éclat et, déjà, de ma vigueur. J'ai, selon les jours, le teint de l'homme usé par une débauche dont je n'ai pourtant plus le souci ou celui – quel comble! – d'un dévot qui épuiserait son ardeur dans des mortifications complaisantes. Ma taille s'est voûtée. J'ai pris de l'embonpoint. Rompant mes anciennes amitiés, désertant la plupart des cercles et des lices où je devais faire ma carrière, me voici malade d'une solitude que je n'ai plus la force de tromper dans la frénésie des sens ou de l'art. Les médecins, que je ne consulte plus, auraient vite fait de reconnaître là les humeurs classiques de la mélancolie. Mes proches, ceux qui ne se sont pas encore avisés de mon suprême ennui, s'émeuvent de ces petites fioles dont ils sentent bien que j'ai fait mes plus dévouées complices. Je lis encore. Pas de vers! Encore moins de spéculations ou de théories! Mais des romans... Parfois un journal, pour tâter le pouls d'une époque qui ne sera plus la mienne... Goguenard, j'observe l'éternel manège des ambitions, des entrées en scène, des querelles, des grandes causes... Les années passent. Et j'occupe ma vie ainsi, amer, échoué dans le spleen – jusqu'au jour où j'entreprends, selon la bonne vieille méthode, de tout dire, tout avouer et, rendant à Charles Baudelaire ce que je lui volais depuis trente ans, de me libérer de mon fardeau.

Ce livre est né ainsi. C'était, même si j'ai tant tardé à m'y résoudre, le seul que ma misère m'autorisait encore. Chacun d'entre nous porte, n'est-ce pas, le livre de sa vie. Chacun, de la logeuse bruxelloise la plus vulgaire à mes lorettes d'antan, a son gros secret qui le démange et qui, avec un peu de peine, fera un volume présentable. Madame Aupick elle-même n'avait-elle pas sa petite idée, qu'elle brûlait de me suggérer et qui était sa propre version de la folie Baudelaire? Eh bien voici la mienne. Voici mon témoignage. J'ai presque honte, moi qui me projetais, en ce temps-là, dans des espaces si solennels, moi qui rêvais d'une littérature abstraite, éthérée, ouvragée, de me ravaler à leur rang. Et je me sens tout à coup l'une de ces petites âmes – nombreuses ces temps-ci – qui tirent une œuvre d'une rencontre et gèrent, leur vie durant, le maigre privilège d'avoir passé six jours dans les parages d'un grand homme. Mais tel est mon lot. Le temps ayant accompli sa besogne, je ne peux prétendre à mieux. Ce livre, s'il ne rompt pas le sort et s'il ne me réconcilie pas avec les ambitions de ma jeunesse, aura déjà le mérite de me ménager une issue paisible; et si le baudelairien, en moi, n'attend pas grand-chose d'un texte aussi plein de passion, même si l'on est loin de cet art pur, affranchi de l'existence, dont je me faisais un idéal, je sais – car la vertu de ces pages est là – que j'y gagnerai au moins un peu de ma délivrance.

Tout y est. Toutes les pages de cette histoire. Ses détours les plus sinueux. Ses implications secrètes ou connues. Les confidences d'un Baudelaire qui eut la faiblesse de me confier, entre deux dictées, ses réflexions les plus intimes. J'ai tenu à retrouver les survivants du drame – tous ceux, parfois âgés, qui se souviennent de ce qui arriva vraiment à l'hôtel du Grand-Miroir, à la gare de Bruxelles, place des Barricades, dans les maisons du quartier de la Putterie ou chez les religieuses de la rue des Cendres. Je les ai écoutés. Je me suis fait leur greffier. Je leur ai même offert (quel renoncement quand on a mis l'art au-dessus de tout) de publier leurs récits tels quels, sans rien retrancher ni embellir. Les souvenirs d'une hôtelière, mêlés à ceux d'un homme qui se voulait de la trempe de Mallarmé ou de Des Essarts! Les lettres d'une Aupick tramées à une prose qui osait revendiquer les plus hautes obscurités! Et une prostituée métisse, par là-dessus, qui vient mêler sa voix à celle de nos sublimes envolées! C'était la règle. Je n'ai pas songé à m'y dérober. Il fallait que le récit fût complet, qu'il n'y manquât pas un détail, pas une circonstance. A défaut d'élaborer des matériaux plus nobles, il devait, je le répète, se plier aux exigences d'une relation véridique.

Je ne dis pas que, chemin faisant, je ne me sois surpris à retrouver certains de mes effets, de mes manières de jadis. Un mot par-ci... Une sonorité par-là... Un rythme que l'on suit sans raison et qui vous dépose dans des séjours familiers... Un geste du poignet, comme le réflexe d'une vie antérieure... Un tour dont on se souvient, soudain, qu'il nous a un jour appartenu... Une image... Un reflet... C'est vrai : je n'ai pas pris que des désagréments à cette tâche; et puisqu'il est l'heure de tout dire, je crois même avoir parfois, comme il y a trente ans quand je le voyais mourir, pris un certain plaisir à décrire ses derniers râles, ses frémissements, ses salissures, ses disgrâces, ses sursauts, ses « crénom » – tout cet enchaînement de déclins dont je mesure à mon tour la gravité et dont j'ai tenu, le concernant, à n'omettre aucun trait. L'essentiel, encore une fois, n'est cependant pas là. Trop d'années ont passé depuis l'époque où je me divertissais de mes roueries. Et je ne suis plus celui qui, dosant l'aise et l'effroi, jouant en virtuose sur les registres voisins de la duplicité et de la candeur, considérait avec intérêt le tableau où gît un modèle déchu. Je n'ai plus aujourd'hui qu'un cadavre en moi, c'est celui de « Pauvre Belgique! » et le livre que je termine n'a d'autre raison que de m'en déposséder. Non sans, au passage, m'offrir l'occasion d'ajouter mes motifs sur le tombeau du maître. Expiation et dévotion. Pénitence et hommage ultime. Je n'ai plus ni dettes ni devoirs. Sinon, bien sûr, à l'endroit de cette part anonyme que j'ai lâchée, à dessein, sous le museau sans flair des « experts » de la revue Z : il ne me déplaît pas de songer qu'un Baudelaire clandestin continuera de narguer ainsi, jusqu'à la fin des temps, une postérité décidément, définitivement aveugle.

Je n'ignore certes pas qu'il se trouvera toujours des malins pour douter de ce récit. Je les entends déjà grogner que l'histoire ne tient pas debout; que Baudelaire n'a jamais dicté ce livre; que je ne l'ai jamais volé; que je suis bien capable d'avoir fabriqué tous ces cahiers et d'avoir inventé ces maléfices à seule fin de donner un peu de relief à un échec qui, sans mes mensonges, n'en aurait guère. Je les vois d'ici, enhardis par leurs propres arguments, clamer que ce serait bien dans mon style; que rien ne vaut un beau forfait pour vous rajeunir un vieux comédien; que les faux aveux n'ont pas leur pareil, c'est bien connu, pour attirer l'attention, émouvoir les cœurs tendres et ranimer une gloire défunte. Qu'ils me regardent, ceux-là. Qu'ils viennent donc observer l'homme que je suis devenu – si j'ai encore assez de malice et d'appétit pour m'engager dans de telles manœuvres et jouer au jeu délicat des confessions truquées. Le livre est là, de toute façon. Ils jugeront sur pièces. J'affirme, moi, qu'il n'en est pas une ligne qui ne soit frappée au coin de la sincérité. Pas un document produit que je n'aie recueilli avec la vigilance de ceux qui s'en vont. Charles Baudelaire quittait cette comédie en se taisant. Je la quitte, moi, sur ces paroles obligées. Il me fallait un livre là où le silence lui a suffi.

Table

PREMIÈRE PARTIE

DEUXIÈME PARTIE

TROISIÈME PARTIE

QUATRIÈME PARTIE

CINQUIÈME PARTIE

SIXIÈME PARTIE

Dans Le Livre de Poche

Extrait du catalogue

Histoire des idées

Armand Abécassis. *La pensée juive, 1*

Du désert au désir. *Inédit.* 4050.

Première présentation aussi minutieuse et aussi complète de *la pensée juive.* Armand Abécassis détaille la lettre des transformations subies au fil du temps et analyse le noyau conceptuel, formé par la trilogie Peuple-Texte-Terre.
Du milieu du IVe millénaire au Xe siècle avant J.-C. Trois valeurs fondatrices radiographiées. La Terre, montrée comme l'espace de l'Enracinement et le lieu de la Promesse. La Famille ensuite, structure originaire à partir de laquelle s'inventera l'architecture du collectif. Le Peuple enfin, désigné comme la valeur étalon, le creuset où se forgent les différences et la notion de responsabilité.

Armand Abécassis. *La pensée juive, 2*

De l'État politique à l'éclat prophétique. *Inédit.* 4051.

Du Xe siècle à l'an 587 avant J.-C. (déportation en Babylonie). Une investigation approfondie qui révèle le rôle des prophètes face aux politiques et aux religieux, et montre comment se profilent les notions de justice, d'amour, de paix et d'alliance.

Armand Abécassis. *La pensée juive, 3*

Espaces de l'oubli et mémoires du temps. *Inédit.* 4100

L'an 587 avant notre ère marque pour le peuple d'Israël le temps de l'exil. Vont alors s'affirmer dans la pensée juive le souci de l'Identité, le renforcement de la volonté communautaire, et s'affiner le sens de la liberté.

Pierre Ansart. *Proudhon.*

Textes et débats *Inédit.* 5009.

« La propriété c'est le vol », « Dieu c'est le mal »... Formules désormais célèbres d'un penseur dont le travail aura largement contribué à bouleverser les idéologies du XIXe siècle. Les grands axes d'une réflexion, les grands débats qu'elle a suscités : Pierre Ansart nous offre un exposé concis et clair.

Jacques Attali. *Histoires du temps.* 4011.

Une généalogie de nos appareils à mesurer le temps : de la clepsydre à l'horloge astronomique. Où l'on apprend que les transformations des moyens de comptage de la durée révèlent les grandes fractures sociales et caractérisent « la trajectoire de chaque civilisation ».

Jacques Attali. *Les Trois Mondes.* 4012.

L'économie contemporaine et la crise. Après avoir vécu dans le monde de la *régulation,* puis dans celui de la *production,* nous sommes entrés dans celui de l'*organisation.*

Jacques Attali. *Bruits.* 4040.

« Le monde ne se lit pas, il s'écoute. » Jacques Attali se livre à un étonnant exercice : percer à jour les mystères de l'histoire des sociétés grâce à la compréhension de l'histoire de leur musique. Comment la maîtrise des sons explique la structure du pouvoir.

Jean Baudrillard. *Amérique.* 4080.

Les dessous d'un continent fabuleux. Un autre univers, un autre temps, un autre horizon. Une utopie étrange qui, sans cesse, oscille entre rêve et réalité. Avec Baudrillard comme guide.

Georges Benrekassa. *Montesquieu, la liberté et l'histoire.* *Inédit.* 4067.

Montesquieu notre contemporain. Pour découvrir un philosophe de la liberté aux prises avec l'intelligence de l'histoire et comprendre à quelles conditions les vérités du libéralisme sont acceptables.

Cornélius Castoriadis. *Devant la guerre.*

Nouvelle édition revue et corrigée 4006.

Cornélius Castoriadis examine l'actuel état des forces des deux grandes puissances qui dominent la planète : U.S.A. et U.R.S.S. Pour l'heure, l'avantage est en faveur de l'Union soviétique. Devenue « statocratie », la nation laisse le militaire l'emporter sur le politique.

Guido Ceronetti. *Le Silence du corps.* 4089.

Le corps dans tous ses états. Corps biologique, corps social, corps nature... Peu de penseurs ont parlé avec tant d'intelligence de nos douleurs, de nos maladies, de nos sensations, de nos plaisirs comme de nos fantasmes.

Régis Debray. *Le Scribe.* 4003.

La figure de l'intellectuel sous la loupe de l'historien des idées. Des origines à nos jours, les mille et une métamorphoses du scribe. Une vaste fresque qui traverse siècles et civilisations.

Laurent Dispot. *La Machine à terreur.* 4016.

On ne peut comprendre les phénomènes de la violence politique contemporaine si l'on ignore ce qui s'est joué avec la Révolution française. La logique des hommes et les systèmes de la violence.

Umberto Eco. *La Guerre du faux.* 4064.

Une chronique raisonnée de nos nouvelles mythologies. Blue-jean, football, télévision, terrorisme, hyperréalité, phénomènes de mode... L'univers quotidien de notre siècle finissant méthodiquement déchiffré.

René Girard. *La Route antique des hommes pervers.* 4048.

A travers un commentaire stimulant du texte le plus étrange que contient la Bible, *Le Livre de Job,* René Girard nous convie à une formidable méditation sur le fonctionnement social. La Violence, l'Innocence, le Religieux, le Totalitarisme, Le Sacrifice...

André Glucksmann. *La Force du vertige.* 4024.

Le pacifisme revu et corrigé. André Glucksmann continue son dépoussiérage des idées reçues et en appelle à une véritable révolution des consciences. Vouloir la paix au siècle de la bombe atomique cela signifie d'abord que l'on dispose d'un armement au moins équivalent à celui de son adversaire potentiel.

Yves Lacoste. *Questions de géopolitique L'Islam, la mer, l'Afrique.* *Inédit.* 4087.

A travers une série d'analyses percutantes, Yves Lacoste nous montre la nouvelle physionomie de la planète et nous aide à débrouiller des questions aussi complexes que celles de l'Islam, des mers et de l'Afrique.

Claude Lefort. *L'Invention démocratique.* 4002.

Non, le totalitarisme n'est pas une fatalité. Et à qui sait entendre, des voix jaillies des profondeurs de l'oppression racontent le roman de sa disparition. Une très grande leçon de philosophie politique.

Bernard-Henri Lévy. *Les Indes rouges. précédé d'une Préface inédite* 4031.

Le livre s'ouvre sur la décennie 70. En Afrique du Sud, en Asie, les pays qui subissaient la tutelle colonialiste de l'Occident secouent leur joug. *Les Indes rouges* est le récit de l'une de ces guerres de libération : l'histoire du Bangla Desh.

Bernard-Henri Lévy. *Questions de principe deux.* *Inédit.* 4052.

De l'examen du « système Foucault » à l'évaluation du travail de Louis Althusser, d'un « éloge du béton » au décryptage des créations d'Yves Saint-Laurent, de l'interrogation de la décadence au douloureux problème de la faim dans le monde, de la fréquentation des maquis afghans à la fondation de S.O.S. Racisme, une même réflexion est à l'œuvre, un même engagement s'affirme. *Questions de principe deux* est un prisme où miroitent les enjeux de notre siècle finissant.

Bernard-Henri Lévy. *Questions de principe trois.* *Inédit.* 4123.

Questions de principe trois, La Suite dans les idées, ou la persévérance de la pensée. Quand un philosophe poursuit sa lecture du présent et réagit aux événements qui secouent périodiquement le monde. De l'analyse des effets pervers de l'aide humanitaire en Éthiopie à la réévaluation des cartes politiques et sociales de l'U.R.S.S. de Gorbatchev, d'une réflexion sur l'art du roman au déchiffrement des toiles du peintre Frank Stella, d'un réexamen des enjeux de la Révolution française à la mise en perspective des ébranlements de la Chine contemporaine, Bernard-Henri Lévy confirme son inscription au cœur même de l'époque.

Troisième volume des *Questions de principe, La Suite dans les idées* peut aussi se lire comme un guide intellectuel des années 80.

Jean-Jacques Marie. *Trotsky.*
Textes et débats *Inédit.* 5004.
Le stratège, l'économiste, le philosophe, l'idéologue, le politique : toutes les figures de l'intellectuel sont soigneusement présentées.

Philosophie

Jean Baudrillard. *Les Stratégies fatales.* 4039.
Un livre à lire comme un recueil d'histoires. Il y est question d'amour, de séduction, de plaisir, des formes inouïes de l'obscénité moderne... Jean Baudrillard brise des clichés. *Les Stratégies fatales* est la chronique désabusée d'un philosophe à la recherche de la nouvelle cohérence qui régit son époque.

Jean-Claude Bonnet. *Diderot.*
Textes et débats 5001.
Diderot dans tous ses états : polémiste, humaniste, encyclopédiste, philosophe, politologue, moraliste. Une œuvre à découvrir et à redécouvrir, une réflexion libre et stimulante.

Cahier de l'Herne. *Mircea Eliade.* 4033.
Appréhender l'homme à travers ses manifestations les plus singulières. Saisir les mystères de l'esprit, les raisons de ses fascinations pour le merveilleux ou l'inexplicable. Définir des réalités aussi étranges, aussi impénétrables que la conscience ou l'imaginaire. Telles sont les voies sur lesquelles s'est engagé Mircea Eliade.

Cahier de l'Herne. *Martin Heidegger.* 4048.
L'œuvre philosophique la plus considérable de ce siècle est indéniablement celle de Martin Heidegger. La métaphysique, la pensée de l'Être, la technique, la théologie, l'engagement politique : rien ne manque au tableau de ce Cahier de l'Herne exceptionnel. Des intervenants prestigieux, des commentaires judicieux.

E.M. Cioran. *Des larmes et des saints.* 4090.
« Il y a dans l'obsession de l'absolu un goût d'autodestruction. D'où la hantise du couvent et du bordel. " Cellules " et femmes de part et d'autre. Le dégoût de vivre croît aussi bien à l'ombre des saintes que des putains.

Jeannette Colombel. *Jean-Paul Sartre, 1.*
Un homme en situations.
Textes et débats *Inédit.* 5008.
Dans ce premier volume, Jeannette Colombel met l'accent sur le Sartre théoricien du « sujet », le penseur de *L'Être et le Néant.*

Jeannette Colombel. *Jean-Paul Sartre, 2.*
Une œuvre aux mille têtes.
Textes et débats *Inédit.* 5013.
Second tome qui présente le philosophe de la liberté. Sa vision de l'Histoire, ses conceptions de la morale, sa passion de l'écriture, son sens de l'injustice, son refus des oppressions. Tout Sartre, de *La Nausée* à *L'Idiot de la famille.*

Armand Cuvillier. *Cours de philosophie, 1.* 4053.

Les questions fondamentales de la philosophie sont abordées dans des exposés rigoureux et précis. Toutes les notions, tous les concepts. Une superbe introduction à l'univers philosophique.
Problèmes de la conscience et de l'inconscient, de l'espace, du réel, de la mémoire, du temps, de l'intelligence, du langage, de la raison, de la connaissance, de l'esprit scientifique, de la biologie, de l'histoire, de la métaphysique, etc.

Armand Cuvillier. *Cours de philosophie, 2.* 4054.

Thèmes psychologiques, moraux et politiques. Le désir, le plaisir, les passions, le moi, la personnalité et le caractère, autrui, l'art, le Beau, la création, l'expérience morale, le devoir, le Bien, les grandes conceptions de la vie morale, la famille, le travail, l'État, la nation, la liberté, les théories politiques, etc.

Jean-Toussaint Desanti. *Un destin philosophique.* 4022.

Un philosophe, parmi les plus importants du moment, revient sur lui-même. Les questions cruciales de notre siècle y sont débattues sans artifices. Marxisme, stalinisme, violence, morale et engagement de l'intellectuel. Pour apprendre ce que penser veut dire.

Jacques D'Hondt. *Hegel.*
Textes et débats *Inédit.* 5006.

« Ici et là, on veut encore brûler Hegel, cent cinquante ans après sa mort ! Les passions éveillées par la publication de ses idées et par leur succès équivoque ne s'apaisent pas. Cette longévité qualifie les grands penseurs. »

Élisabeth de Fontenay. *Diderot*
ou le matérialisme enchanté. 4017.

Élisabeth de Fontenay rompt le fil de l'exégèse traditionnelle pour faire apparaître un Diderot excentrique, rebelle, chantre de « la matière, de la nature et de la vie », qui, mieux que nul autre, aura « musiqué » la philosophie.

André Glucksmann. *Le Discours de la guerre,*
suivi de Europe 2004. 4030.

La guerre dans les têtes. Aujourd'hui, comme hier, présente au quotidien. Un horizon indépassable. Comment la penser à l'âge nucléaire ? Quels sont ses enjeux ? Quelle fin peut-on lui assigner ?

Michel Henry. *La Barbarie.* 4085.

Premier diagnostic du nouveau malaise dans la civilisation : la révélation du fossé qui se creuse entre savoir et culture. Michel Henry énonce avec force les vraies questions de la modernité.

Angèle Kremer-Marietti. *Michel Foucault, Archéologie et généalogie. Nouvelle édition revue, corrigée et augmentée* 4036.

Lectures de Michel Foucault. Un parcours qui, de *La Naissance de la clinique* et *L'Histoire de la folie* aux derniers volumes de *L'Histoire de la sexualité*, explore méticuleusement le système Foucault. On visite l'inconscient politique occidental, on descend aux racines des valeurs, on entend la vérité des institutions sociales...

Emmanuel Lévinas. *Éthique et Infini.* 4018.

Emmanuel Lévinas dialogue avec Philippe Némo et passe au crible les thèmes forts de sa philosophie. La responsabilité, la relation avec l'Autre, le Mal, l'Amour, la Liberté : autant de problèmes essentiels dont l'élucidation aide à vivre aujourd'hui.

Emmanuel Lévinas. *Difficile liberté.* 4019.

Un texte qui appréhende la tradition hébraïque sur fond d'exterminations nazies et montre qu'elle porte en elle les paroles d'une sagesse éternelle. Sobrement, Emmanuel Lévinas nous raconte le grand roman de l'Homme. Décisif.

Emmanuel Lévinas. *Humanisme de l'autre homme.* 4058.

L'humanisme est toujours actuel, dit en substance Lévinas, et c'est grâce à lui que l'on peut apprendre à considérer l'« autre » dans ce qu'il a d'unique, et donc d'inestimable.

Emmanuel Lévinas. *Noms propres.* 4059.

Lire ses contemporains. Débusquer dans l'entrelacs des mots le travail de la pensée. Ou encore : le philosophe et ses « affinités électives ». *Noms propres* est un livre unique dans l'œuvre d'Emmanuel Lévinas. Le seul où le penseur désigne aussi clairement la teneur exacte de son environnement intellectuel.

Bernard-Henri Lévy. *La Barbarie à visage humain.* 4032.

Contre le bel optimisme des idéologies progressistes, *La Barbarie à visage humain* préconise une réhabilitation du travail philosophique, redéfinit les fonctions du philosophe dans la Cité et formule une critique radicale des illusions révolutionnaires.

Geneviève Rodis-Lewis. *Descartes. Textes et débats* *Inédit.* 5003.

Du *Discours de la méthode* aux *Méditations*, de l'étude de la géométrie à la métaphysique, du doute à la connaissance, des preuves de l'existence divine aux réalités de la physique et au *Traité des passions*, Descartes mis à la portée de tous.

Michel Serres. *Esthétiques. Sur Carpaccio.* 4005.

Michel Serres, à côté d'une méditation sur la peinture, nous propose, dans des pages superbes, une réflexion novatrice sur les phénomènes de communication et de langage.

Approches littéraires

Henri Béhar et Michel Carassou.
Le Surréalisme.
Textes et débats *Inédit.* 5005.

Créé en 1924 par André Breton, et dissous en 1969, trois ans après sa mort, le surréalisme a été le mouvement littéraire qui a le plus fortement marqué ce siècle. Conceptions de l'amour, de l'art, du langage, de l'écriture, visions du continent intérieur de l'homme, passions du rêve, quête de l'au-delà du réel : un panorama complet.

Christiane Boutaudou. *Montaigne.*
Textes et débats *Inédit.* 5007.

A la charnière de deux mondes, Montaigne a proposé mieux qu'une éthique : une véritable esthétique de la vie. Il n'a pas créé un art de vivre, mais un mode d'être. Dans les célèbres *Essais*, conversation à bâtons rompus avec lui-même et son prochain, il suggère une merveilleuse leçon de sagesse.

Madeleine Chapsal. *Envoyez la petite musique.* 4079.

Une remarquable introduction à l'univers intellectuel et culturel français des années 50-80. Plus d'une vingtaine de grands auteurs et grands penseurs sont passés au crible de l'entretien. Bachelard, Bataille, Beauvoir, Borgès, Breton, Céline, Lacan, Leiris, Mauriac, Merleau-Ponty, Sartre, Tzara, etc.

Umberto Eco. *Apostille au « Nom de la Rose ».* 4068.

Toutes les questions que suscite la lecture du *Nom de la Rose* trouvent ici leur réponse. Exercice rare d'un auteur livrant les clefs de son ouvrage, qui débouche sur une formidable réflexion concernant la création littéraire.

Jean-François Fogel et Daniel Rondeau
(sous la direction de).
Pourquoi écrivez-vous ? *Inédit.* 4086.

Une enquête sans précédent auprès de plus de quatre cents écrivains du monde entier. On obtient ainsi le premier atlas de la littérature contemporaine. Un instrument indispensable.

Edmond Jabès. *Le Livre des marges.* 4063.
Qu'est-ce qu'un livre ? Qu'est-ce que lire ? Qu'est-ce qui se raconte dans l'acte d'écriture ? Voilà quelques-unes des questions auxquelles s'attache Edmond Jabès dans de superbes méditations.

Vladimir Nabokov. *Littératures, 1.* 4065.
Le romancier génial se révèle aussi un remarquable analyste des grandes œuvres de la littérature européenne. Proust, Flaubert, Joyce, Dickens, Stevenson et Jane Austen sont passés au crible de l'interprétation.

Vladimir Nabokov. *Littératures, 2.* 4083.
Auteurs immenses et œuvres grandioses : un jaillissement d'intelligence qui séduit et enthousiasme. Pour découvrir ou redécouvrir les classiques de la littérature russe du XIXe siècle : Gogol, Tourgueniev, Dostoïevski, Tolstoï, Tchekhov et Gorki.

Marthe Robert. *Livre de lectures.* 4007.
Un livre piège, qui envoûte son lecteur. Marthe Robert est certainement la plus grande critique française d'aujourd'hui. Une érudition étourdissante. Kafka, Balzac, Zola, Flaubert, Freud, Cervantès, etc. Pour saisir les facteurs qui ont plongé la littérature dans la crise.

IMPRIMÉ EN FRANCE PAR BRODARD ET TAUPIN
Usine de La Flèche (Sarthe).
LIBRAIRIE GÉNÉRALE FRANÇAISE - 6, rue Pierre-Sarrazin - 75006 Paris.

ISBN : 2 - 253 - 05413 - 5 30/6838/4